いちばん初めに読

よくわかる Excel マクロ&VBA

古川順平 著

SB Creative

本書に関するお問い合わせ

この度は小社書籍をご購入いただき誠にありがとうございます。小社では本書の内容に関するご質問を受け付けております。本書を読み進めていただきます中でご不明な箇所がございましたらお問い合わせください。なお、お問い合わせに関しましては下記のガイドラインを設けております。恐れ入りますが、ご質問の際は最初に下記ガイドラインをご確認ください。

ご質問の前に

小社 Web サイトで「正誤表」をご確認ください。最新の正誤情報をサポートページに掲載しております。

▶ **本書サポートページ**

URL https://isbn2.sbcr.jp/26037/

上記ページの「正誤情報」のリンクをクリックしてください。なお、正誤情報がない場合、リンクをクリックすることはできません。

ご質問の際の注意点

- ご質問はメール、または郵便など、必ず文書にてお願いいたします。お電話では承っておりません。
- ご質問は本書の記述に関することのみとさせていただいております。従いまして、○○ページの○○行目というように記述箇所をはっきりお書き添えください。記述箇所が明記されていない場合、ご質問を承れないことがございます。
- 小社出版物の著作権は著者に帰属いたします。従いまして、ご質問に関する回答も基本的に著者に確認の上回答いたしております。これに伴い返信は数日ないしそれ以上かかる場合がございます。あらかじめご了承ください。

ご質問送付先

ご質問については下記のいずれかの方法をご利用ください。

▶ **Webページより**

上記のサポートページ内にある「お問い合わせ」をクリックすると、メールフォームが開きます。要綱に従って質問内容を記入の上、送信してください。

▶ **郵送**

郵送の場合は下記までお願いいたします。

〒105-0001
東京都港区虎ノ門2-2-1
SBクリエイティブ　読者サポート係

はじめに

本書は日々の Excel を使った作業を、「自動化」する方法についてまとめています。Excel の自動化のカギになるのが「マクロ」機能です。そのマクロ機能の仕組みから実際の作成方法を、いちからご紹介します。

そして最終的には、普段の業務をマクロで効率化できるようになること、言い換えると、「マクロのプログラムを自分で作成できる」ようになっていただけることを目的としています。また、学習にあたってはマクロ機能を扱う上での考え方のポイントや、よく使う仕組み等をピックアップしてみました。

本書で扱う「マクロ」は、Excel のワークシート関数だけでは実現が難しい計算や集計等もあっという間に終わらすことができる素晴らしい機能ですが、多機能であり、その全てを覚えるのは大変です。そこで、「基本的なルールの紹介」と「覚えると一気にタイムパフォーマンスが上がる仕組み」の 2 つの仕組みに的を絞って、まずはそこを使えるようになっていただこう、というコンセプトでまとめてみました。

新たに Excel を使った業務を行う新人の方から、既に Excel を活用されているベテランの方まで、全ての方にとって、「仕事を素早く楽にこなせるマクロの作り方」が学べるように、学習に役立つサンプルマクロも多数掲載しております。

また、マクロの仕組みに加え、「マクロを作成する際に意識しておくと役に立つルール」や「マクロの作成・確認に役立つ機能」もあわせてご紹介しています。どんな作業でも、ちょっとしたコツを知っているかどうかや、作業に応じた道具を持っているかどうかで難しさや効率が大きく変わってきます。Excel やマクロ機能も例外ではありません。そのあたりの最初に知っておいた方がよい点も押さえてみました。

マクロ機能、本当にすごく便利なんですよ。ぜひ、本書を手に取ってその最初の一歩を踏み出してみてください。本書が Excel を使って仕事を行っている方にとって、少しでもお役に立てることを願っております。

2024 年 4 月　富士山麓にて

古川 順平

Contents

第1章 仕事を自動化するマクロを作る

第2章 覚えてもらいたい 2 つの仕組み

第3章 マクロを作成・実行する手順

第4章 基本の操作を実行する仕組み

第6章 マクロをわかりやすく整理する

第7章 状況に応じて自動で操作を分岐する

第8章 一気に操作を行うマクロ

第9章 すぐに使えるマクロの定番テクニック

第10章 マクロの作成や管理に便利な機能

第 1 章

仕事を自動化する
マクロを作る

01 マクロによって、あらゆる操作を自動化する

本書は、マクロの作成方法を基礎から解説していきます。最初に、マクロを作成する目的を確認し、本書の目指すところを示します。

マクロとは何か、どのような役に立つのか

本書を手に取られた方であれば、一度は、マクロあるいはVBA（ブイビーエー）という言葉を耳にしたことがあるでしょう。この「マクロ」とは、Excel に用意されている機能の１つです。

マクロとは、**「一連の操作をまとめて実行できる」機能**です。つまり、普段は手作業で行っている面倒な操作一式を、ボタンを１つ押すだけで、**全て自動実行してくれるという大変に強力なもの**です。

あまりにも便利で、かつ、知っているのと知らないでいるのとでは、日々の業務の進め方や作業の質・量がまったく違うものになるため、さまざまな方が、さまざまな方法でそのノウハウを紹介しているほどです。

▼ マクロは面倒な操作を自動で実行してくれる

	A	B	C	D	E	F	G	H	I	J	K
1											
2		売上記録									
3											
4		取引番号	日付	時刻	製品番号	説明	売上金額	税率	消費税	合計	
5		1001	2024/6/3	10:30	U013	ひんやりさらさら毛布	4400	0.1	440	4840	
6		1002	2024/6/3	10:33	S125-5	ラグマット　赤	6200	0.1	620	6820	
7		1003	2024/6/3	10:45	S038	収納ボックス　3段	2800	0.1	280	3080	
8		1004	2024/6/3	10:55	S037	丸型ネジ	300	0.1	30	330	
9		1005	2024/6/3	11:45	U008	低反発まくら	2400	0.1	240	2640	
10											

↓

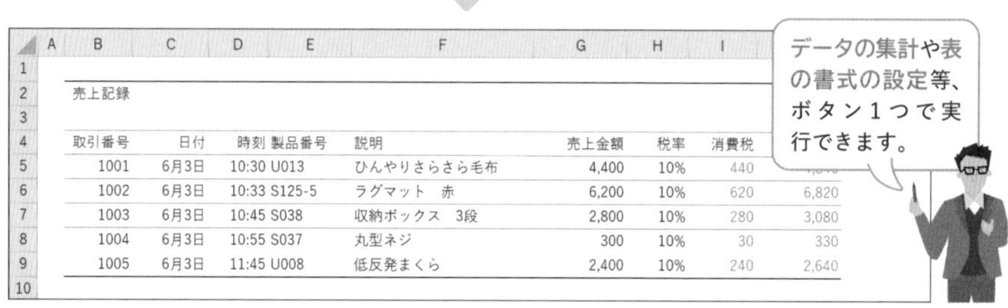

	A	B	C	D	E	F	G	H	I	J
1										
2		売上記録								
3										
4		取引番号	日付	時刻	製品番号	説明	売上金額	税率	消費税	
5		1001	6月3日	10:30	U013	ひんやりさらさら毛布	4,400	10%	440	[illegible]
6		1002	6月3日	10:33	S125-5	ラグマット　赤	6,200	10%	620	6,820
7		1003	6月3日	10:45	S038	収納ボックス　3段	2,800	10%	280	3,080
8		1004	6月3日	10:55	S037	丸型ネジ	300	10%	30	330
9		1005	6月3日	11:45	U008	低反発まくら	2,400	10%	240	2,640
10										

データの集計や表の書式の設定等、ボタン１つで実行できます。

既に上司や同僚の方々に薦められたり、Webや書籍上で特集を組まれているのを見かけたことがある方も多くいるかと思います。それも当然だろうと思えるほど便利な機能です。

マクロで自動化できる操作

実際のところ、マクロ機能によってExcelのどのような操作を自動化できるのでしょうか。その答えは、「手作業でできることであれば、ほぼ全てを自動化できる」です。

これは大げさな話ではありません。例えば、次のような手順で行う作業があるとします。

❶細かな伝票や計算データを積算して1つの表にまとめる
❷さらにその数値を吟味する
❸お客様にお渡しする帳票やレポートを作成する

いわゆる積算による見積書の発行業務のような作業ですね。これを手作業で行うとすれば、2時間ほど、慣れてきた方であれば1時間ほどで作成できるかもしれません。

一連の操作をマクロ機能によっていったん自動化してしまえば、**「データの収集・積算・分析・作表・出力といった操作を、1分もかからずに終わらす」**ことも可能です。

しかも、マクロ機能はパソコンによって実行されるため、登録された一連の作業を、見落としなく正確に行ってくれます。手作業で行う場合のような、「作業の見落とし」や「うっかり計算ミス」が発生しません。

Keyword

マクロは、「一連の操作をまとめて実行できる」機能です。**VBA**（Visual Basic for Applications）は、マクロ作成するプログラミング言語（記述ルール）です。

本書で皆さまに伝えたいこと

今まで苦労して数時間かけていた作業が、マクロを使うことで、本当に一瞬でミスなく終わります。毎日行う作業であれば、ひと月も経てば、何十時間分も時間に余裕が生まれることでしょう。

だからこそ、多くの方はこのマクロ機能に感動し、そして、皆に教えようとするのです。本書も、その感動を皆さまに知っていただきたくて作成した書籍の1つです。

本書では、次のテーマを中心に、**「マクロの使い方、そして作り方」**を紹介させていただきます。日々の業務に役立つマクロについての知識が基礎から学べるように全体を構成しています。

- **マクロを作成するにはどのような考え方をするか**
- **マクロを作成するために必要な環境作り**
- **どのような業務がマクロ化に向いているのか**
- **基本的な機能をマクロから操作する方法**
- **劇的に作業効率をよくする「繰り返し」の処理**

本書は、マクロの作成方法を基礎から解説するものです。特に、膨大なマクロ作成のノウハウの中から、自動化の基礎である「基本機能の操作」と、時短・効率化の要となる「繰り返しの処理」という2つの仕組みに焦点を当てて解説を行っていきます。

本書を読み終えた時に、その2つの知識をマスターしていただけるようなトピックを中心に取り扱っています。

是非、皆さまもマクロによる劇的な自動化の感動を味わってください。そして、今後の業務改善への強力なパートナーとして活用していきましょう。

自分で作成できるという強み

Excelのマクロは、作業の手順をVBAによる「プログラム」として記述することで実現します。つまり、本書の目的は、普段の業務をマクロで効率化できるようになること、言い換えると、「マクロのプログラムを自分で作れるようになる」こととなります。

▼ 目的は「マクロのプログラム」を作れるようになること

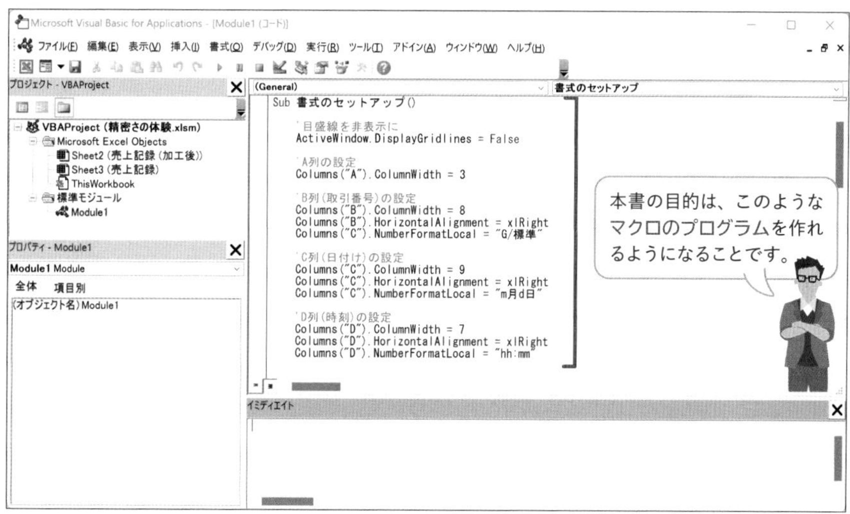

「プログラム」と聞くと何だか難しそうに思えますが、ご安心ください。マクロのプログラムは、とても単純で、しかも、自分の目的の内容をどのように記述すればよいのかを調べる方法が豊富に用意されています。2つほど大きなハードルがありますが、全体としては簡単なのです。

「マクロのプログラムを自分で作れるようになる」ということは、つまり、**「自分の業務にぴったりの操作手順を自動化できる」**ようになるということです。

プログラムは開発のプロにお願いして作成するもの、あるいはソフトを購入して使用するものというイメージの人も多いことでしょう。

しかし、その場合、コストがかかる上に、時が経つと、実際の業務のノウハウや形態が変化するにつれて、少しずつ「プログラムでできること」と「自分がやりたいこと」の間にズレが生じてきて、上手く活用できなくなってしまいがちです。

その点、マクロのプログラムは基本的なルールさえしっかりと押さえておけば、誰でも作成することができますし、現在の業務の内容に合わせて改修することもできます。自分の業務に合わせて、小回りの利くマクロを柔軟に作成できることこそが、「自分で作れる」ことの強みなのです。

COLUMN なぜ「Excel」と「マクロ」なのか

業務を楽にするプログラムは、別にExcelでなくても作成できます。しかし、筆者は、初めてプログラムを作成する方のための環境として、Excelはとても魅力的だと考えています。その理由は、以下の3つです。

- どの職場でも幅広く利用されているので環境作りが不要
- 業務で利用する機能が既に揃っている
- 学習の手引きとなる機能や先例が豊富に揃っている

Excelは、ビジネスの世界では最も多く利用されているアプリケーションの1つです。つまり、Excelを利用したプログラムの作り方を学習すれば、「今の職場から転職したり、配属部署が変わったとしても活用できる可能性が高い」と言えます。

また、プログラムを作成するための専用のツールを揃える必要がありません。既に業務で使用するパソコンにインストールされているExcelをそのまま使い、すぐにプログラム作りを始めることができるのも、大きなメリットとなります。

Excelは、表計算を行うアプリケーションであり、データの入力・収集・分析・出力に関する機能、つまり、普段の業務で利用するであろう機能が、一通り揃っています。あとは、その豊富な機能のうち、どれを使うかを選択するだけです。一から、業務に必要な計算方法や表示画面を作成せずとも済む分、とても手軽に目的のプログラムが作成できます。

そしてExcelのマクロ開発は、既に多くの方が経験されているので、「先人のノウハウが非常に充実している」のも大きな利点です。つまりは、開発を行う上でつまずいた箇所があれば、Webや書籍を少し当たれば、同じ箇所でつまずき、そして解決した先人たちの智恵に触れ、その情報を参考にして手元の問題を解決できる場合がほとんどです。「マクロの記録」という、「自分の行った操作を、マクロのプログラムとして自動記述してくれる機能」も用意されています。

まずはトライし、つまずき、解決方法を尋ね（調べ）、それを真似ているうちに、VBAの記述ルールがだんだんと感覚として身につき、より自分の思うような動きをするプログラムを開発できるようになる、という学習サイクルを短時間で経験することができるでしょう。

02

マクロ作成のルールを学ぶ

マクロを作成するためにはプログラミング言語の学習が必要となります。ここでは、VBA について学習する際の、心構えと目標を書き出していきます。

Excelでのプログラムの記述ルール

プログラムを作成する場合には、対応するプログラミング言語に沿った記述ルールを学習する必要があります。Excel のマクロでは、VBA（Visual Basic for Applications）と呼ばれるプログラミング言語を利用します。

VBA の特徴は、ざっくり言ってしまうと**「わりといい加減に書いても動く」**です。記述ルールを丸暗記する必要はありません。今の時点では、**「こういうものなんだな」くらいのイメージ**を持ってチャレンジしていきましょう。

▼ マクロは「VBA」で作成する

```
Sub マクロのサンプル()
    Dim i
    For i = 1 To 3
        MsgBox "処理を実行しました"
    Next
End Sub
```

このように、VBA という
プログラム言語でマクロを
作成していきます。

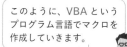

VBA というプログラミング言語は、そもそもの設計思想が、「いろいろと厳密に定義しないと動かないのは面倒だから、あまり厳密でなくても動くようにしよう」というところから始まりました。そのため、他のプログラミング言語の経験者から見ると、「いい加減すぎて気持ち悪い」と言われるほど適当な面もあります。しかし、初心者の方からすれば、取っつきやすいという利点があります。

まずは、「わかりやすいけど、ちょっといい加減」くらいのイメージで、気楽に学習に臨んでみてください。

便利さを感じる「壁」を乗り越えよう

マクロは、作業時間を半減し、感動するほど便利なものですが、その便利さを実感できるようになるまでには、「壁」があると筆者は考えています。それは、次の2つです。

- **普段行っているExcelの操作をプログラム化できるまで**
- **プログラム化した作業に流れを付けられるようになるまで**

1つ目の「壁」は、**「Excelの操作をプログラムとして記述する場合の基本ルール」**を理解するまでです。これは、Excelの操作をマクロから実行できるようになることです。

「セルに値を入力する」という、日常的に行っている操作を例にしてみましょう。例えば、「セルA1に"Hello"と入力」するためには、次のようにプログラムを記述します。何だか英語に似ていますね。

```
Range("A1").Value = "Hello"
```

このプログラムを簡単に説明すると、「Range("A1")」という部分が、「セルA1」を意味し、その次の「.」（ドット）は、日本語で言うところの「の」に当たります。そして、次の「Value」は「値」という意味です。つまり、「Range("A1").Value」は「セルA1の値」という意味になります。続く、「=」「"Hello"」は、「イコールの左側のものを、"Hello"に変化させる」という意味になります。つまりは、全体として「セルA1の値を"Hello"にする」という操作となります。

▼「セルに値を入力する」という「操作」をプログラムにする

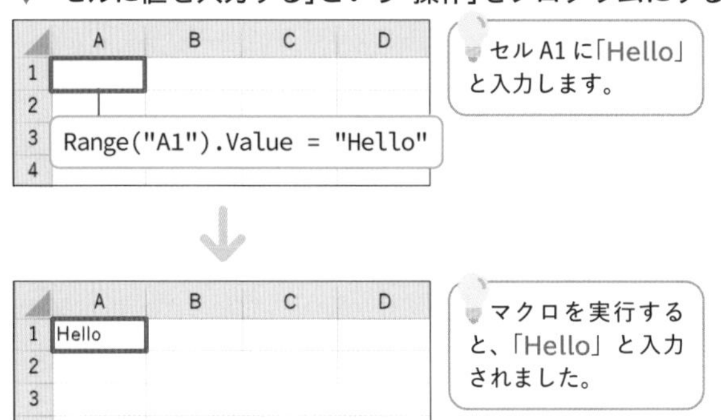

このような命令を記述する際、「まず、操作を行う『対象』を指定し、次に『命令』を記述する」という基本ルールがあります。このルールを感覚として理解することが、マクロ作成の最初の「壁」です。

この壁を乗り越えれば、普段手作業で行っている操作をプログラム化することが可能となります。

2つ目の「壁」は、**「操作の流れをプログラムとして記述するルール」**を理解するまでです。これは、操作を繰り返したり、状況に応じて実行する操作を切り替えたりする方法を身につけることです。

例えば、先ほどの「セルに値を入力する」という作業を繰り返し、全部のセルに対して実行したり、全部のワークシートに対して実行したり、あるいは、特定の名前のブックにだけ実行したりというように、「必要なだけ繰り返す」という流れを作り出すためのプログラムの記述方法を覚えるという「壁」です。

▼「操作」を「繰り返し」プログラムを作成せる

	A	B	C	D	E	F
1	Hello	Hello	Hello	Hello	Hello	Hello
2	Hello	Hello	Hello	Hello	Hello	Hello
3	Hello	Hello	Hello	Hello	Hello	Hello
4	Hello	Hello	Hello	Hello	Hello	Hello

作成した操作のプログラムを、繰り返して実行できるようにしていきます。

この、2つ目の壁は、1つ目の壁よりもやや難しいですが、驚くほど業務の効率化を図れるものです。業務の効率化を図るための、最大の武器と言ってよい重要なテクニックです。第5章で丁寧に解説しますので、頑張ってマスターしましょう。

本書の最大の目的は、この2つの「壁」を乗り越える手助けを行うことです。この2つの壁を乗り越え、自らの手で感動する便利なマクロを作成できるように学習を進めていきましょう。

03 精密さと時間短縮の効果を体験する

マクロが力を発揮するのは、「ミスなく精密に操作を繰り返す」ことと、「大量の操作を一気に行う」ことです。ここでは、その効果を体験してみましょう。

まずはサンプルを用意する

実際に手を動かして、マクロの効果を体験してみましょう。ここでは2種類のマクロを体験用のサンプルとして用意しました。

1つ目は、「入力済みのデータの書式を修正し、チームにとって見慣れた、理解しやすい書式へと統一する」ためのマクロです。2つ目は、「ワークシート上に入力されたデータを元に、取引先ごとに新規ブックを作成し、特定のフォルダー内に保存する」ものです。

以下の手順に従って、サンプルファイルをダウンロード・展開してください。

▼サンプルファイルのダウンロードと展開

サンプルのダウンロード https://www.sbcr.jp/support/4815617834/

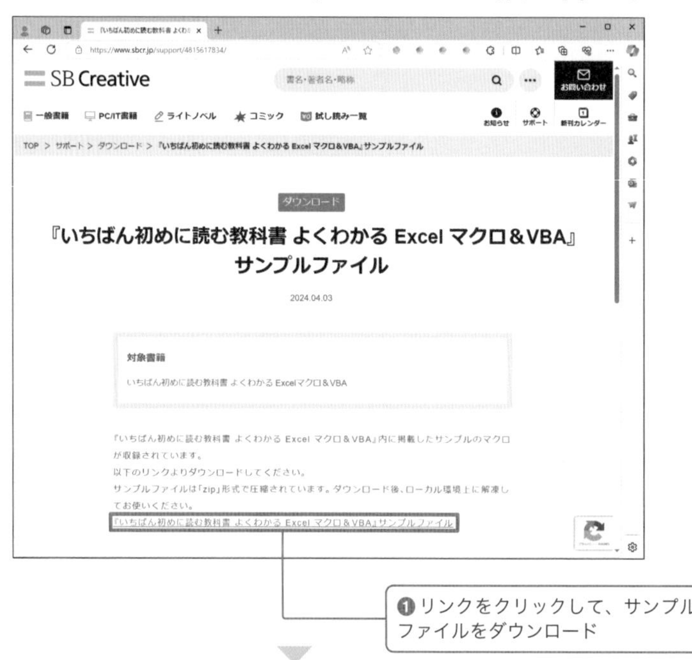

❶リンクをクリックして、サンプルファイルをダウンロード

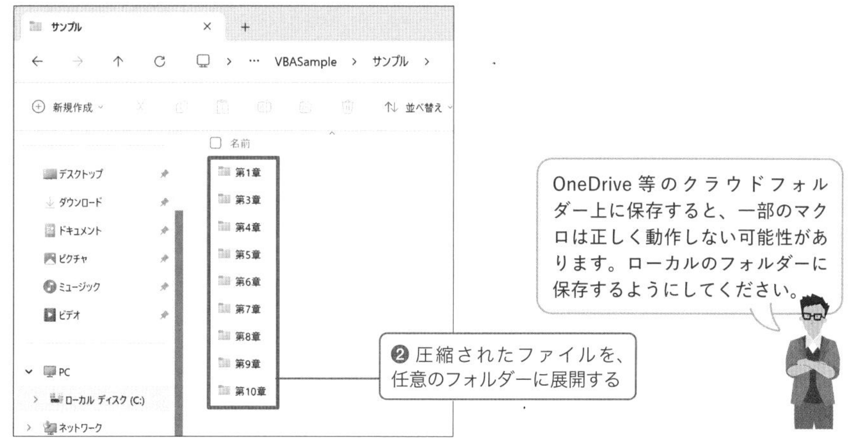

パターン化された操作をミスなく精密に行う

1つ目のサンプル「精密さの体験.xlsm」には、「定型的な表のフォーマットを揃える」ためのマクロが用意されています。

ダウンロードしたサンプルファイルの「第1章」フォルダーにある、「精密さの体験.xlsm」を開いてください。

SAMPLE 精密さの体験.xlsm

マクロを含むブックを開く際には、Excelのワークシートの上部分にセキュリティの警告が表示されます。［コンテンツの有効化］をクリックして、マクロの実行を許可してください。

▼マクロが実行できるように許可する

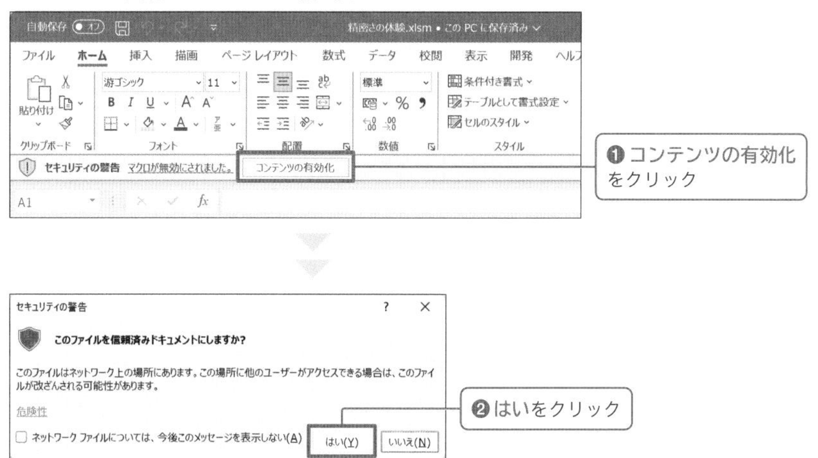

インターネットから入手したブックを開く際に、次図のようなメッセージが表示されて、実行がブロックされる場合があります。その際は、各ブックのプロパティから許可を行ってください。

▼セキュリティリスクのメッセージが表示された場合

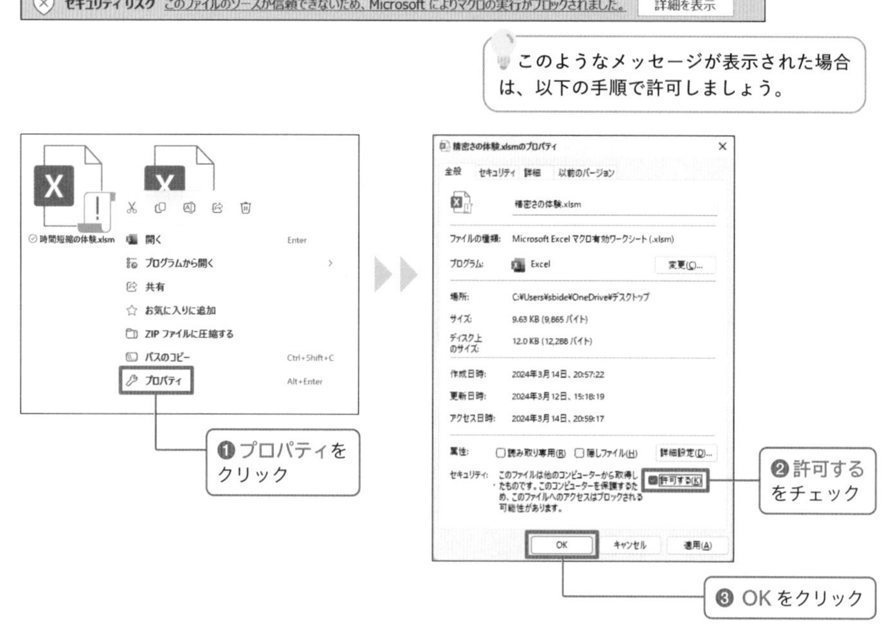

サンプルを開いたら、「売上記録」シートを選択します。このワークシート上には、売上のデータが、特に書式を定めずに入力されています。このデータの書式をマクロで設定します。

▼「売上記録」シート

この状態で、「表示」リボンの一番右端にある、[マクロ] ボタンをクリックします。すると、「マクロ」ダイアログボックスが表示されます。

▼「マクロ」ダイアログボックスを表示する

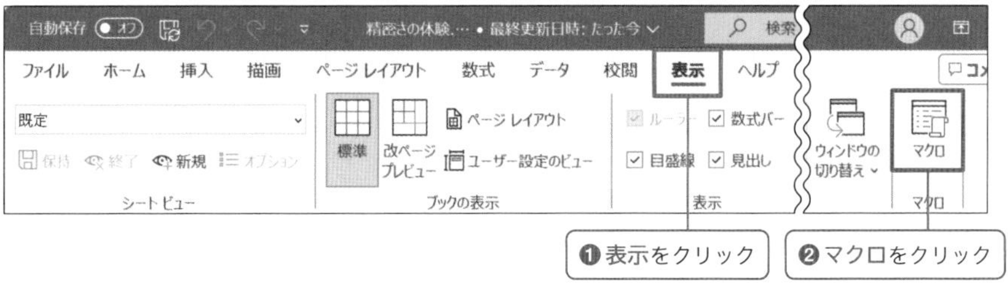

マクロは「マクロ」ダイアログボックスから実行できます。[マクロ名] 欄で実行するマクロを選択し、[実行] ボタンをクリックします。

[マクロ名] 欄で「書式のセットアップ」を選択し、[実行] ボタンをクリックしてみましょう。すると、あらかじめ決めておいたフォーマットに沿って、「売上記録」シートの書式が設定されます。

▼ マクロを実行すると、書式が設定される

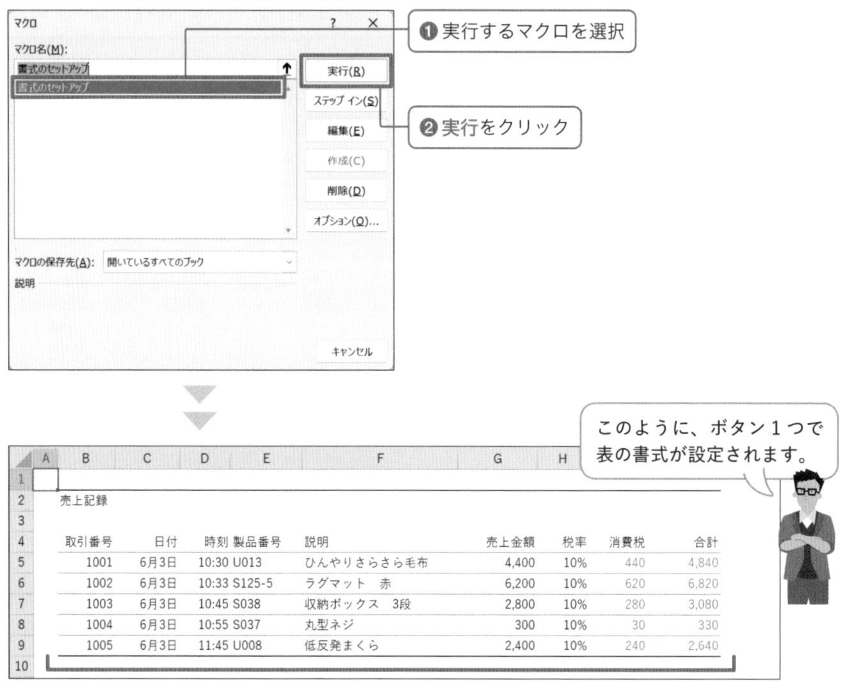

このマクロでは、以下の 14 の手順の操作を行っています。

❶ ワークシートの目盛線を非表示
❷ A 列の列幅を「3」に調整
❸ B 列(取引番号)の列幅を調整し、書式を「右詰め」に変更
❹ C 列(日付)の列幅を調整し、書式を「m 月 d 日」、「右詰め」に変更
❺ D 列(時刻)の列幅を調整し、書式を「hh:mm」、「右詰め」に変更
❻ E 列(製品番号)の列幅を調整し、書式を「文字列」、「左詰め」に変更
❼ F 列(説明)の列幅を調整し、書式を「文字列」、「左詰め」に変更
❽ G 列(売上金額)の列幅を調整し、書式を「#,###(3 桁区切り)」、「右詰め」に変更
❾ H 列(税率)の列幅を調整し、書式を「0%」、「右詰め」に変更
❿ I 列(消費税)の列幅を調整し、書式を「#,###(3 桁区切り)」、「右詰め」に変更
⓫ J 列(合計)の列幅を調整し、書式を「#,###(3 桁区切り)」、「右詰め」に変更
⓬ データ入力範囲の上下に太実線で横罫線を引く
⓭ データ入力範囲の 3 行目以降に極細線で横罫線を引く
⓮ ワークシート内の数式が入力されているセルのフォントカラーを「青」に変更

1つひとつの操作は、手作業で行っても難しいものではありません。しかし、このように数が多いと、手間がかかり、ミスも発生しやすくなります。

書式の設定というのは、「数値は右詰め」「文字列は左詰め」「4桁以上の数値は桁区切りを入れる」「数式のセルには色を付けておく」等のフォーマットのルールを決めてきっちりと適用することで、表の見やすさが格段に向上する、地味ながら大事な作業です。

このような書式の設定は、全てのブックの全てのワークシートで統一することで、さらに見やすさ、ひいては表のデータの理解しやすさに繋がります。しかしながら、設定をミスしてしまうと、とたんに何か違和感のある、かえって見難い表となってしまう作業でもあります。

そこで、「できるだけ手間をかけずに、素早く、統一された書式の設定を行う」ことが重要となってきます。ワークシート数、ブック数が増えてくると、手作業でやるには少々しんどいタスクです。しかし、マクロを使えば、あっという間に終わります。

「難しくはないのだけれども、よく行い、時間がかかる操作」や、「ミスなく行いたい操作」を自動化するのにマクロは役に立ちます。

日々の業務をこなすうち、パターン化してくる操作が出てきたのであれば、そこがマクロ化の狙い目です。いったん作ってしまえば、劇的に作業効率が上がることでしょう。

大量の作業を一気に繰り返す

2つ目のサンプル「時間短縮の体験.xlsm」には、「特定のフォルダー内のファイルの内容を、1つのブックへと全て転記する」マクロが用意されています。

SAMPLE 時間短縮の体験.xlsm

サンプルの構成では、次図のように「時間短縮の体験.xlsm」と同じフォルダー内に、「集計用」フォルダーが用意されています。このフォルダー内には、データの入力されたブックが3つ保存されています。

▼ サンプルのブックとフォルダーの構成

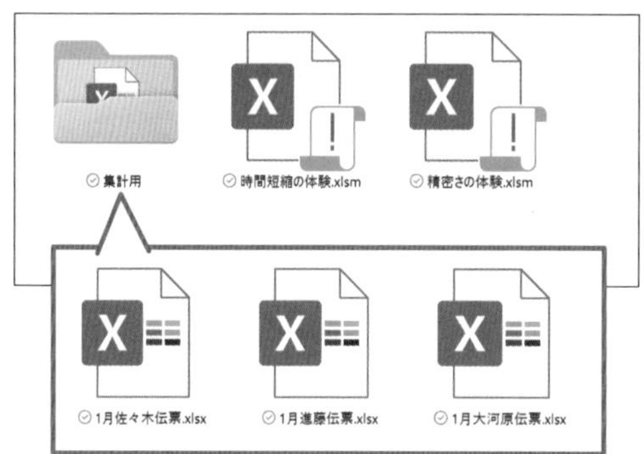

集計対象の３つのブックは、それぞれが複数のワークシートに、帳票形式でデータが入力されています。つまり「複数のブックに散らばった」「帳票形式で記録されたデータ」を、１つのブックへと表形式でまとめたいというわけですね。

▼ 帳票形式のデータを１つにまとめる

では、「集計用」フォルダーと同じフォルダー内に「時間短縮の体験 .xlsm」を配置して開き、「見積書履歴」シートを表示させます。

▼ マクロの記述してあるブックを開く

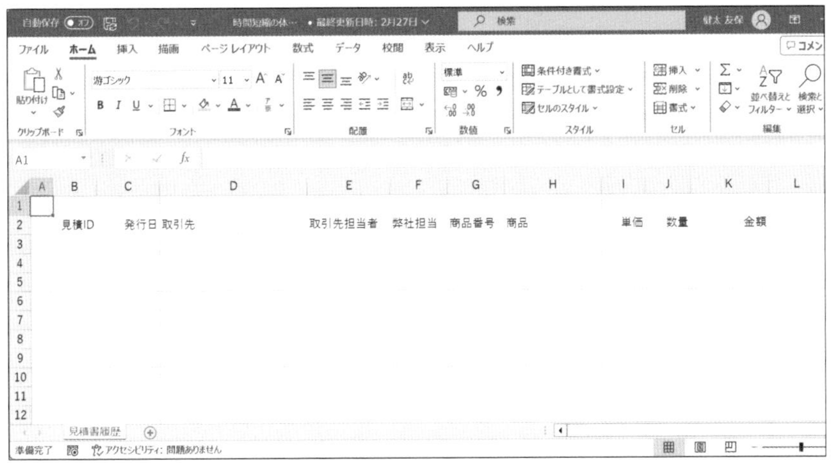

この状態で、「表示」リボンの一番右端にある、[マクロ] ボタンをクリックします。すると、「マクロ」ダイアログボックスが表示されます。

[マクロ名] 蘭で「特定のフォルダー内のブックの集計」を選択し、[実行] ボタンをクリックします。

▼「マクロ」ダイアログボックスからマクロを実行する

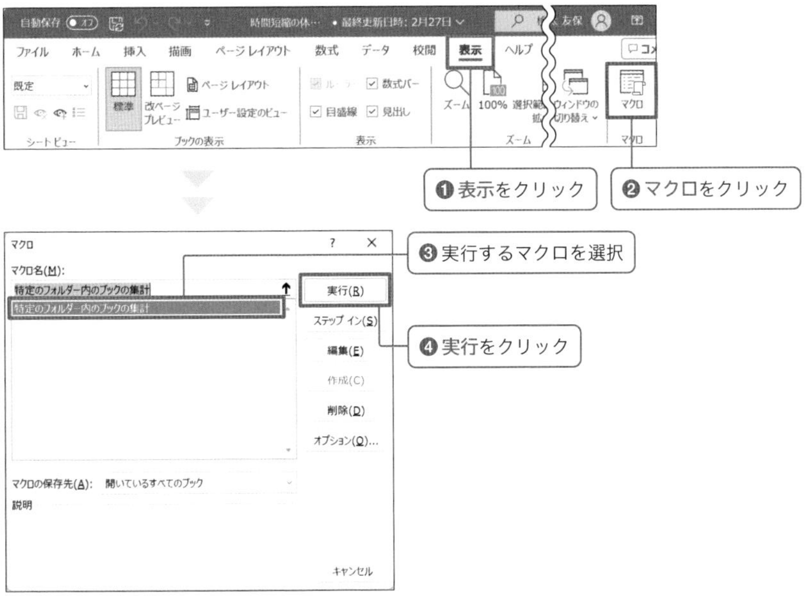
❶表示をクリック
❷マクロをクリック
❸実行するマクロを選択
❹実行をクリック

すると、集計が実行され、3つのブック内のデータが、あっという間に表形式にまとめられます。

▼ データがまとめて転記される

	A	B	C	D	E	F	G	H	I	J	K
1											
2		見積ID	発行日	取引先	取引先担当者	弊社担当	商品番号	商品	単価	数量	金
3		1	1/11	アリス亭	後藤 様	佐々木	S01	コーヒー	350	40	14,
4		1	1/11	アリス亭	後藤 様	佐々木	S02	オレンジ	400	30	12,
5		1	1/11	アリス亭	後藤 様	佐々木	S03	ホットミルク	400	60	24,
6		2	1/14	びしゃもんや	芝 様	佐々木	S02	オレンジ	400	30	12,
7		2	1/14	びしゃもんや	芝 様	佐々木	S04	アイスティー	450	80	36,
8		2	1/14	びしゃもんや	芝 様	佐々木	S06	グレープ	600	30	18,
9		2	1/14	びしゃもんや	芝 様	佐々木	S08	ソーダ	800	100	80,
10		3	1/16	イルカランド	佐野 様	佐々木	S01	コーヒー	350	60	21,
11		3	1/16	イルカランド	佐野 様	佐々木	S04	アイスティー	450	60	27,
12		3	1/16	イルカランド	佐野 様	佐々木	S08	ソーダ	800	150	120,
13		4	1/16	コンビニエンス北風	福原 様	佐々木	S01	コーヒー			

帳票のデータが1つワークシートにまとめられました。

このマクロは、フォルダー内に保存してあるブックの数が増えても、同じように集計を行うことができます。手作業であれば、「1つひとつのブックを開き、ワークシートを選択し、該当データを正しい表の位置へとコピーする」という一連の操作を延々と繰り返さなくてはいけないところを、マクロの実行一発で、1分もかけずに操作を終えられます。

マクロを利用する最大のメリットは、この**「大量の繰り返し操作を一瞬で終わらせることができるようになる」**点です。マクロによって、作業の大幅な時間短縮・効率化が行えるのです。

今まで集計作業に使っていた時間がまるまる浮くのです。浮いた時間は、集計後のデータの分析・検討に充てて、よりデータを生かした業務分析が行うのもよいですし、十分に昼休みを取ってゆっくりオフィスでコーヒーを飲んだり同僚と雑談する時間に充ててもよいでしょう。集計作業のために残業していた方であれば、定時で帰宅できるようにもなりますね。正確な作業と時間のゆとりを生み出せるのが、マクロなのです。

COLUMN　何が業務改善に直結するのか

ここで、学習がある程度進んできた際に意識しておきたい点にも触れておきましょう。それは、「現状の業務のうち、どの部分を優先的にマクロによって自動化するのが効果的なのか」という視点を持つことです。

マクロを使った操作の自動化によって得られる最大の恩恵は、「正確さ」と「反復操作の軽減による時間短縮」です。つまり、現在の業務において、「特に正確さが要求されるもの」と、「パターン化した大量の操作を行う必要があるもの」に、最大の効果を発揮します。

特に効果が顕著なのは後者であり、2～3日かけて行っていたデータの集積を1時間もかからずに終えることすら可能です。最初に自動化を検討するのは、こういった「パターン化した作業」の部分です。日ごろの業務を整理し、パターン化している箇所がないかどうかを探してみましょう。もし、毎日時間をかけている作業が見つかればしめたものです。その作業こそが、優先的にマクロによって自動化を行うべき場所となります。

また、正確さが要求される箇所は、業務の効率化という面ではそれほど劇的ではありません。しかし、「うっかりミス」の発生を抑えられます。完璧に正確な結果を得られるマクロを作成するには時間がかかりますが、「ミスしてないかどうかをチェックするマクロ」や「定型的な書式操作や異常な値をチェックするマクロ」といった、一部の作業のみを行うマクロを作るだけでも、随分とミスが発見しやすくなります。それらのマクロを併用してできた時間を利用し、最終的に目視によるチェックを行う等の作業プロセスを追加すれば、よりミスのない作業が行えるでしょう。

逆に、マクロ化する効果があまりない作業というのも存在します。それは、「特定の場面にのみしか利用できない特殊な作業」です。特定の場面や現場のみに行う、1回限りの作業といったものは、作成したマクロを再利用する機会はほとんどありません。マクロの作成に時間を使うよりも、手作業でどんどん進めていってしまった方が結果的に時間がかからなかった、何てこともありえます。これでは本末転倒と言えます。

マクロ作りを理解してきた方は、「マクロを作ること」自体が楽しくなり、「何でもマクロ化したくなる」傾向があります。それ自体は実に結構なことですが、こと業務においては、しっかりと「それは効果的なポイントなのか」を一度考えた上でマクロ化を行いたいものです。

そして、業務の効率化によって空いた時間ができたところで、息抜きとして、新しい分野の業務のマクロ化に取り組んだり、より高度なVBAの記述ルールの学習を進めたりしてみましょう。それによって、新たな効率化のヒントが得られたり、既存のマクロの改善点が見つけられるようになり、さらに業務の効率化が図れる、というプラス方向の学習サイクルを作り出すことができます。

04 マクロの正体を確認する

次は、マクロの正体を確認しましょう。ここでは、マクロを作成・確認するための画面の表示方法や、マクロの中身を見る方法等を解説します。

マクロの正体を知るには「VBE」を利用する

さて、2つのサンプルでマクロを実体験していただいたところで、今度は、「マクロはどうやって作成されているのか」の仕組みを見てみましょう。

マクロの確認・開発を行う際にいろいろと便利な、「開発」タブをリボンに追加しましょう。「開発」タブから、マクロを実行する「マクロ」ダイアログボックスや、マクロを作成・確認するVBE画面を表示することができます。

「ホーム」等のリボン上のタブを右クリックすると表示されるメニューから、[リボンのユーザー設定]を選択し、「Excelのオプション」ダイアログボックスを表示します。画面左端のメニューが、[リボンのユーザー設定]となっていることを確認し、画面右側の[メイン タブ]欄の[開発]にチェックを入れます。この状態で、ダイアログ右下の[OK]ボタンをクリックすれば、「開発」タブがリボンに追加されます。

▼「開発」タブを追加する

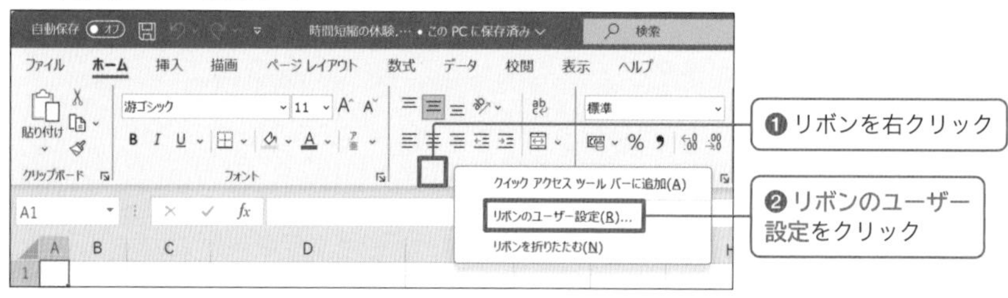

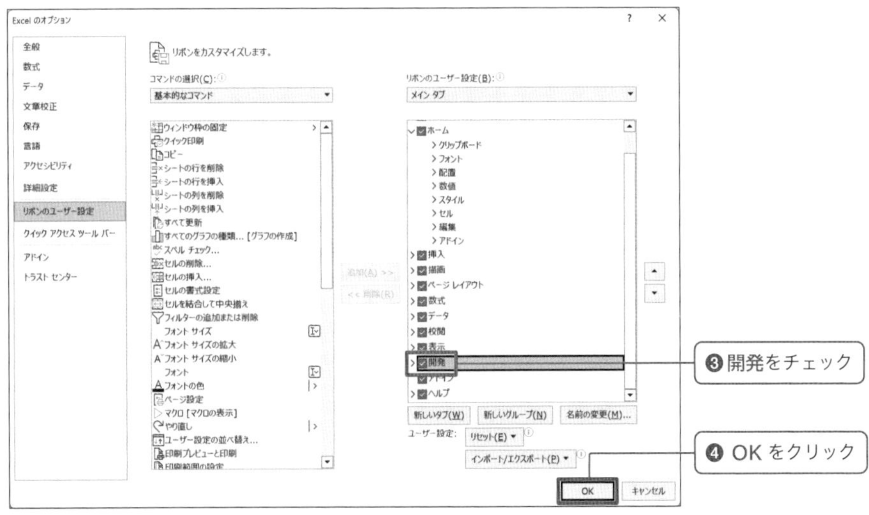

「開発」タブは、一度追加すれば、Excel を終了してもリボンに残ります。最初の 1 回だけ上記の操作で表示させてしまえば、あとはそのまま利用すれば OK というわけですね。

ここからは、普段マクロを利用されている方以外には馴染みのない操作となりますが、1 つずつ手順を解説していきますのでご心配なく。

まずは、「どうやったらマクロの中身を見られる画面に移行するのか」と、「どうやったら元の画面に戻ってこれるのか」の手順を覚えましょう。

VBEでマクロの中身を作成・確認する

マクロの中身を見るには、専用の VBE（ブイビーイー）（Visual Basic Editor）と呼ばれる画面を利用します。この画面を表示するには、「開発」タブの一番左端にある、[Visual Basic] ボタンをクリックします。すると、次図の画面が表示されます。この画面が「VBE」です。

VBE では、**マクロの作成、確認、実行等**が行えます。また、マクロを作成するための便利な機能が用意されています。マクロの作成では、大変お世話になる画面です。

Keyword

VBE（Visual Basic Editor）は、マクロを作成・確認・実行するための画面です。「開発」タブから表示することができます。

▼ VBE 画面を開く

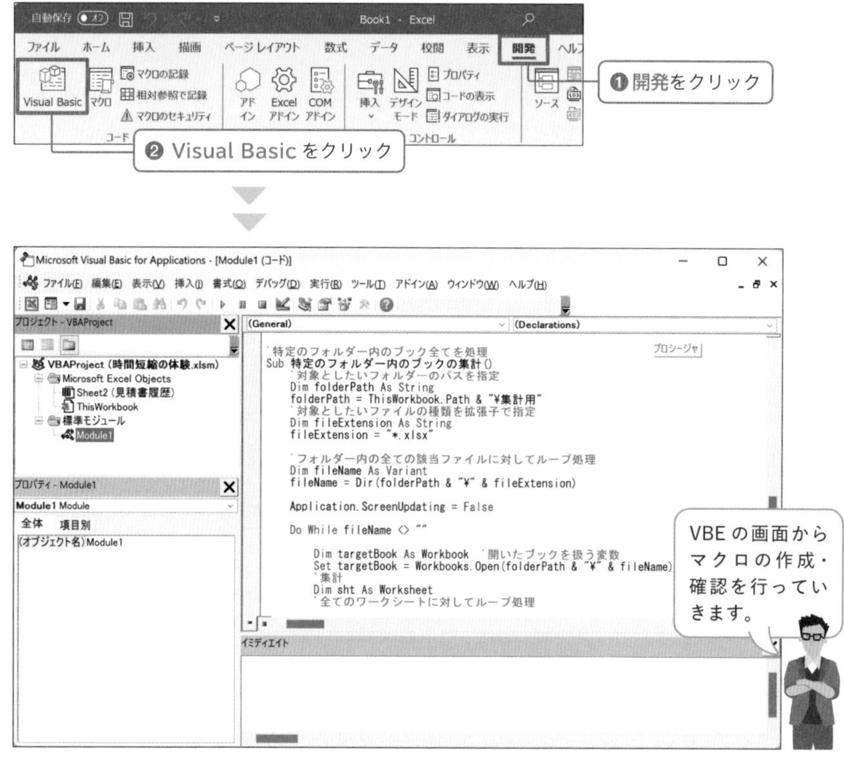

いろいろと画面を眺めたいところですが、まずは「元の Excel の画面への戻り方」を押さえておきましょう。VBE の画面左上にある［Excel のアイコン］をクリックするだけです。

また、VBE と Excel の画面切り替えは、ショートカットキー、Alt+F11 で行うこともできます。Alt+F11 を押す度に、VBE と Excel の画面を交互に表示するので、覚えておくと便利です。

▼ VBE から Excel の画面へ戻る

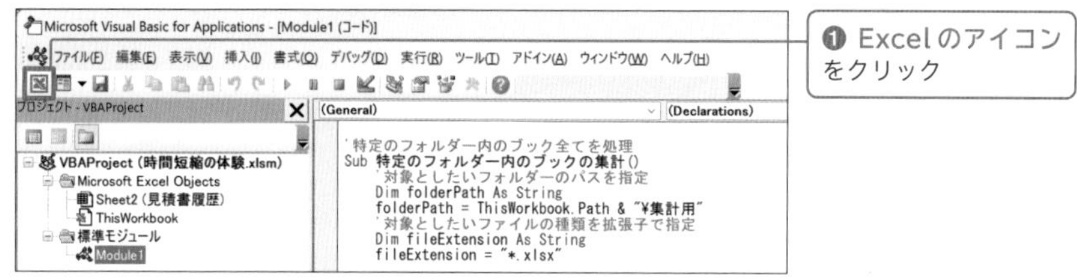

それでは、いよいよ VBE の画面を見ていきましょう。

マクロとVBAの関係を理解する

いずれかのサンプルファイル等、マクロの記述されたブックを開いた状態で、VBEを表示してください。ここで、VBEの画面左上にあるプロジェクトエクスプローラーと呼ばれる部分に注目してみましょう。

▼「プロジェクトエクスプローラー」の表示内容

このウィンドウには、開いているブックの構成が表示されます。「Microsoft Excel Objects」フォルダーには、ブック内のワークシート一覧と「ThisWorkbook」という項目が表示されますが、とりあえず今は置いておきます。

その下の「標準モジュール」フォルダーの配下に、「Module1」という箇所がありますね。ここをダブルクリックして開いてみましょう。すると、VBEの画面右側の「コード」ウィンドウに、何やら英語交じりのテキストが表示されます。

▼「コード」ウィンドウに表示されたテキスト

「コード」ウィンドウに表示されたテキストが、マクロの正体です。つまり、「マクロとして自動実行させたい操作の内容は、『コード』ウィンドウに記述していく」ことになります。

実行する操作の内容、言い換えると、マクロのプログラムの内容は、VBA のルールに沿って記述されます。横文字が並んでいるため、何だか難しそうに思えますがご安心を。

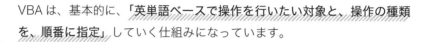

VBA は、基本的に、**「英単語ベースで操作を行いたい対象と、操作の種類を、順番に指定」**していく仕組みになっています。

記述されている英単語をよく見ると、「Worksheet（ワークシート）」や、「Open（開く）」等、何を操作しているのかの見当が付くような英単語がちらほら見受けられます。

ともあれ、今は、「マクロの内容は、VBE で確認できる」点と、「マクロの内容は VBA のルールに沿って記述されている」という点を押さえておきましょう。

本書では、これから、この VBA の記述ルールや、実行したい命令の調べ方、そして、その命令を繰り返す方法を、順を追って解説していきます。

第 2 章

覚えてもらいたい 2つの仕組み

01 「基本の操作」と「繰り返し」の仕組みを覚える

マクロの作成方法を身につけるにあたって、確実に覚えて欲しい２つの大きな仕組みがあります。まずは、この２つの仕組みについて、概要を解説いたします。

確実に覚えて欲しい2つの仕組み

マクロの作成（VBAによるプログラムの作成）の学習を進める際に、確実に覚えて欲しい２つの仕組みがあります。

- 基本となる操作を実行するための仕組み
- 操作の繰り返しや命令の流れを変更するための仕組み

１つ目は、言わば、「私たちが普段行っているExcelの操作をマクロで再現する」ものです。これは、オブジェクトという仕組みを元に構成されています。オブジェクトについては、第４章で詳しく解説します。

２つ目は、「Excelの操作を繰り返したり、条件によっては操作の流れを変更したりする」ものです。これは、ループ処理や条件分岐という仕組みです。ループ処理は第５章、条件分岐は第７章で詳しく解説します。

▼２つの大きな仕組みを理解する

	A	B	C	D	E
1	Hello				
2					
3					
4					
5					

１つ目の仕組みは、文字の入力や書式の設定等の操作を行うものです。

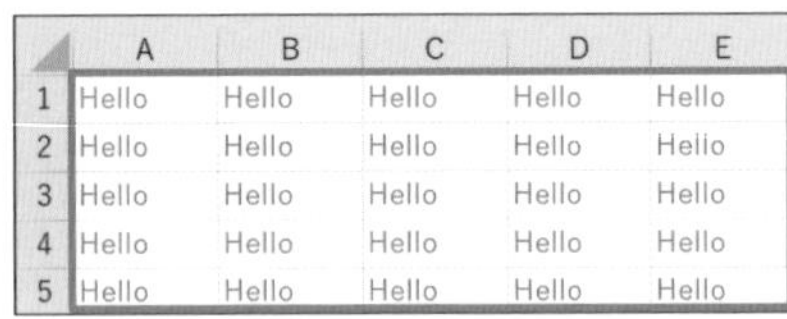

	A	B	C	D	E
1	Hello	Hello	Hello	Hello	Hello
2	Hello	Hello	Hello	Hello	Hello
3	Hello	Hello	Hello	Hello	Hello
4	Hello	Hello	Hello	Hello	Hello
5	Hello	Hello	Hello	Hello	Hello

２つ目の仕組みは、作成した操作を全てのセルに繰り返す等、プログラムの流れを変える仕組みです。

VBAを学習する際には、まず、**「基本となる操作の実行方法」**を押さえて、その後、**「その操作を繰り返したり、操作の流れを変更する方法」**をマスターするのがよいでしょう。本書も、その流れに沿って学習を進めていきます。

実際の仕事に例えるのであれば、1つ目は「個別の担当者へその都度指示を出す方法」であり、2つ目は「部署やチーム全体、あるいは社員全てに一度に指示を出す方法」や「場面に応じた作業方法を選ぶためのマニュアルを作る方法」と言えます。業務の効率化を図るには、この2つ目の仕組みが特に有用です。

実際に、Excelを使ってマクロの作成を行う前に、もう少しこの2つの仕組みのイメージを固めておきましょう。

基本となる操作を実行するための仕組み

1つ目に覚えたい「基本となる操作を実行するための仕組み」は、「Excelの操作に対応する命令をどう書くのか」と言えます。

ご存じのように、Excelの機能は豊富に用意されています。では、その機能をマクロで自動化する場合には、同じ数だけのVBAの記述ルールを丸暗記しなくてはいけないのでしょうか。答えは「ノー」です。実は、丸暗記しなくて済むように、**オブジェクト**という仕組みが用意されています。

ここで、私たちが手作業でExcelを操作する場合を思い出してください。どんなにExcelに慣れている方でも、全ての操作方法を丸暗記しているわけではありませんよね。「セルに対して背景色を設定する」「列に対して書式を設定する」等のように、「○○に対して、××をする」という形で考えて操作を行うことが多いでしょう。

実際に操作する際には、次のような手順で行うことでしょう。

❶操作したいセルやセル範囲を選択

❷関連する操作がまとめられたリボンのタブを選択し、対応するボタンをクリック

Keyword

オブジェクトは、セルやワークシート、ブック等の「操作対象」を指定するための仕組みです。

▼「○○に対して、××する」と考える

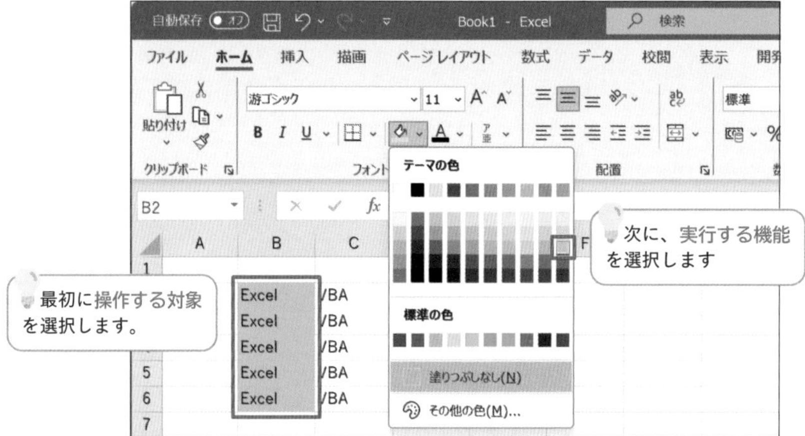
最初に操作する対象を選択します。
次に、実行する機能を選択します
テーマの色
標準の色
塗りつぶしなし(N)
その他の色(M)...

さらに、機能によっては細かなオプション設定を行います。あるいは、操作したい対象を右クリックして表示されるポップアップメニューの中から、操作の種類を選択することもあるでしょう。つまり、「指定した対象に行える操作」を、「特定の場所に集められている機能のリスト」の中から選択して指定していくわけですね。

マクロを作る際にも、同じ考え方ができます。

まずは、「操作したい対象を指定」します。すると、その対象に対して実行できる命令の種類が決まってきます。あとは、「命令の中から希望のものを指定」するだけです。

つまりマクロを作成するには、次の手順で命令を指定していきます。

❶どのセルや行・列に操作を加えるか(操作対象)
❷どんな操作を加えるか(対象に対する操作)

▼最初に「オブジェクト」を指定して操作を指定する

❶操作対象(オブジェクト)を指定する
❷操作内容を指定する

この「操作対象」を指定するのが、「オブジェクト」と呼ばれる仕組みとなります。とりあえず今は、「既存の機能を自動化するには、対象を指定し、命令を指定する」という順番で記述を行うことだけをイメージしておき、先へと進みましょう。

操作の繰り返しや流れを変更するための仕組み

2つ目の「操作の繰り返しや命令の流れを変更するための仕組み」は、「命令の流れをどう作るのか」と言えます。

「繰り返しや流れを変更する」仕組みは、1つ目の仕組みで作成した命令を、**「多くの対象に適用できるように拡張したい」**、といった場合に利用できます。

例えば、1つのセルに対して、「フォント・書式・罫線を設定する」という操作を作成したとします。その際の操作の対象を、10個のセル、100個のセル、あるいは実行時に選択しているセル範囲全体に一気に広げるというような用途に利用します。

▼ **操作する対象を拡張していく**

セルのフォントの設定
セルの書式設定
セルの罫線変更

最初に、特定のセルに対する操作を作成します。

操作対象を10個指定

セルのフォントの設定
セルの書式設定
セルの罫線変更

ここまで繰り返す

作成した操作を拡張して、他のセルにも繰り返し行えるようにします。

操作を繰り返す方法は、「操作を10回繰り返す」のように回数を指定したり、「リストアップした対象全てに繰り返す」のように対象を指定したり、「セルの値が100を超えるまで繰り返す」のように終了条件を指定したりと、さまざまな方法が用意されています。

この仕組みがあることを知っていれば、操作したいセルの数だけ同じ操作を行う処理を記述しなくてもよくなります。繰り返しの仕組みは、第5章で詳しく解説します。

100個のセルに対する操作を自動化する場合、**「100個分書かずとも1個分だけ書いて、あとは100回繰り返すよう指示」**するだけです。面倒な作業が省略できますね。

また、作成した命令を修正する場合も、100個分をチェックして修正せずとも、1個分だけ修正するだけで済みますし、操作対象を200個に増やしたり、10個に減らす場合でも、繰り返し回数やリストアップする対象を変更するだけで済みます。作るのもメンテナンスも、圧倒的に楽なのです。

「作成した処理の操作対象を広げたい場合の記述方法として、繰り返しの仕組みが用意されている」ということだけをイメージしておきましょう。

ちなみに、操作の流れを変更するための仕組みとしては、上記のような、「繰り返し」だけではなく、「条件分岐」という仕組みも用意されています（第7章）。条件分岐は、IFワークシート関数のように、「条件を満たす場合と満たさない場合で、実行するプログラムを変化させたい」という場合に利用できます。こちらも大変便利な仕組みです。

02 本書の学習の進め方

基本の２つの大きな仕組みのイメージが掴めたところで、本書でマクロ作成の学習を進めていく際の簡単なロードマップを示しておきましょう。

学習の優先順位を整理する

本書は、「マクロをどうやって作るか」を基礎から丁寧に解説していきます。初心者の方も理解しやすいように、重要なポイントに絞って解説を進めていきます。

まず、**「Excel の操作にあたる命令をどう書くのか」**を学習し、続けて、**「繰り返し等の命令の流れをどう作るのか」**を学習します。その２つを押さえれば、基本的なマクロの作成は十分可能です。

２つの仕組みを理解できたら、「実際に自分の普段行っている操作を行うための VBA の記述ルール」を調べていきましょう。

記述ルールを調べるためには、「マクロの記録」機能（92 ページ）が便利です。実際に自分で操作し、記録されたマクロを参考にして、作成・ブラッシュアップしていきましょう。

さらに余力があれば、上記に加えて「変数」（第６章）や「条件分岐」（第７章）の仕組みを学習するのがよいでしょう。また、複数ファイルにまたがるデータの操作を自動化したいという方は、第８章を参考にしてください。

学習のポイントとなるキーワード

マクロ作成の学習を進めていくと、さまざまな仕組みや記述ルールが出てきます。ここでは、それらの学習のポイントとなる項目と検索キーワードを示します。

VBA には、本書では紹介しきれない便利な機能も多数用意されています。余力と興味のある方は、次の表を参考に、独自に書籍や Web 等で関連項目の学習を進めてみてください。

表の内容は、今すぐ理解できなくて当然ですので、ざっと目を通して「こんな仕組みもあるんだな」くらいに頭の隅に置いておいてください。学習が進み「こういうこともできないのかなあ」と問題にぶつかったら、このページに戻ってきて見直してみてください。解決のヒントになる仕組みやキーワードが見つかるでしょう。

▼ **本書で重点的に扱う内容**

オブジェクト	操作の対象を管理、あるいは命令を行う仕組み 検索キーワード：オブジェクト、プロパティ、メソッド
ループ処理	機能を実行する命令を適用する対象を広げる仕組み 検索キーワード：繰り返し、ループ、For、Next、Do、Loop
変数	値や処理対象に好きな名前を付けて扱いやすくする仕組み 検索キーワード：変数、Dim、As、Set
条件分岐	状態によって実行する操作を変更する仕組み 検索キーワード：条件分岐、条件式、If、Case

▼ **本書では重点的に扱わないが知っていると便利な仕組み**

ファイル処理	複数ファイルの内容を扱う仕組み 検索キーワード：Open、Close
VBA 関数	VBA で利用できる便利な命令 検索キーワード：VBA 関数、WorksheetFunction
イベント処理	ユーザーが特定の操作をした時に自動的にマクロを実行する仕組み 検索キーワード：イベント
ユーザーフォーム	自由にボタンやリストボックスを配置して、オリジナルのダイアログボックスを作成する仕組み 検索キーワード：ユーザーフォーム、コントロール

Web で検索キーワードを入力する際には、上記の表のキーワードに加え、「VBA」という単語を併用しましょう。例えば、「オブジェクト」について調べたい場合には、「オブジェクト　VBA」と検索キーワードを入力します。

また、自分の業務に合わせた自動化の先例があるかどうかを検索する場合には、「やり方」「できない」等のキーワードを加えるとヒットしやすくなります。例えば、データの抽出を行うサンプルを調べたい場合には、「データ抽出　VBA　やり方」と検索ワードを入力します。

1～2章のおさらい

以下の問題文の中のカッコを埋める選択肢を選んでみましょう。

問題 1

デスクトップ版のExcelには、一連の操作をまとめて実行できる（　A　）機能が用意されています。この（　A　）の中身は、（　B　）と呼ばれる記述ルール（プログラミング言語）で記述されています。

①VBA（Visual Basic for Applications）　②VBE（Visual Basic Editor）
③Office Scripts　④マクロ　⑤スピル

問題 2

マクロではExcelの操作に対応する命令を丸暗記しなくて済むように、「セルに対して、値を設定する」等、「○○に対して、××をする」という形で考えられる（　C　）という単位で操作対象を指定し、操作の内容を指定できる仕組みになっています。

①セル　②オブジェクト　③ライブラリ

問題 3

マクロには、Excelの操作を多くの対象にまとめて実行するために（　D　）の仕組みも用意されています。また、セルの値等の条件によって命令の流れを変更する（　E　）の仕組みも用意されています。

①中断　②条件分岐　③繰り返し　④呼び出し

解答と解説

問題 1 の解答　A→④マクロ、B→①VBA

デスクトップ版の Excel に用意されている「一連の操作をまとめて実行できる機能」が「マクロ」機能です。

このマクロ機能の中身は、VBA（Visual Basic for Applications）と呼ばれる記述ルールで作成されています。読み方はそのまま「ブイビーエー」です。

ちなみに、②の「VBE（Visual Basic Editor)」は、マクロを確認・作成するための画面の名前です。読み方は「ブイビーイー」です。

また、③の「Office Scripts」は Web ブラウザー上で動作するクラウド版の Excel のマクロ機能の記述ルールです（本書では扱いません）。デスクトップ版のマクロ機能と混同しないように注意しましょう。

問題 2 の解答　C→②オブジェクト

VBA では、操作したい対象を「オブジェクト」の仕組みを使って指定していきます。セルを操作したいのであれば「Range オブジェクト」、ワークシートを操作したいのであれば「Worksheet オブジェクト」等、操作したい対象や実行したい機能ごとにオブジェクトが用意されています。

問題 3 の解答　D→③繰り返し、E→②条件分岐

操作対象を拡張したい場合に便利なのが「繰り返し」の仕組みです。オブジェクトの仕組みを使って 1 つのセルを操作するマクロが作成できたら、そのマクロを元に繰り返しの仕組みを作成すると、同じ操作を複数のセルやワークシート、ブックに対して実行することも可能です。

また、IF ワークシート関数のように「○○だった場合は、この操作を実行し、そうでない場合は別の操作を実行する」等、条件によって実行するマクロの流れを変更できる仕組みが「条件分岐」です。

繰り返しと条件分岐の仕組みが利用できるようになると、マクロによる自動化がより便利になります。

第3章

マクロを作成・実行する手順

01 「開発」タブから マクロの作成・実行を行う

Excelの画面からマクロに関する機能を利用するには、リボンに「開発」タブを追加しておくと便利です。また、マクロの開発を行うには、VBEを利用します。

「開発」タブの表示と機能

最初に、「開発」タブとVBEの2つの機能の使い方を見ておきましょう。

「開発」タブをリボンに追加する方法は30ページで解説したので、本書をここまで読み進めてきた皆さまは、既にExcelの画面に「開発」タブが存在していることでしょう。

リボンの「開発」タブには、**「さまざまなマクロの作成や実行に関する機能」**が用意されています。ここからマクロに関する機能を利用していきます。

「開発」タブの中でも、マクロの作成の際に頻繁に扱う機能がまとめられているのが、左端の「コード」グループです。

▼「開発」タブの「コード」グループ

▼「開発」タブの「コード」グループ

ボタン	用途
Visual Basic	VBE 画面に切り替える
マクロ	作成したマクロを実行する「マクロ」ダイアログボックスを表示
マクロの記録	「マクロの記録」を開始する(92 ページ)
相対参照の記録	「マクロの記録」の方法の切り替え
マクロのセキュリティ	マクロを実行してもいいかどうかのセキュリティレベルを変更する

マクロの作成の際に最も利用するのは、[Visual Basic] ボタンです。このボタンをクリックすると、Excel から VBE の画面に切り替わります。

さらに、VBE の画面で作成したマクロを実行するには、[Visual Basic] ボタンの右隣の、[マクロ] ボタンをクリックして、「マクロ」ダイアログボックスを表示します。とりあえずは、この 2 つのボタンの用途を押さえておきましょう。

VBEの画面の4つの重要な要素

「開発」タブの [Visual Basic] ボタンをクリックすると VBE の画面が表示されます。VBE の画面の中で、マクロの作成の際に主に利用するのが次の 4 つのウィンドウです。それぞれの位置と用途を把握しておきましょう。

▼ VBEの画面とウィンドウの位置

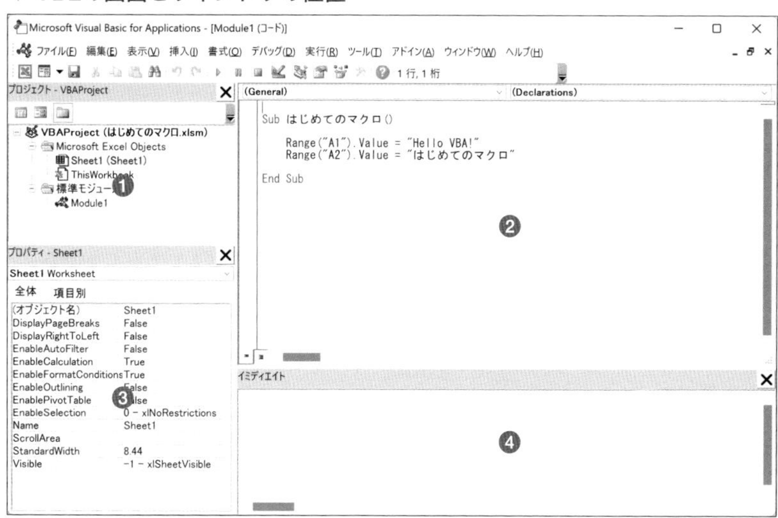

❶プロジェクトエクスプローラー
❷「コード」ウィンドウ
❸「プロパティ」ウィンドウ
❹「イミディエイト」ウィンドウ

▼ VBEのウィンドウの名称と用途

名称	用途
プロジェクトエクスプローラー	マクロを記述する場所（モジュール）を追加、指定する
「コード」ウィンドウ	マクロのプログラム（コード）を記述する
「プロパティ」ウィンドウ	オブジェクトのプロパティ（75ページ）を確認・変更する
「イミディエイト」ウィンドウ	マクロのテスト結果やちょっとした計算を行う（262ページ）

VBEの画面でマクロを作成する際の一連の流れは、まず、プロジェクトエクスプローラーでマクロのプログラムを書く場所を指定し、「コード」ウィンドウにプログラムのテキストを記述します。

最後に、マクロが作成できたら、VBEからExcelの画面に戻り、Excelの「開発」タブから、「マクロ」ダイアログボックスを表示し、作成したマクロを実行します。

▼「マクロ」ダイアログボックスを表示して実行する

プログラムを記述する「標準モジュール」を追加する

それでは、実際に簡単なマクロの作成を体験してみましょう。

まず、新規ブックを開き、［Visual Basic］ボタンをクリックして、VBEの画面を表示します。この状態でVBEの画面左上にあるプロジェクトエクスプローラーを見ると、次図のようになっています。

▼ プロジェクトエクスプローラーを確認する

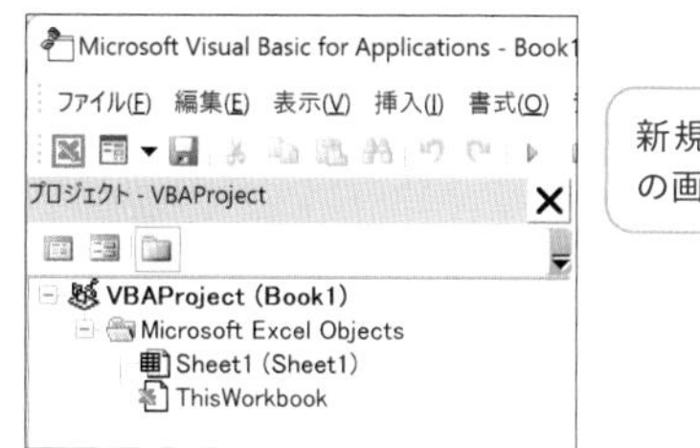

新規のブックを開いて、VBEの画面を表示しましょう。

プロジェクトエクスプローラーは、そのブックのうち、「マクロのプログラムを記述できる場所」をツリー状に表示するウィンドウです。

作成したばかりのブックの場合は、「VBAProject（ブック名）」の下に「Microsoft Excel Objects」というフォルダーが表示され、その中の構成要素として、「Sheet1（Sheet1）」と「ThisWorkbook」が表示されています。

通常のマクロを作成する場合には、プロジェクトエクスプローラー上で既存の構成要素に標準モジュールを追加し、そこにプログラムを記述していきます。

VBEのメニューから、［挿入］→［標準モジュール］を選択しましょう。すると、プロジェクトエクスプローラーに、「標準モジュール」というフォルダーが追加され、その中の構成要素として「Module1」が追加されます。

▼「標準モジュール」を追加する

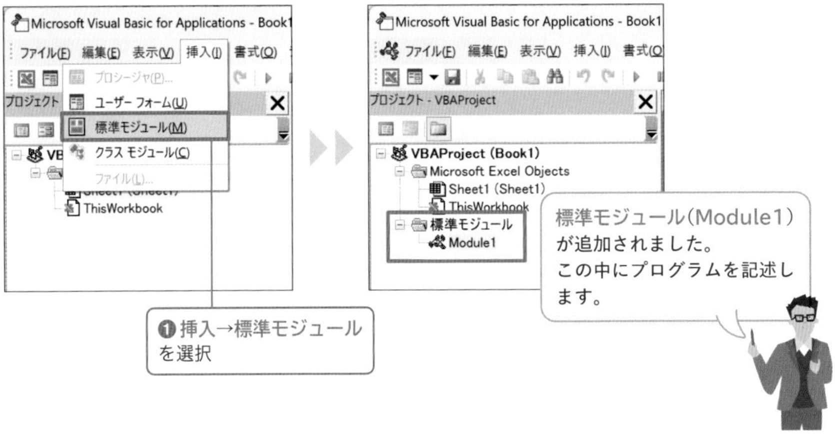

追加された「Module1」をダブルクリックすると、その内容が「コード」ウィンドウに表示されます。追加されたばかりの標準モジュールは、当然ながら白紙の状態です。ここにプログラムとなるテキストを入力していきます。

COLUMN 標準モジュールの役割

標準モジュールはブックで言うワークシートのようなもので、複数追加可能です。その場合、「Module1」「Module2」というように、「Module +連番」の名前が付けられます。

「Module1」等の標準モジュールの名前を変更したい場合には、標準モジュールを選択して、「プロパティ」ウィンドウの[(オブジェクト名)]欄に表示されている名前を直接変更します。

また、標準モジュール(Module1)だけでなく、「Sheet1 (Sheet1)」や「ThisWorkbook」等の「オブジェクトモジュール」にもプログラムを記述できますが、こちらは、そのシートやブック特有のカスタムの機能(例えば、そのシートがアクティブになった時に任意の自動処理を実行する)等を追加したい場合に利用します。

通常は、標準モジュール(Module1)に記述しておけば、全てのワークシートや外部のワークブックに対しても処理が行える汎用的なマクロを作成することができます。

Keyword

標準モジュールは、マクロのプログラムを記述する場所です。通常のマクロを作成する場合は、標準マクロを追加して、そこに記述します。

02 マクロの作成と実行を体験する

マクロの作成と実行を体験してみましょう。ここで紹介するのは、マクロを作成し、実行するまでの基本的な手順です。作成・実行の流れを掴み取ってください。

はじめてのマクロの作成と実行

記念すべき最初のマクロの作成を行いましょう。「Module1」をダブルクリックで開き、「コード」ウィンドウにプログラムのテキストを入力していきます。

最初に「Sub　はじめてのマクロ」と入力します。「Sub」と「はじめてのマクロ」の間は、半角スペースを１つ入れます。また、「Sub」を入力する時は、全て小文字でも構いません（自動的に「Sub」に変換されます）。

入力できたら Enter キーを押してください。すると、次図のように、自動的に「()」と「End Sub」というテキストが追加された状態になります。

▼「コード」ウィンドウにプログラムのテキストを入力する

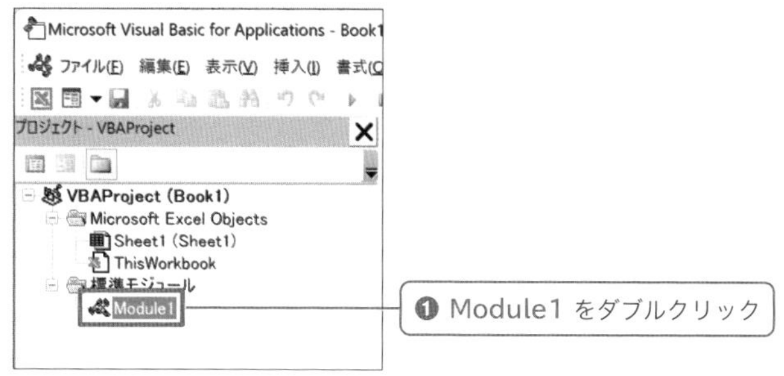

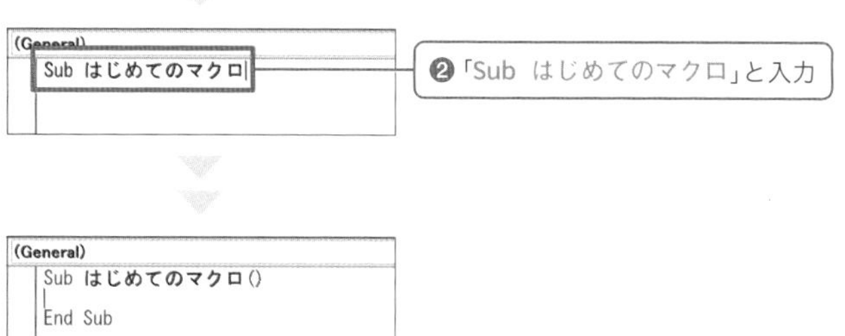

「Sub」から「End Sub」までに囲まれた範囲に記述したテキストが、1つのマクロの実行内容となります（詳しい解説は後で行います）。また、「Sub」の後ろに記述した「はじめてのマクロ」が、このマクロの名前となります。

続けて、「Sub」の下の行に、下記のように入力してください。

```
Range("A1").Value = "Hello VBA!"
```

ここで記述した内容は、「セルA1に『Hello VBA!』と入力する」といったものです。少々長いですが、頑張って入力してください。また、入力する際には、行の先頭で、Tab キーを1回押して字下げ（インデント）を行うと、記述した内容が見やすくなります。

次の図のように入力できれば完成です。

▼ プログラムのテキストを入力する

(General)
Sub はじめてのマクロ()
End Sub
❶「Range("A1").Value = "Hello VBA!"」と入力
(General)
Sub はじめてのマクロ()
Range("A1").Value = "Hello VBA!"
End Sub
このように入力できたら完成です。

さっそくこのマクロを実行してみましょう。VBEの画面左上の［Excelのアイコン］をクリックする等の操作で、VBEからExcelの画面に戻ります。

「開発」タブの［マクロ］ボタンをクリックして、「マクロ」ダイアログボックスを表示してみると、先ほど入力した「はじめてのマクロ」というマクロが表示されていますね。

［マクロ名］欄から「はじめてのマクロ」を選択し、［実行］ボタンをクリックすると、先ほど記述したマクロの内容が実行され、セルA1に「Hello VBA!」と入力されます。

▼ マクロが実行されて入力が行われる

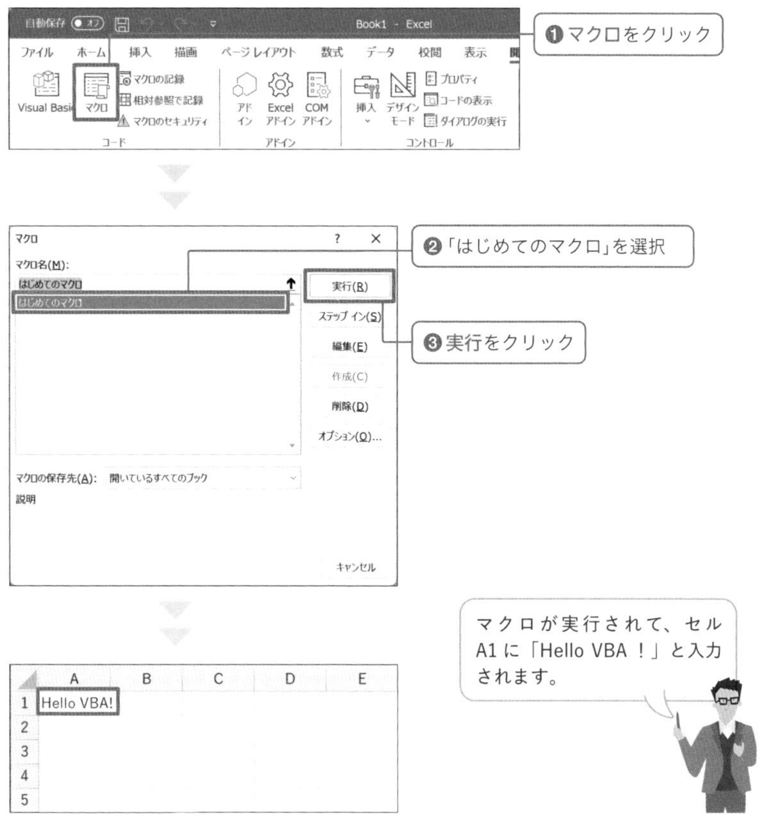
❶マクロをクリック
❷「はじめてのマクロ」を選択
❸実行をクリック
マクロが実行されて、セルA1に「Hello VBA！」と入力されます。
Hello VBA!

マクロに操作を追加する

実行結果が確認できたところで、再びVBEの画面を開き、「テキストをもう1行追加」してみましょう。

今度は、先ほど「Sub」の下の行に入力した部分をマウスでドラッグして選択し、Ctrl ＋ C キーでコピーして、その下の行に Ctrl ＋ V キーで貼り付けます。そして、貼り付けたプログラムのうち、セル番地を指定している「A1」の部分を「A2」に変更し、入力内容を示している、イコールの右側のダブルクォーテーション（"）で囲まれた部分の内容を、「はじめてのマクロ」に変更します。

```
Range("A2").Value = "はじめてのマクロ"
```

▼テキストをもう 1 行追加する

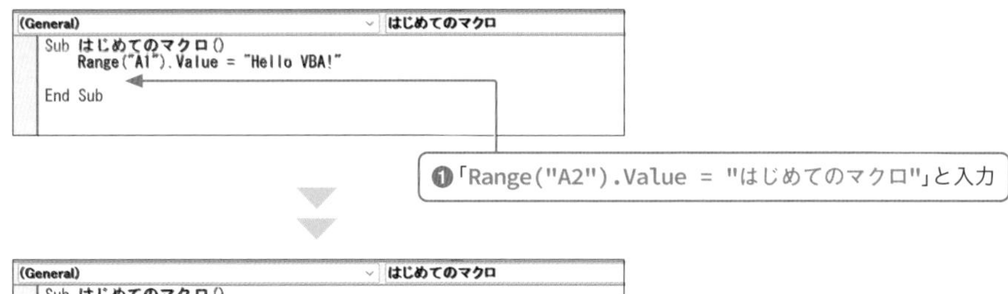


```
(General)                                はじめてのマクロ
Sub はじめてのマクロ()
    Range("A1").Value = "Hello VBA!"
    Range("A2").Value = "はじめてのマクロ"
End Sub
```

2 行目が入力できたら、再び Excel の画面に戻り、マクロ名「はじめてのマクロ」を実行してみましょう。すると、今度はセル A1 に加え、セル A2 にも追加した行に指定した内容が入力されます。

▼追加した内容が表示される

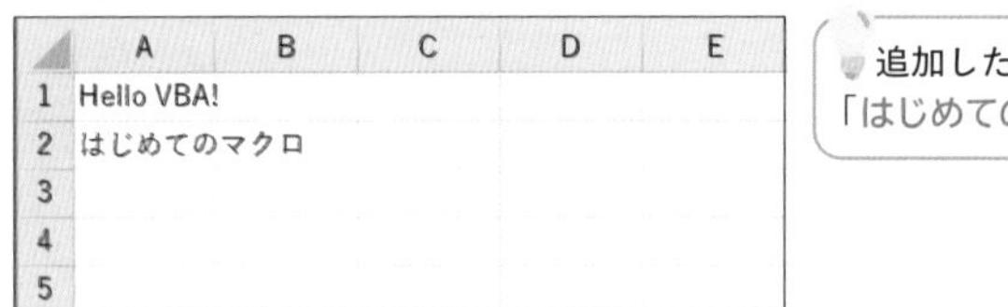

追加した行の操作が実行されて、セル A2 に「はじめてのマクロ」と入力されます。

このように、プログラムのテキストを入力する際には、「既存のテキストから必要な部分をコピーして修正する」、というスタイルで行うことも可能です。

こうすれば一から全てを入力する手間が省けますね。うまく 2 行目を追加できた方は、同じ要領で 3 行目や 4 行目を追加してみたり、既存の行のセルや入力内容の部分を変更して、実行結果を確認してみてください。

マクロの作成から実行までの流れ

マクロの作成と実行は、ここまでに紹介したような手順で行います。まとめてみると、次のような流れとなります。

詳しいマクロの作成手順や、より具体的なプログラムの記述方法は後ほど学習しますが、まずは、この「基本の流れ」を押さえておきましょう。

❶ VBEのプロジェクトエクスプローラーに「標準モジュール」を追加
❷ 標準モジュールに「Sub」から始まる「マクロ名」を入力
❸「Sub」と「End Sub」の間の行に操作を行うためのプログラムを入力
❹「マクロ」ダイアログボックスから実行したいマクロを選択して実行

なお、プログラムを記述するテキストのことをコードと呼びます。「プログラムを記述する」と「コードを記述する」は、ほぼ同じ意味です。VBAに関する書籍やWebを見ていると、頻繁にこの「コード」という言葉が出てきますが、「プログラムのテキストのことなんだな」と見当をつけられるようにしておきましょう。本書でも、「コード」と呼んでいきます。

COLUMN　コピーはポップアップメニューからも実行できる

VBE上でコードをコピーする操作は、コピーしたいコード全体を選択し、右クリックして表示されるポップアップメニューの中から、［コピー］を選択しても実行できます。

同じく、ペーストする際には、貼り付け先を選択し、右クリックして表示されるポップアップメニューの中から、［貼り付け］を選択すればOKです。

マクロを記述したブックの保存方法

マクロを記述したブックは、従来のブックとは異なる形式で保存します。従来の形式で保存しようとすると、メッセージが表示されて、マクロ用の形式で保存するように促されます。

▼ マクロを通常の形式で保存しようとした場合のメッセージ

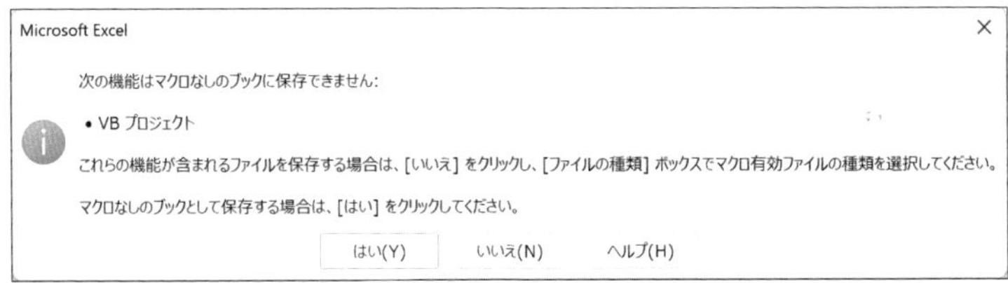

［ファイル］→［名前を付けて保存］で表示されるバックステージビューや、「保存」ダイアログボックスの［ファイル名］欄の下に、［ファイルの種類］欄があります。

マクロを作成したブックを保存する際には、[ファイルの種類] 欄で、「Excel マクロ有効ブック (*.xlsm)」を選択します。マクロ用のブックの拡張子は「*.xlsm」になります。

▼ ファイルの種類から「Excel マクロ有効ブック(*.xlsm)」を選択する

新規のブックを作成する際は、「最初にブックに名前を付けて保存してから作業をスタートする」というスタイルの方も大勢いらっしゃるでしょう。その場合には、「Excel マクロ有効ブック (*.xlsm)」形式で保存を行ってから作業をスタートさせましょう。

また、既存のブックにマクロを追加して保存する場合は、ブック名は同じでも、「Excel マクロ有効ブック (*.xlsm)」として新規保存する必要があります。この場合、マクロ追加前のブックとマクロ追加後のブックは、同名でも拡張子の異なる、別のブックとして扱われるようになります。

COLUMN マクロ用のブックのアイコン

「Excel マクロ有効ブック」で保存したブックは、通常のブックとは異なり、「！マーク」が付いたようなアイコンで表示されます。

これは、うっかりマクロを含まれたブックと知らずに開いてしまい、意図していない操作が自動実行されてしまうことを防ぐための対策のためです。見ただけで、「このブックは何らかのマクロを含んでいますよ」ということが明確になるわけですね。

▼ マクロ用のブックのアイコン

03

マクロの間違いに対処する方法

マクロを作成する際には、必ず何らかの間違いに遭遇します。ここでは、マクロ作成時の間違いの種類と、その対処方法を紹介します。

エラーメッセージが表示された場合の対処方法

マクロの作成は、最初から全てすんなりうまくいくことはありません。時にはエラーとなり、エラーメッセージが表示される場合もあります。

ここでは、**「よく遭遇するエラーメッセージと、その原因・対処方法」**を紹介します。これを覚えておくと後々便利です。エラーの原因を見極めて、慌てずに対処していきましょう。

エラーメッセージに遭遇すると、最初はそれだけで何か怖くなり、プログラムを書くのが嫌になることもあります。でも、安心してください。逆に言えば、「とりあえず書いてみたプログラムに、どこかおかしな箇所があることを、あらかじめ知らせてくれている」のです。怖がらずにエラーメッセージを読み、間違えている箇所を修正する方法を知っておけば、エラーメッセージを味方につけて、素早く修正を行うことができるようになるのです。

なお、このトピックは読み飛ばしておいて、実際にエラーに遭遇した際に改めて読んでいただいても構いません。

マクロ名に関するエラー

マクロを作成する際には、先頭に「Sub(スペース)マクロ名」の形式でマクロ名を指定しますが、このマクロ名には利用できる文字と命名規則が存在します。

マクロ名に使用できるのは、英数字・漢字・ひらがな・カタカナ、そして「_」（アンダーバー）です。記号は利用できず、マクロ名の途中にスペースを入れることはできません。

また、数字とアンダーバーを利用する際には、マクロ名の途中には利用できません。

上記の規則に反すると、マクロ名を入力して Enter キーを押した段階で、次図のようなエラーメッセージが表示されます。

▼ マクロ名に関するエラーのメッセージ

この場合は、［OK］ボタンをクリックしてメッセージを消去し、マクロ名を付け直します。なお、エラーが起きた場合には、エラーの発生箇所と思われる部分が赤字で強調表示されます。

▼ エラー箇所が強調して表示される

エラーの発生箇所が赤字で表示されます。

マクロの書き間違いによるエラー

単純に書き間違えをした場合にも、エラーメッセージが表示されることがあります。例えば、次図の例では、1行のコードを入力しようとした際、入力途中で Enter キーを押してしまい、中途半端な改行によるエラーが派生しています。

マクロでは、基本的に「1 行で 1 つの命令」という形でコードを記述していくため、Enter キーを押して改行した時点でプログラムとして意味が通っていないと、「これは意味が通っていませんがよいんですか？」というエラーメッセージが表示されます。

なお、VBA では基本的に「1 行で 1 つの命令」をステートメントと呼びます。ステートメントの途中で改行があるとエラーになるので、注意しましょう。

▼ 単純な書き間違いによるエラーのメッセージ

(General)
はじめてのマクロ
Sub はじめてのマクロ()
Range("A1").Value =
"Hello VBA!"
End Sub
Microsoft Visual Basic for Applications
コンパイル エラー:
修正候補: 式
OK
ヘルプ

余分な改行はエラーの原因となります。

この場合は、いったん［OK］ボタンをクリックしてメッセージを消去し、あらためてプログラムを修正していきます。

なお、この手のエラーに遭遇した時は、メッセージを消去して、Ctrl ＋ Z キーを押すと、1 つ手前の状態まで戻してくれます（やり直し機能が働きます）。つまりは、押し間違いをする前の状態に戻せるわけですね。

マクロの作成を始めた方が遭遇しやすいエラーとしては、「意図していない箇所で改行してしまった場合」「2 つを 1 組で利用するカッコやダブルクォーテーションの閉じ忘れ」等があります。

▼ ダブルクォーテーションの閉じ忘れによるエラーのメッセージ

(General)
はじめてのマクロ
Sub はじめてのマクロ()
Range("A1).Value = "Hello VBA!"
End Sub
Microsoft Visual Basic for Applications
コンパイル エラー:
修正候補: 区切り記号 または)
OK
ヘルプ

カッコやダブルクォーテーションの閉じ忘れはよくあるエラーです。注意しましょう。

特に、既存のプログラムをコピーして再利用しようとした際には、改行の場所がらみのエラーに遭遇しやすい傾向があります。それを重点的にチェックしてみましょう。

ちなみに、この手の書き間違いのエラーの際のメッセージは、書き間違いの状況に応じて何種類かのものが表示されます。

マクロを実行するタイミングで起きるエラー

マクロを実行しようとしたタイミングでエラーメッセージが表示される場合があります。この場合は、マクロのタイトル部分が黄色くハイライト表示され、エラーと思われる箇所が選択され、メッセージが表示されます。

実行のタイミングで発生するエラーの原因は、**「コード内に記述するキーワードの入力ミス」**等が考えられます。慌てずに、エラーメッセージに示された箇所を修正していきましょう。

▼ 実行しようとした際に表示されるエラーのメッセージ

このエラーを修正するには、[OK] ボタンをクリックしてメッセージを消去した後、さらに、VBE のツールバーに用意されている [リセット] ボタンをクリックして、実行待機状態になっているマクロを停止させます。その上で、間違っている箇所の修正を行いましょう。

次図では、「Range」とすべき箇所を「Rage」と入力したためにエラーが発生しています。

▼ マクロを停止してエラーを修正する

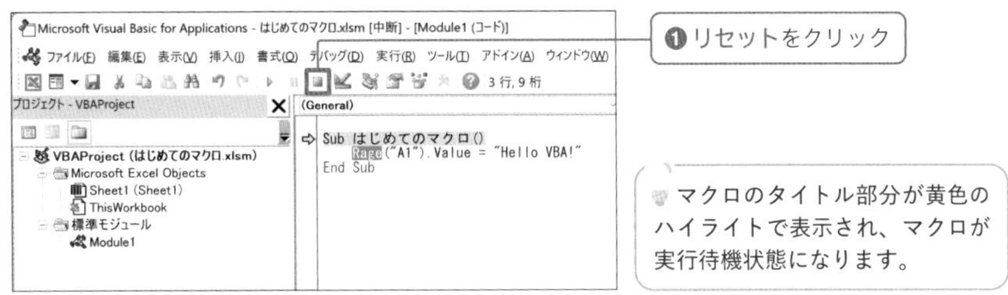

マクロの実行途中で起きるエラー

マクロの実行途中でエラーが発生する場合があります。この場合にもやはり、エラーメッセージが表示されます。

次図のようなエラーメッセージが表示されたら、[デバッグ] ボタンをクリックしましょう。すると、**エラーが発生した行が黄色くハイライト表示されて**、マクロが実行待機状態になります。

エラーの発生箇所を確認したら、いったんツールバーの、[リセット] ボタンをクリックして、マクロの実行を停止しましょう。その上でエラーの箇所を修正していきます。

▼ エラーの発生箇所がハイライトで表示される

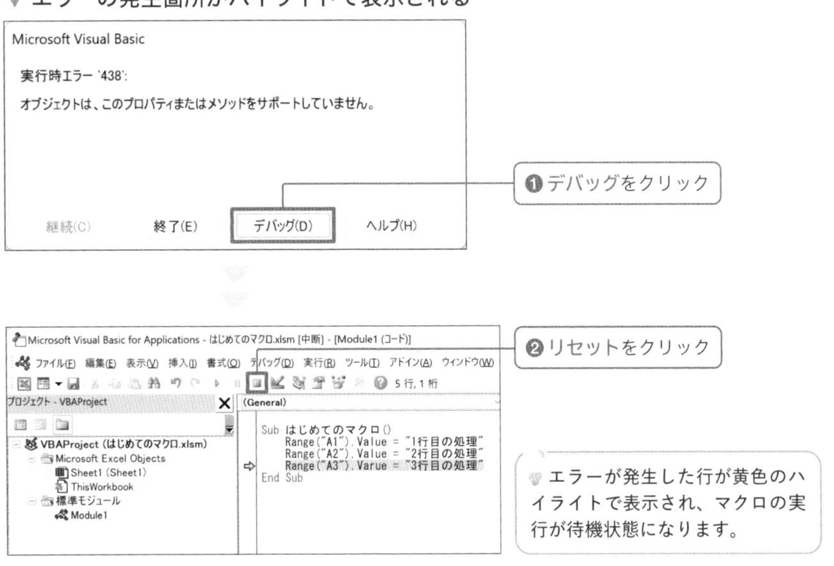

ここでは3行目で、「Value」とすべき箇所を「Varue」と間違って入力しています。その行がハイライトで示されています。

また、マクロの実行途中にエラーが発生した場合には、他の場合とは決定的に異なる点があります。それは、「エラーが発生した場所より上に記述してある操作は実行されている」という点です。

例えば、3つの操作を行う3行のコードが記述されている場合に、3行目でエラーが発生したとします。この時、1行目・2行目のエラーの発生しなかった部分に記述されていた操作は、既に実行済みです。

▼ エラー発生箇所より上の部分は実行される

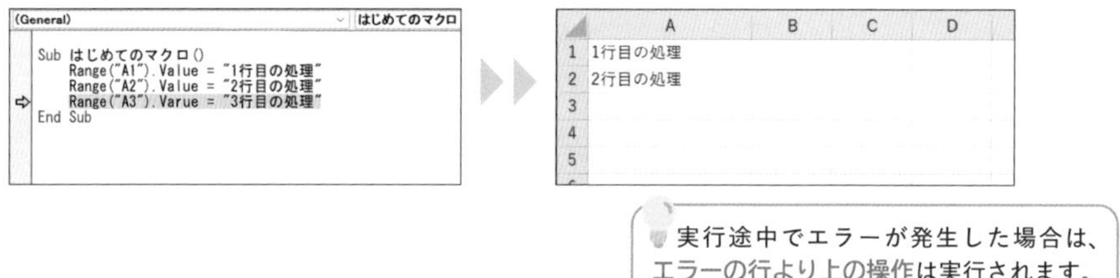

実行途中でエラーが発生した場合は、エラーの行より上の操作は実行されます。

マクロを修正後に再実行する場合、必要であれば、この既に実行された操作の部分、例えばワークシート上の入力部分等を、元の状態に戻してから再実行しましょう。

3章のおさらい

以下の問題文を読んで選択肢を選んでみましょう。

問題1 マクロの確認・編集を行うVBE画面の各部の名称を選んでください。

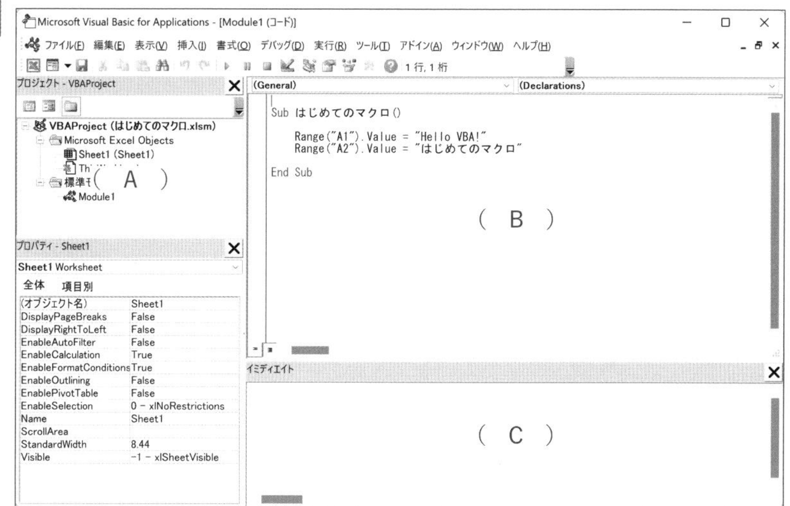

①「コード」ウィンドウ　②プロジェクトエクスプローラー
③「プロパティ」ウィンドウ　④「イミディエイト」ウィンドウ

問題2 マクロのコードは（　D　）に記述していきます。1つひとつのマクロは、「（　E　）」から始まり、「（　F　）」までの間に実行したい内容を記述していきます。作成したマクロは、（　G　）から実行したいマクロを選んで実行できます。

①End Sub　②Sub　③プロジェクトエクスプローラー
④標準モジュール　⑤「マクロ」ダイアログボックス

問題3 マクロを作成したブックを保存する場合には、通常のブックとは異なり、「（　H　）」形式で保存します。（　H　）形式のブックの拡張子は「（　I　）」となります。

①Excel ブック　②Excel アドイン　③Excel マクロ有効ブック
④*.xlsm　⑤*.xlsx

解答と解説

問題 1 の解答　A：②プロジェクトエクスプローラー、B：①「コード」ウィンドウ、C：④「イミディエイト」ウィンドウ

VBE の各部の名称は、左上がプロジェクトエクスプローラー、右上のメインの画面が「コード」ウィンドウ、右下等に表示される部分が「イミディエイト」ウィンドウとなります。

それぞれの部分の用途は、プロジェクトエクスプローラーは、マクロの内容を記述する標準モジュールの追加や選択・削除に利用し、「コード」ウィンドウは、マクロのコードの確認・編集に利用します。「イミディエイト」ウィンドウは、開発中の各種の確認事項の書き出しやちょっとしたコードのテスト実行等に利用します。

問題 2 の解答　D：④標準モジュール、E：②Sub、F：①End Sub、G：⑤「マクロ」ダイアログボックス

マクロの名称や内容は、標準モジュールに記述していきます。個々のマクロは「Sub」から「End Sub」に挟まれた部分に記述されたコードを、上から順番に実行していきます。

また、Excel 画面からマクロを実行するには、リボンの「開発」タブ内の［マクロ］ボタンを押す等の操作で表示される「マクロ」ダイアログボックスから、実行したいマクロを選択・実行していきます。

問題 3 の解答　H：③Excel マクロ有効ブック、I：④*.xlsm

マクロを作成したブックは、通常の Excel ブック（拡張子「*.xlsx」）ではなく、Excel マクロ有効ブック（拡張子「*.xlsm」）として保存する必要があります。

ちなみに、②の「Excel アドイン」は、マクロ等で作成した機能を、Excel の「アドイン」機能の仕組みを使って利用できるようにした形式です。マクロを配布する際等に便利な形式なのですが、本書では取り扱いません。自作マクロの配布に興味のある方は調べてみてください。

第 4 章

基本の操作を実行する仕組み

01 マクロは「何に命令するのか」という視点で作る

ここからは、VBA の記述ルールを学習していきます。まずは第 2 章で紹介した 2 つの大きな仕組みのうち、「基本の操作を実行する仕組み」から学習を開始します。

1つのマクロの範囲は「Sub」から「End Sub」まで

操作を実行する命令の書き方の学習を開始する前に、まずは「マクロを記述する際の基本ルール」を頭に入れておきましょう。基本ルールを最初に押さえておくことで、やみくもに暗記するよりも効果的に学習を進められます。

マクロはいくつかの手順を含む Excel の操作をまとめて自動化しますが、この時、どの操作までをまとめて一連のマクロの範囲とするかの指定には、Sub（サブ）と End Sub（エンド サブ）の 2 つのキーワードを利用します。

次図では、「マクロ 1」と「マクロ 2」という 2 つのマクロがありますが、このうち、マクロ 1 を実行すると行われる一連の操作は❶の範囲です。同じく、マクロ 2 の実行で行われる一連の操作は❷の範囲です。

つまり、「Sub」から「End Sub」までの間が、1 つのマクロの範囲となります。この仕組みを押さえておくと、1 つの標準モジュールに、複数のマクロをいっぺんに記述することができます。

▼ マクロは「Sub」から「End Sub」まで

Sub マクロ 1
操作 1
操作 2
・・・
❶
End Sub
Sub マクロ 2
操作 1
操作 2
・・・
❷
End Sub
マクロ 1 を実行すると❶、マクロ 2 を実行すると❷の操作が行われます。

Keyword

Sub はマクロの始め、**End Sub** はマクロの終わりを表します。「Sub」と「End Sub」に間に操作を行うコードを記述します。

COLUMN 「挟む」という考え方

VBA では、特定のキーワードで操作を行う命令を「挟む」ことがよくあります。例えば、「繰り返し」の処理を作成したい場合には、繰り返しを行う命令を、「For」と「Next」というキーワードで挟みます。条件によって2パターンの処理の流れに分ける「条件分岐」の処理を作成したい場合には、「If」と「Else」、さらに「End If」というキーワードで挟みます。

この「挟む」というポイントを押さえておくと、より高度なマクロを作成する際の助けになるでしょう。

操作対象は「オブジェクト」の仕組みで指定する

VBA で操作する対象を指定する際は、**オブジェクト**という仕組みを利用します。例えば、セルに値を入力したり、消去したりといった、「セルに関する命令」の場合は、**Range**(レンジ)というオブジェクトを利用します。あるいは、シート名を変更したり、削除したりといった「ワークシートに関する命令」の場合は、**Worksheet**(ワークシート)というオブジェクトを利用します。

マクロを作成する際には、まず**「何に対して命令を行うのか」**という視点で考え始めます。そして、**「操作対象を指定する仕組み」**としてオブジェクトが用意されています。

VBA では、「自分の操作したい対象のオブジェクトを指定し、そのオブジェクトに対して命令を行う」というのが基本的な仕組みとなります。

▼「何に対して命令を行うのか」という視点で考える

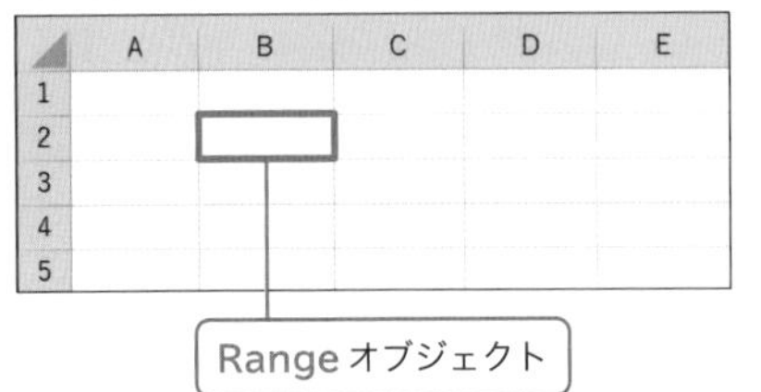

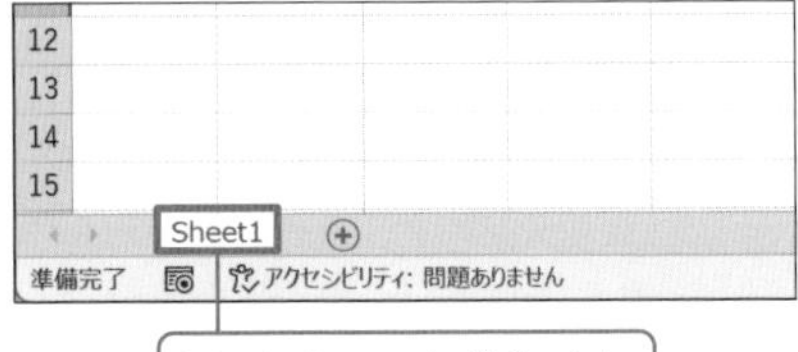

セルの操作は Range オブジェクト、ワークシートの操作は Worksheet オブジェクトに命令します。

以下は、よく利用する 3 つのオブジェクトの例です。現時点では、オブジェクト名を全て暗記する必要はありませんが、「利用したい機能に応じて、いろいろな『オブジェクト』というものが用意されているんだな」というポイントを押さえておきましょう。

▼よく使う 3 つのオブジェクト

オブジェクト	用途
Range	セルに関する操作
Worksheet	ワークシートに関する操作
Workbook	ブックに関する操作

オブジェクトに対して命令を行うには、次のように「オブジェクト」に続けて「.」（ドット）を打ち、その後ろに「命令」を書きます。

▼オブジェクトに対して命令を行う

```
オブジェクト . 命令
```

例えば、「セル A1 の値をクリア（消去）」するのであれば、次のようにコードを記述します。

```
Range("A1").ClearContents
```

▼ セルを指定して操作する

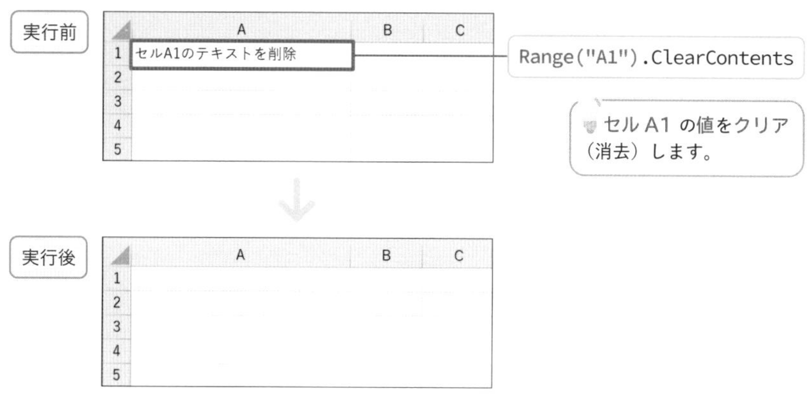

「Range("A1")」が、操作を行う対象となるオブジェクトの指定、その後ろの「ClearContents」が、「値をクリアする」という命令となります。

セルはRange（レンジ）で指定します。「Range」に続けて () を入力し、その中で「"」（ダブルクォーテーション）で囲んで対象のセルを指定します。

▼ セルの指定

```
Range("対象のセル")
```

オブジェクトの仕組みをイメージするとしたら、Excel全体を1つの取引先企業のように考えてみるのがよいでしょう。この時、オブジェクトは、「業務に応じた、いち担当者」といったイメージです。

Excelに仕事を頼む時は、まず、「やって欲しい仕事の担当者を指名し、その上で、担当者にどんなことをやって欲しいかを伝える」、という2つの手順を踏むような考え方が、オブジェクトを利用した命令の仕組みに当てはまります。

上述の「セルの値をクリアする」のであれば、次のような流れですね。

❶セルA1を扱う担当者を指名
❷値をクリアしてもらう

「まず、オブジェクトを指定し、それから命令する」点をしっかりと意識しましょう。

Keyword

オブジェクトは、操作対象を指定する際の仕組みです。Rangeは、セルを指定します。

オブジェクトの指定は「コレクション」を利用する

「オブジェクトを指定し、それに対して命令を行う」ためには、まず、「命令を行うオブジェクトの指定方法」を知らないといけません。VBAでは、多くの場合、このオブジェクトの指定を、コレクションという仕組みを利用して行います。

コレクションの仕組みを見ていきましょう。

コレクションとは、「同じ種類のオブジェクトをまとめて管理する仕組み」です。多くのコレクションは、管理対象のオブジェクト名の最後に、複数形を表す「s」が付いた名前になっています。

例えば、ワークシートをまとめて管理しているのは、Worksheets（ワークシーツ）コレクションであり、ブックをまとめて管理しているのは、Workbooks（ワークブックス）コレクションです。

▼ コレクションとまとめて管理する対象

管理対象	対応するコレクション
ワークシート（Worksheet オブジェクト）	Worksheets コレクション
ブック（Workbook オブジェクト）	Workbooks コレクション

セル（Range オブジェクト）は、コレクションの仕組みを使わず、全て「Range」で管理します。

特定のオブジェクトを指定する際には、「○○コレクションの中の☆☆」という形で指定します。

ワークシートを操作対象に指定する場合は、Worksheets コレクションを利用します。() の中にワークシートの名前やインデックス番号を指定しましょう。

▼ コレクションでワークシートを指定する

```
Worksheets( シート名／インデックス番号 )
```

例えば、次の例では、「『Sheet1』と『2 枚目のワークシート』をそれぞれ操作対象として指定」します。

```
Worksheets("Sheet1")      '「Sheet1」という名前のワークシートを指定
Worksheets(2)             '2枚目のワークシートを指定
```


▼ コレクションの仕組みを使ってワークシートを指定する

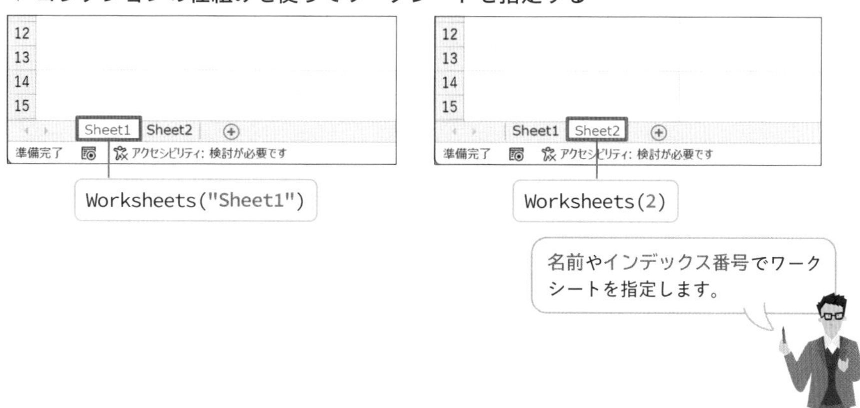

シート名やブック名等の「名前」を利用する場合には、コレクション名の後ろのカッコの中に、ダブルクォーテーション（"）で囲む形で名前を指定します。

また、「1枚目のワークシート」「2枚目のワークシート」のような番号を利用する場合には、カッコの中に直接「1」のようにインデックス番号を指定する数値を指定します。インデックス番号を指定する場合は、ダブルクォーテーションは必要ありません。

オブジェクトのインデックス番号は、コレクションの種類によって自動的に付けられます。ワークシートの場合は、「一番左のワークシート」が「1」で、以下連番が振られます。ブックの場合は、「一番最初に開いたブック」が「1」で、以下連番が振られます。多くの場合は、「追加／作成した順」の連番となります。

▼ オブジェクトのインデックス番号

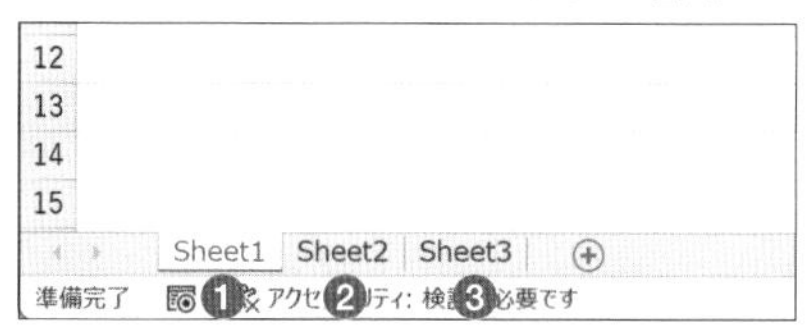

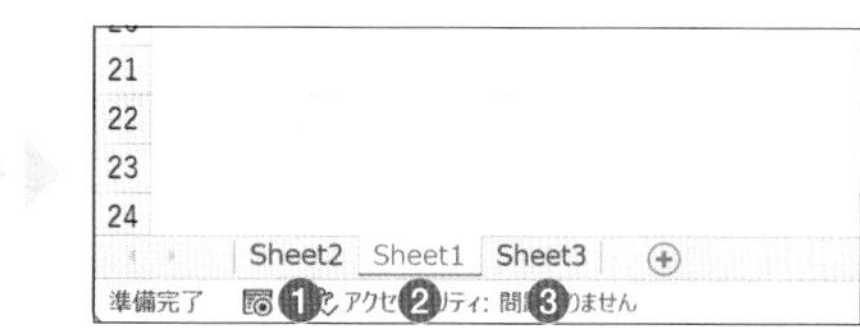

ワークシートのインデックス番号は、左から連番で設定されます。シートの並び順を変更すると、変更後の並び順で番号が再設定されます。

まとめてみると、命令の対象となるオブジェクトを指定する場合には、「コレクションの仕組みを利用して、次の形式で記述する」というわけですね。

▼ コレクションでオブジェクトを指定する

```
コレクション(名前/インデックス番号)
```

前述の担当者の例に当てはめると、コレクションの仕組みは、「担当者の属している担当部署」です。仕事を頼みたい担当者を探すには、「○○部署内の、☆☆さん」という形で指定します。コレクションとインデックス番号はそのようなイメージで覚えてみましょう。

COLUMN コレクションの「メンバー」

コレクションは複数のオブジェクトをまとめて扱いますが、この、コレクション内に属する個々のオブジェクトを、「コレクションの**メンバー**」と呼びます。「営業課の社員」というようなイメージで、「Worksheets コレクションのメンバー」と呼んでいるわけですね。

Keyword

コレクションは、オブジェクトを管理する仕組みです。**Worksheets** はワークシート(Worksheet)、**Workbooks** はブック(Workbook)を対象にします。

1つでも複数でも「Rangeオブジェクト」

コレクションの仕組みを紹介しましたが、実は、最も多く操作する対象となるであろうセルには、コレクションの仕組みは存在していません。

オブジェクトを指定する際にはコレクションの仕組みを利用しますが、セルだけはコレクションでなく「Range」でそのまま指定します。

セルを扱う Range オブジェクトはありますが、「Ranges」コレクションというものは用意されていないのです。Range オブジェクトのみは特殊で、次の形式で操作対象となるセル(Range オブジェクト)を指定します。

▼ セル(Rangeオブジェクト)の指定

```
Range( セル番地／セル範囲 )
```

セル番地あるいはセル範囲は、ダブルクォーテーション（"）で囲んで指定します。

例えば、「セルA1を操作対象とする」場合は、次のようにコードを記述します。

```
Range("A1")
```

▼ セルを指定する

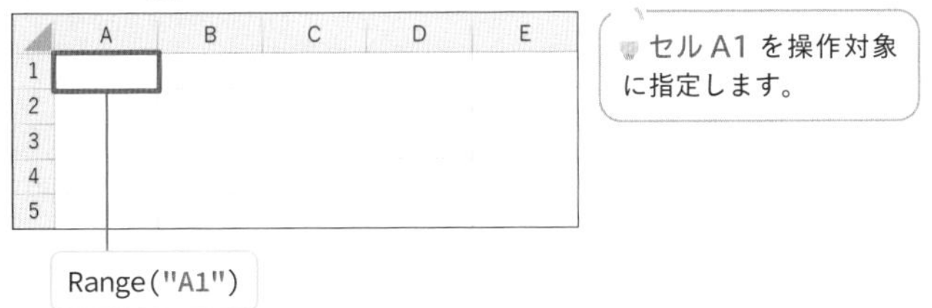

複数のセルを操作対象に指定することもできます。例えば、「セル範囲A1:C5を操作対象とする」場合は、次のようにコードを記述します。

```
Range("A1:C5")
```

▼ セル範囲を指定する

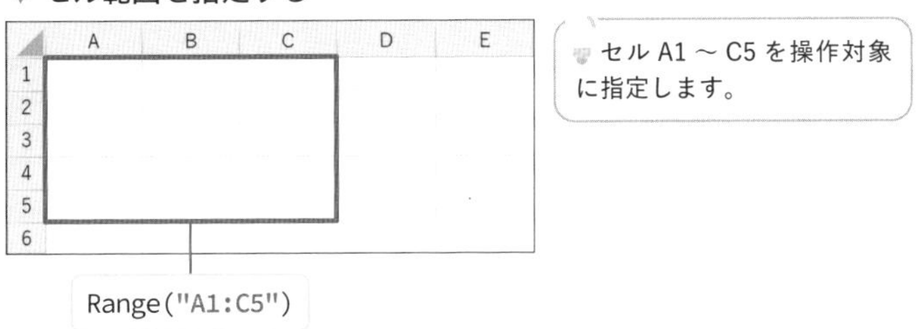

セル番地は、ワークシート関数でセル位置を指定する際にもお馴染みのA1形式で指定できます。セル範囲を指定する場合は、指定する範囲の左上のセルと右下のセルを「:」（コロン）で繋げて記述しましょう。

▼ セル範囲の指定方法

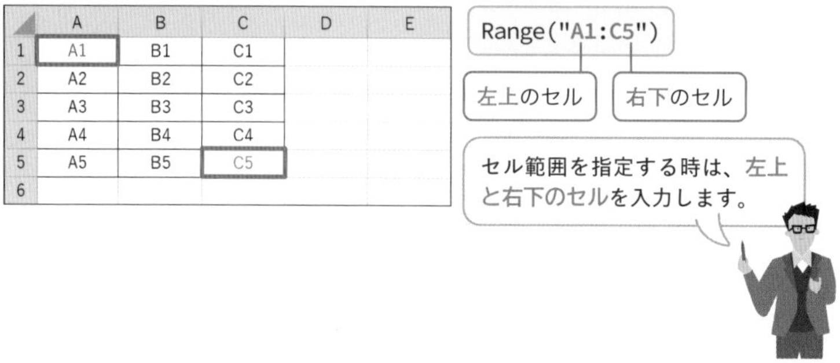

	A	B	C	D	E
1	A1	B1	C1		
2	A2	B2	C2		
3	A3	B3	C3		
4	A4	B4	C4		
5	A5	B5	C5		
6					

Range("A1:C5")

左上のセル　右下のセル

セル範囲を指定する時は、左上と右下のセルを入力します。

Rangeはもともと「範囲」という意味ですが、「A1」といった単一セルでも「小さな範囲」と見なして「Range」で指定できるようになっています。これがもし、単一セルとセル範囲で指定するための方法が異なっていたら面倒ですものね。一番よく使うものなので、手軽に指定できるようになっているのです。

COLUMN 単一セルは「Cells」でも指定できる

単一のセルを操作対象として指定したい場合には、Cells（セルズ）を使うこともできます。「Cells(行番号,列番号)」の形で指定できます。例えば、「Cells(1,2)」は、「1行目・2列目のセル」、つまり、「セルB1」が操作対象となります。「Cells」は「Cellオブジェクトのコレクション」というわけではないのですが（そもそも、セルは全てRangeオブジェクトとして扱うので、Cellオブジェクトというものは存在しません）、同じような感覚で利用できます。

▼「Cells」でセルを指定

```
Cells(行番号, 列番号)
```

また、行番号・列番号を数値で指定できるこの形式は、ループ処理（繰り返しの処理）との相性がよく、その処理内で多く使われています。そのため、自分では利用しない場合でも、他の人の記述したプログラムを読み解く際には、知っておくと非常に役に立ちます。単一のセルを指定する場合には、「Range(セル番地／セル範囲)」と「Cells(行番号,列番号)」の2種類の方法がある、ということは意識しておきましょう。

02 プロパティとメソッドで対象を操作する

操作の対象となるオブジェクトを指定できたら、次はオブジェクトに対する命令を記述します。そのためには、「プロパティ」と「メソッド」の仕組みを利用します。

オブジェクトの状態の変更は「プロパティ」で行う

マクロの多くは、セルの値や書式の変更といった、オブジェクトの「状態を変更する」操作を行います。オブジェクトの状態は、プロパティという仕組みで管理されます。

VBAには、オブジェクトの状態を管理する、「プロパティ」という仕組みが用意されています。**プロパティの仕組みを利用することで、オブジェクトの状態を変更する**ことができます。

セルやワークシート等のオブジェクトごとに、さまざまなプロパティが用意されています。例えば、セルの値はValue（バリュー）プロパティで管理されています。Valueプロパティを変更すれば、それに合わせてセルの値も変更されます。

「Valueプロパティを利用してセルA1の値を変更」するには、次のようにコードを記述します。

```
Range("A1").Value = "変更後の値"
```

▼ セルの値を変更する

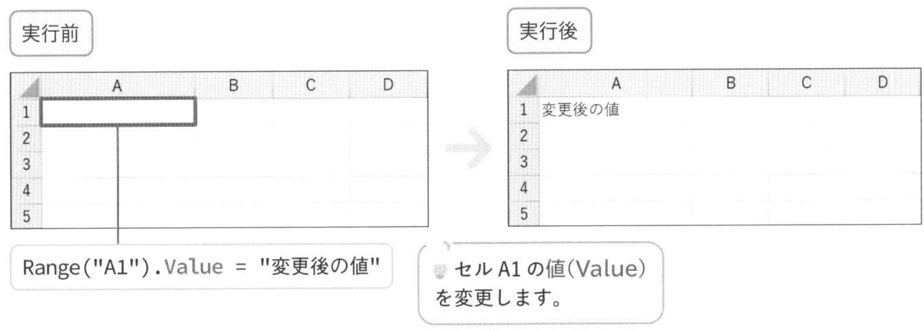

以下に、よく利用するプロパティを示します。

▼ よく使うプロパティと意味

オブジェクト	プロパティ	対応する値
Range	Value	セルの値
Worksheet	Name	シート名
Workbook	Path	ブックの保存先

プロパティを利用するには、まず、「対象のオブジェクトを指定し、その後に「.」（ドット）を打ち、プロパティを記述」します。こうして指定したプロパティに値を設定するには、その後ろに、「 = 値」（スペース・=・スペース・値）の形式で記述します。

▼ プロパティの仕組みを利用する

```
オブジェクト . プロパティ = 値
```

プロパティを利用するコツは、「.」を日本語の「の」に置き換えて考えることです。また、プロパティ名の後ろの「=」は同じく日本語の「を」や「は」に置き換えて、文章のように考えてみることです。

▼ オブジェクトの情報をプロパティで変更する

オブジェクト . プロパティ = 値

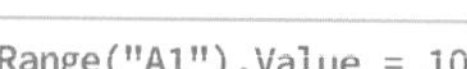

「セル A1」「の」「値を 10 にする」
という意味になります。

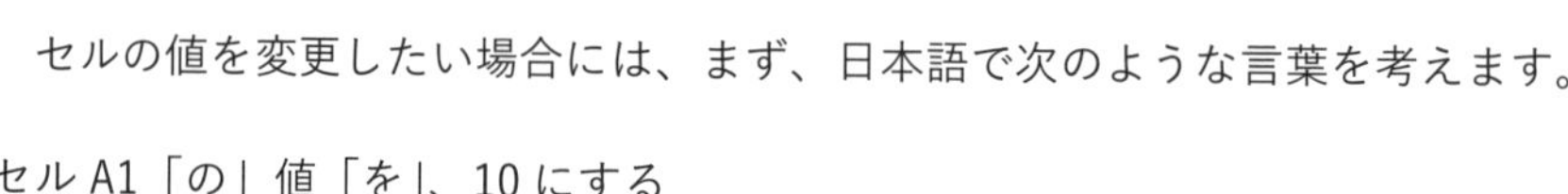

セルの値を変更したい場合には、まず、日本語で次のような言葉を考えます。

セル A1「の」値「を」、10 にする

ここまで考えられたら、あとはオブジェクト・プロパティ・変更後の値を当てはめ、それぞれを「.」や「=」で繋ぐだけです。「セル A1」は「Range」で指定し、「値」は「Value プロパティ」、そこに「10」を設定します。結果のコードは次のようになります。

```
Range("A1").Value = 10
```

これを、「誰の」「何を」「どうする」という3段階で考えてみましょう。次の3つの部分に分けて、何を記述すればいいのかを整理できますね。

- **ドットの前はオブジェクトの指定**
- **ドットの後ろはプロパティの指定**
- **イコールの後ろは変更後の値**

慣れてくると、日本語から置き換えずとも、自然に記述できるようになってきますが、慣れないうちはこの考え方で整理し、1つひとつを埋めていくつもりで記述していきましょう。

また、値や状態を変えたい時に、どのプロパティを使えばいいのかを調べる方法は、91ページから詳しく解説します。

COLUMN プロパティは値を取得することもできる

プロパティは、値を設定するだけでなく、取得することも可能です。例えば、「セルA1の値（Valueプロパティの値）を、セルB2に転記する」「1枚目のシート名（Nameプロパティの値）を調べ、その名前を元に2枚目のシート名を決める」等、現在の状態を調べて、それを元に次の処理を作成したい場合にこの仕組みが利用できます。

この仕組みは特に、セルの値の転記（83ページ）や、条件分岐の仕組み（第7章）と一緒に利用されます。具体例は後ほど解説します。

Keyword

プロパティは、オブジェクトの状態を管理する仕組みです。「=」は、値を設定するための記号（演算子）です。

オブジェクトに対する命令は「メソッド」で行う

オブジェクトに対して命令を行うには、メソッドという仕組みを利用します。「セルの消去機能を実行」「フィルター機能を実行」というように、「○○という Excel の機能を実行」したい場合には、たいていメソッドを使います。

VBA では、Excel の機能に対応したさまざまなメソッドが用意されています。**「オブジェクトに対してメソッドを指定」**すれば、対応する Excel の機能が実行されます。

例えば、セルの値や書式をまとめてクリアする、Excel の［ホーム］→［クリア］→［すべてクリア］の機能（値や書式を全てクリア）に相当するものとして、Clear（クリア）メソッドが用意されています。「Clear メソッドを利用してセル A1 の値や書式をクリア」するには、次のようにコードを記述します。

```
Range("A1").Clear
```

▼ セルの値や書式をまとめてクリアする

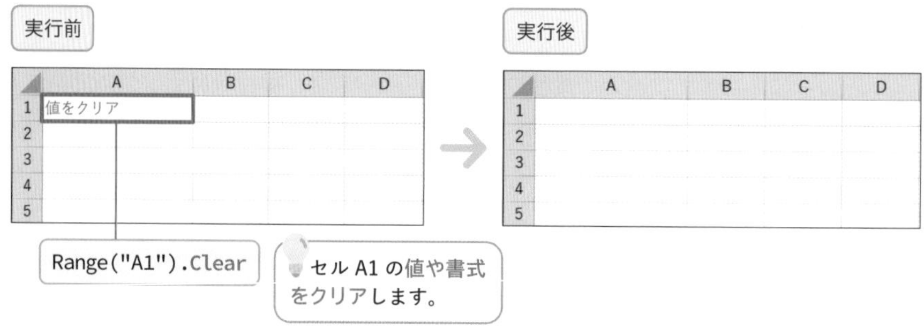

よく利用するメソッドを、以下に示します。

▼ よく使うメソッドと意味

オブジェクト	メソッド	対応する機能
Range	Clear	セルのクリア
Worksheet	Delete	ワークシートの削除
Workbook	SaveAs	ブックに名前を付けて保存

メソッドを指定する方法を見ていきましょう。

メソッドを利用するには、まず、「操作対象のオブジェクトを指定し、その後に「.」（ドット）を打ち、使用したいメソッドを記述」します。

▼ メソッドを利用する

```
オブジェクト . メソッド
```

メソッドはプロパティに比べると単純です。「誰が」「どうする」といった2段階で考えればOKです。例えば、「セルA1をクリア」したいのであれば、次のような言葉を考えます。

セルA1「を」クリアする

ここまで考えられたら、あとはオブジェクトとメソッドを「.」で繋ぐだけです。

▼ オブジェクトに対してメソッドを指定する

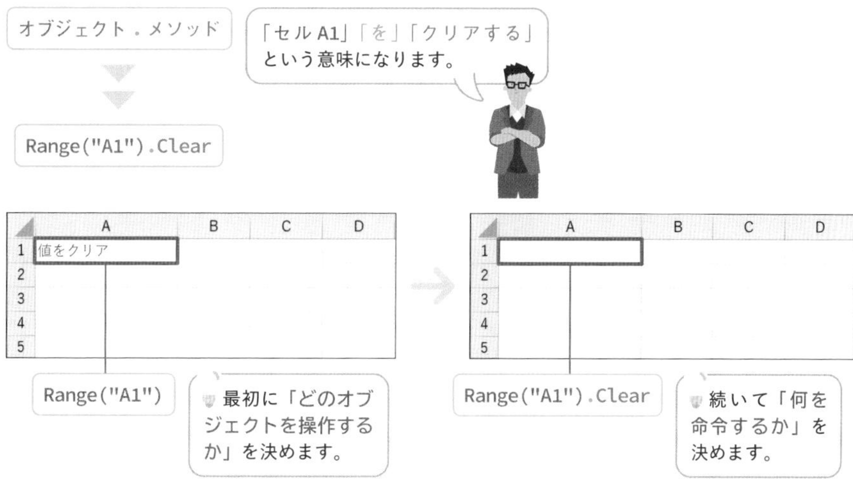

プロパティと同じように、次の2つに分ければ、何を記述すればいいのかわかりやすいですね。

- **ドットの前はオブジェクトの指定**
- **ドットの後ろは使いたい機能の指定**

Keyword

メソッドは、オブジェクトに対する操作を実行する命令です。

「引数」を使って機能のオプションを指定する

Excel の機能には、さまざまなオプションが用意されています。例えば、セルを右クリックして表示されるメニューから利用できる「削除」機能には、次図のように 4 つのオプションが用意されています。

▼「削除」機能のオプション

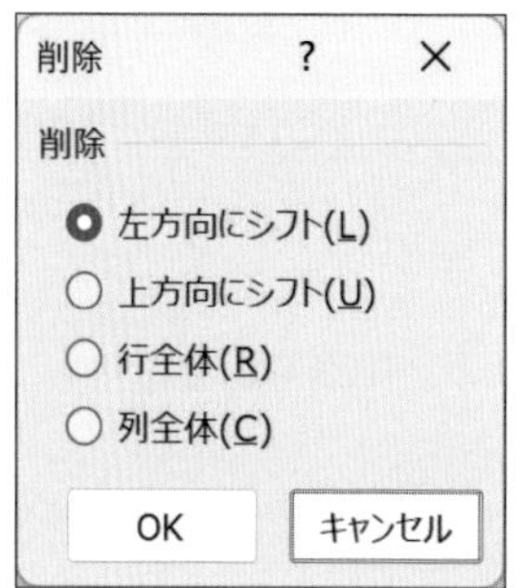

これは、セルを削除後に、どの方向にセルを詰めるかを指定するものです。「削除」機能では、特に指定せずに削除を行うと、既定の「上方向」にセルが詰められますが、「左方向にシフト」を選択して実行すれば、左方向にセルが詰められます（削除するセルの状態によって、オプションを指定しなくても左方向に詰められる場合があります）。

VBA にも、**「Excel の各機能のオプションを指定する方法」**が用意されています。VBA からオプションを指定するには、**メソッドと一緒に引数(ひきすう)という仕組みを利用**します。

セルを削除する機能に相当する **Delete**(デリート) メソッドを例に、オプションの指定方法を見ていきましょう。

次の例は、特にオプションを指定しないで、「Delete メソッドでセル B2 を削除」します。

```
Range("B2").Delete
```

▼ オプションを指定せずにセルB2を削除する

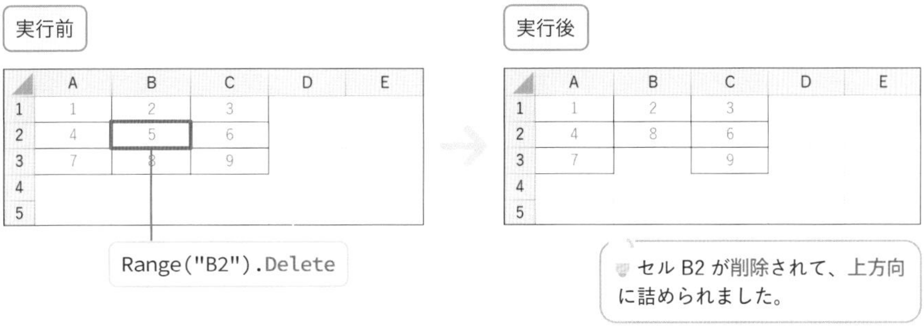

実行前

	A	B	C	D	E
1	1	2	3		
2	4	5	6		
3	7	8	9		
4					
5					

Range("B2").Delete

実行後

	A	B	C	D	E
1	1	2	3		
2	4	8	6		
3	7		9		
4					
5					

セルB2が削除されて、上方向に詰められました。

「オブジェクト.メソッド」のルールに従って、セルB2とDeleteメソッドをドットで繋いで記述しています。

次に、「『左方向にシフト』するオプションを指定」する場合を見てみましょう。

```
Range("B2").Delete Shift:=xlToLeft
```

▼ オプションを指定してセルB2を削除する

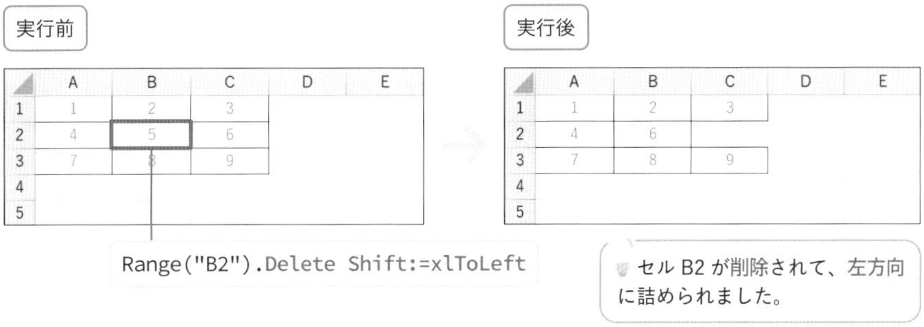

実行前

	A	B	C	D	E
1	1	2	3		
2	4	5	6		
3	7	8	9		
4					
5					

Range("B2").Delete Shift:=xlToLeft

実行後

	A	B	C	D	E
1	1	2	3		
2	4	6			
3	7	8	9		
4					
5					

セルB2が削除されて、左方向に詰められました。

今度は、Deleteメソッドの後ろに半角スペースを1つ入れ、さらにその後ろに「Shift:=xlToLeft」という記述が追加されています。これが「引数」です。

引数を指定する記号は、ドットやイコールではなく、「:=」（コロン・イコール）です。

▼ 引数の指定

```
オブジェクト.メソッド オプションの種類:=その設定
```

上記の例では、オプションの種類が「Shift（削除後のシフト方向）」であり、その設定が「xlToLeft（左方向にシフト）」という意味になります。

あらためて先ほどのコードを見てみましょう。

```
Range("B2").Delete Shift:=xlToLeft
```

一見、複雑そうな単語が並んでいますが、日本語で整理してみると「セル B2」を「削除」、そのオプションとして「シフト方向」は「左方向にシフト」と順番に指定してあるわけですね。

▼メソッドに引数を指定する

オブジェクト . メソッド **引数**

「セル A1」「を」「削除する」**「左方向に詰める」**
という意味になります。

Range("A1").Delete **Shift:=xlToLeft**

日本語で整理してみると、何てことのない指示です。しかし、メソッドの仕組みを知らないでパッと見ただけでは、とても「難しそう」と感じてしまうことでしょう。

オプションの種類と、その設定を指定するキーワードはメソッドごとに複数用意されている場合もあります。**オプションごとにキーワードを使い分けましょう。**

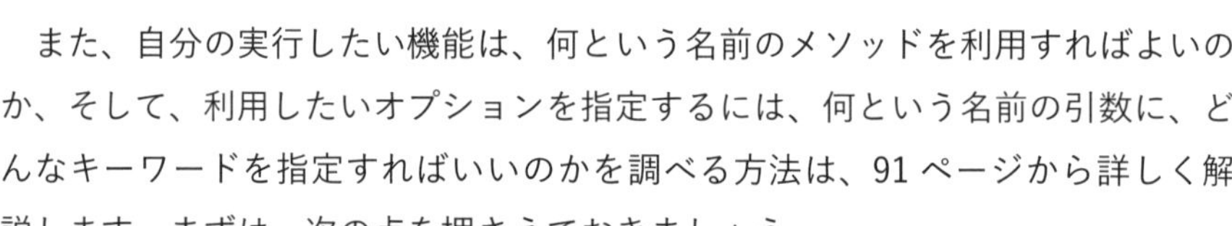

また、自分の実行したい機能は、何という名前のメソッドを利用すればよいのか、そして、利用したいオプションを指定するには、何という名前の引数に、どんなキーワードを指定すればいいのかを調べる方法は、91 ページから詳しく解説します。まずは、次の点を押さえておきましょう。

- **オブジェクトに対して機能を実行するには、メソッドを利用する**
- **メソッドにオプションを設定したい場合には、引数を利用する**

Keyword

引数は、メソッドやプロパティ等に実行条件となる値やキーワードを指定する仕組みです。

プロパティを使ってセルの内容を転記する

オブジェクトのプロパティは、値を設定するだけでなく、取得して操作に利用することも可能です。特に多く行うであろう、「セルの値を別のセルへと転記する」という操作を例に、具体的なコードの記述方法を見ていきましょう。

次図のように、「セルA1に入力されている値を、セルB2へと転記」するには、次のようにコードを記述します。

```
Range("B1").Value = Range("A1").Value
```

▼ セルの値を転記する

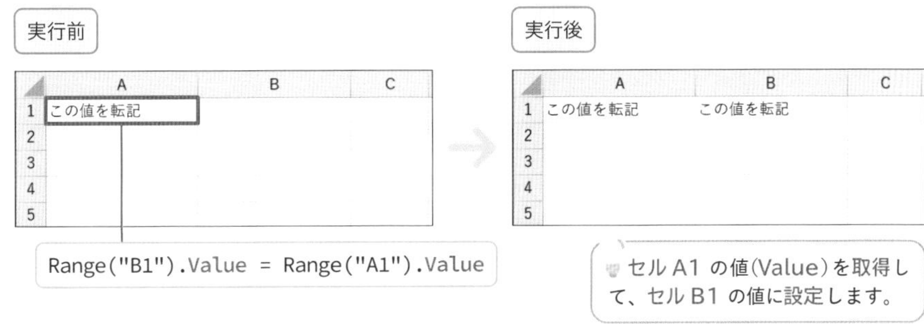
実行前
A
B
C
1 この値を転記
2
3
4
5
Range("B1").Value = Range("A1").Value
実行後
A
B
C
1 この値を転記 この値を転記
2
3
4
5
セルA1の値(Value)を取得して、セルB1の値に設定します。

セルの値を管理するValueプロパティを利用することで、「セルの値を取得して、転記等の操作を行う」ことができます。

上記のコードでは、「セルB1のValueプロパティに、セルA1のValueプロパティから取得した値を設定」しています。

もう少し詳しく見てみると、まず、「Range("B1").Value =」の部分で、「セルB1の値を設定しますよ」ということを指定しています。続いて、イコール（=）の右側、つまり、変更後の値を指定する箇所で、「Range("A1").Value」として、「セルA1のValueプロパティの値」を指定しています。

▼「転記元の値」を「転記先の値」に指定する

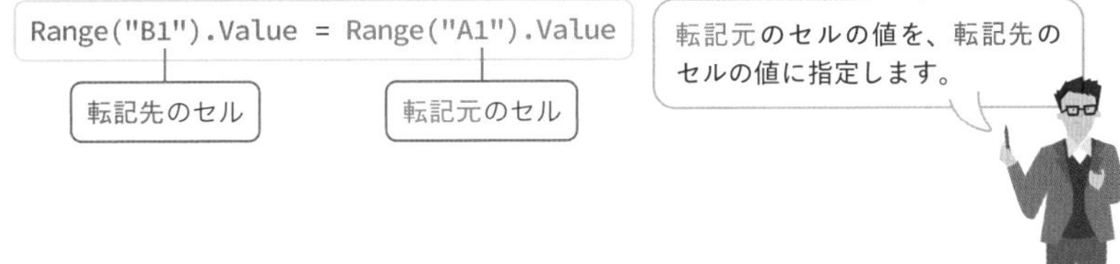
Range("B1").Value = Range("A1").Value
転記先のセル
転記元のセル
転記元のセルの値を、転記先のセルの値に指定します。

結果として、セル A1 の値が、そのままセル B1 の Value プロパティへと設定され、セル A1 の値がセル B1 に転記されます。

続いてもう 1 つ、今度は、「取得したセルの値をそのまま転記するのではなく、別の文字列と連結した値として転記」する例を見てみましょう。

「セル A1 の値の先頭に『Excel 』という文字列を付けた値を、セル B1 に転記」するには、次のようにコードを記述します。

```
Range("B1").Value = "Excel " & Range("A1").Value
```

▼ 値を連結して転記する

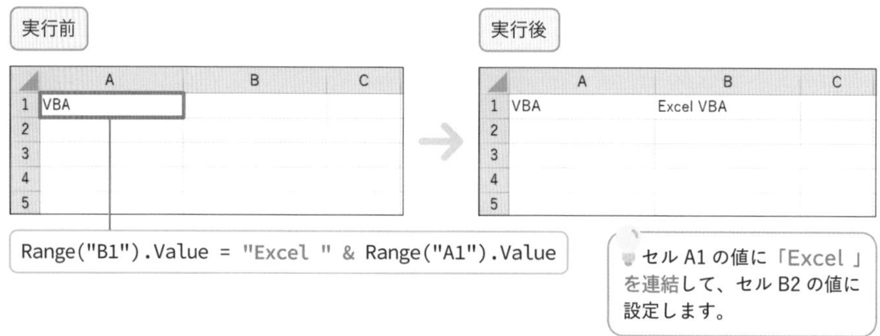

先ほどとの違いは、イコール（=）の右側、「"Excel " & Range("A1").Value」の部分です。「Excel (スペース)」という文字列と、「Range("A1").Value」というセル A1 の値を取得するコードが「&」で結ばれています。

VBA では、コード内で文字列を扱う場合には、Excel のワークシート関数と同様に、「"」（ダブルクォーテーション）で囲みます。また、値を連結して 1 つの文字列を作成するには「&」で結びます。

「&」は「文字列等の値を連結するための記号」です。また、「=」は値を設定するための記号です。VBA では、このような記号を演算子と呼びます。

結果として、「Excel（スペース）」という文字列と、Value プロパティで取得したセル A1 の値である「VBA」という文字列が連結され、「Excel VBA」という文字列となってセル B1 に入力されます。このようにプロパティは、「値を取得し、その値を他の操作に利用する」ことも可能なのです。

例えば、「シート名を元に各ワークシートをブックとして保存」といった場合も「まずはプロパティで値を取得」「その値を使って次の処理を行う」という考え方で利用できますね。

COLUMN 1行のコードを改行したい場合には

プログラムのコードを記述していく際、「1行のコードが長すぎるな」と感じる場合があります。例えば、本文中の以下のコードを見てみましょう。

```
Range("B1").Value = "Excel " & Range("A1").Value
```

こちらがちょっと横に伸びすぎていて見づらいな、と感じる方もいるかもしれません。このような場合は、途中で「 _」(スペース・アンダーバー)を挟んで**改行**することで、1行のコードを複数へと分けて記述可能です。前述のコードを、イコールの後ろで2行に分割して記述するには、次のように記述します。

```
Range("B1").Value = _
"Excel " & Range("A1").Value
```

また、改行後の2行目は、「この行は、前の行の続きですよ」とハッキリさせるために、タブやスペースで**インデント**(字下げ)を入れ、見やすい位置へと移動させると、よりわかりやすくなります。

```
Range("B1").Value = _
    "Excel " & Range("A1").Value
```

1行があまりに長いコードは、後で見返した時に、何をやっているのかがわかりにくくなります。適宜、「 _」を利用して改行を入れていきましょう。また、この改行は複数行にわたって行ってもOKです。

Keyword

文字列は、文字の連なったものを意味します。プログラミング言語では「文字」と「文字列」を使い分けることがあります(「文字」は1文字、「文字列」は複数文字)。**&演算子**を使えば、文字列を連結することができます。

03 より柔軟なオブジェクトの指定方法

VBA で操作対象となるオブジェクトを指定する際に、知っておくと便利な仕組みを２つ紹介します。この仕組みによって、より柔軟にオブジェクトを指定することができます。

階層構造を利用してオブジェクトを指定する

操作を行うセルを指定する際には、Range（レンジ）オブジェクトを使用して「Range("A1")」のようにコードを記述することは既にご紹介しました。

この場合に操作対象となる「セル A1」は、「アクティブなワークシート上のセル A1」となります。「Sheet1」を表示中であれば「Sheet1 のセル A1」が対象となり、「Sheet2」を表示中であれば「Sheet2 のセル A1」が対象となります。

例えば、次のようにコードを記述することで、「アクティブなワークシートのセル A1 の値や書式をクリア」することができます。

```
Range("A1").Clear
```

▼ アクティブなワークシートのセル A1 をクリアする

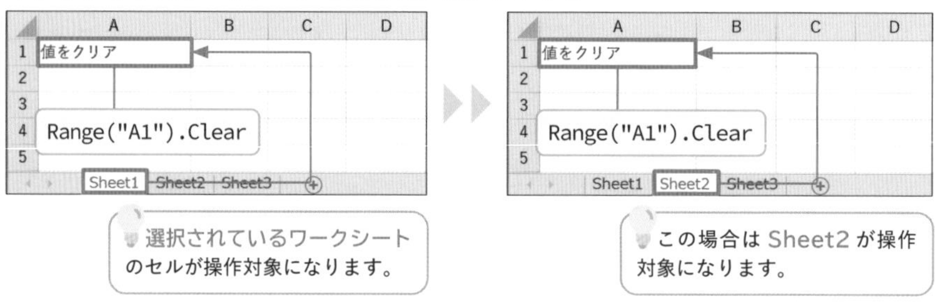
値をクリア
Range("A1").Clear
Sheet1
Sheet2
Sheet3
選択されているワークシートのセルが操作対象になります。
値をクリア
Range("A1").Clear
Sheet1
Sheet2
Sheet3
この場合は Sheet2 が操作対象になります。

しかし、これではマクロを実行する際に、いちいち操作対象のセルのあるワークシートをアクティブにしなくてはいけません。複数シートを持つブックの場合には、いちいちワークシートを切り替えるのは不便です。

このようなケースでは、**「どのワークシートのセルなのか」**を、**階層構造(かいそうこうぞう)を利用して指定**します。次のように記述することで、ワークシートとセルが指定できます。

▼ 階層構造でワークシートとセルを指定する

```
シート . セル . メソッド
```

例えば、「『Sheet1』の『セルA1』の値や書式をクリア」したい場合には、次のようにコードを記述します。

```
Worksheets("Sheet1").Range("A1").Clear
```

まず、「Worksheets("Sheet1")」で「Sheet1」を指定し、「.」（ドット）を打ち、さらに「Range("A1")」として「セルA1」を指定しています。この記述方式であれば、現在アクティブなワークシートがどれであれ、確実に「Sheet1のセルA1」が操作対象となります。

▼「Sheet1」の「セルA1」をクリアする

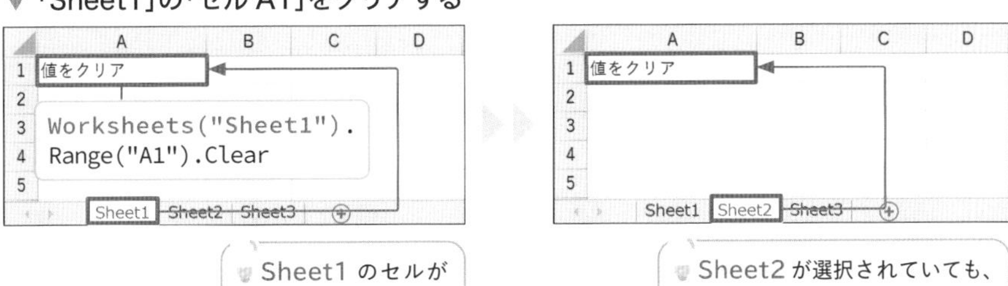
A
B
C
D
値をクリア
Worksheets("Sheet1").
Range("A1").Clear
Sheet1
Sheet2
Sheet3
Sheet1 のセルが操作対象になります。
Sheet2が選択されていても、Sheet1が操作対象になります。

さらに、この階層構造はブックの指定まで行うことも可能です。「ブック『集計表.xlsx』の『集計』シートのセル『A1:C3』をクリア」したい場合には、「ブックの指定・ワークシートの指定・セル範囲の指定」の順番に階層構造を使い、次のようにコード記述します（「集計表.xlsx」を開いた状態で実行します）。

```
Workbooks("集計表.xlsx").Worksheets("集計").Range("A1:C3").Clear
```

ポイントは、階層ごとにドット（.）で繋ぎ、「どこにある何か」を明確に指定することです。**「ブック . ワークシート . セル」の階層**を意識していきましょう。

▼「ブック . ワークシート . セル」の階層で指定する

```
Workbooks("集計表.xlsx").Worksheets("集計").Range("A1:C3").Clear
```

❶ ❷ ❸

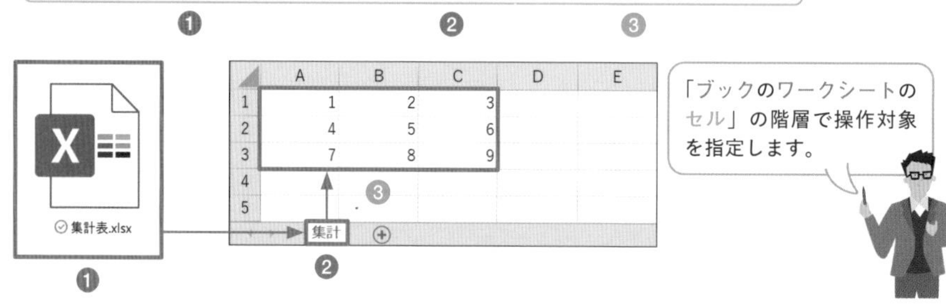

集計表.xlsx
集計
「ブックのワークシートのセル」の階層で操作対象を指定します。

複数のワークシートにまたがる操作の自動化や、複数のブックを使った集計操作の自動化等の際には、知っておくと非常に便利な指定方法と言えます。

「現在選択しているもの」を操作対象にする

VBAにはもう1つ、より直観的にオブジェクトを指定する方法が用意されています。

「現在選択しているもの」や「アクティブなもの」を操作対象として指定することができます。指定には、対応するキーワードを使用します。

例えば、「現在選択中のセル範囲」に対して操作を行う場合はSelection（セレクション）、「選択中のセル」に対して操作を行う場合はActiveCell（アクティブセル）といったキーワードを使用します。

アクティブなものを指定するキーワードを、以下の表にまとめます。

Keyword

Selectionは、現在選択しているオブジェクトを操作対象にします。ActiveCellは、選択されているセルを操作対象にします。

▼ よく使うアクティブなものを指定するキーワード

キーワード	操作対象
Selection	選択しているセル範囲(または図等)
ActiveSheet	アクティブなワークシート
ActiveWorkbook	アクティブなブック
ActiveCell	選択しているセル(セル範囲を選択していても、アクティブな1つのセルのみが対象となる)

この指定方法を知っていると、「選択した範囲のみに値を入力する」「選択範囲の値のみを利用してグラフを作成する」「選択範囲のみを別のワークシートへとレイアウトを整えて転記する」等、手作業で操作対象を都度切り替えながら行う作業を自動化する際に役立ちます。

次のコードは、「選択中のセル範囲に『VBA』という値を入力」します。

```
Selection.Value = "VBA"
```

▼ 選択中のセル範囲に「VBA」と入力する

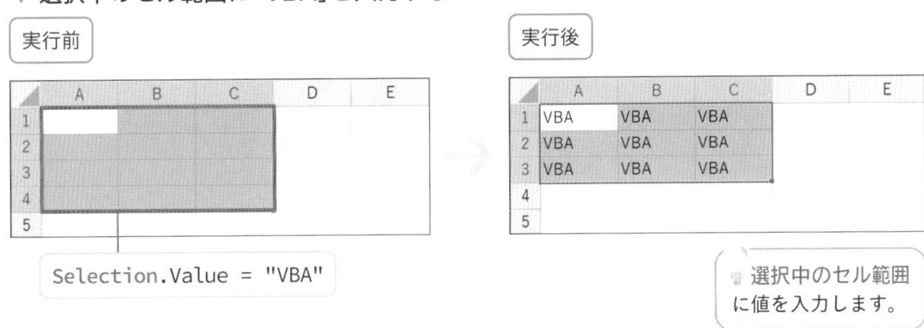

Ctrl キーを押しながら離れた位置のセルをクリックした場合でも、きちんと選択したセル範囲全てを操作対象として扱ってくれます。

▼ 離れた位置のセルにも入力される

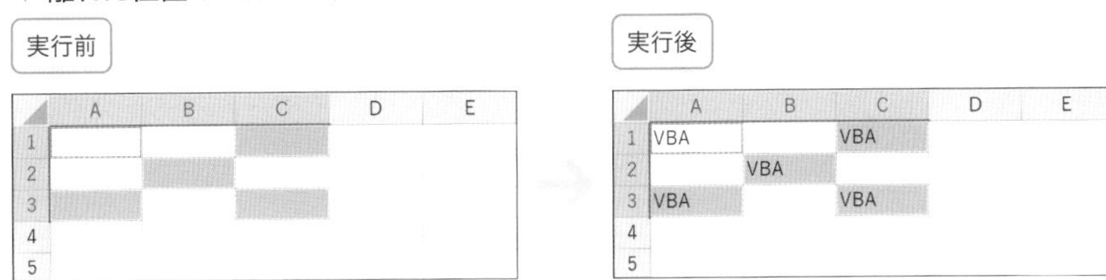

「選択範囲を切り替えながら、手作業では面倒な操作を自動化する仕組み」を作りたい場合には押さえておくと便利な記述方法です。

COLUMN ThisWorkbookプロパティでマクロの記述してあるブックを操作

操作対象を指定する仕組みの１つにThisWorkbook（ディスワークブック）プロパティというものも用意されています。これは「このマクロを記述してあるブック」を対象にするというユニークなプロパティです。

VBAでは「Range("A1")」「Worksheets(1)」等のコードでセルやシートを操作対象として指定しようとした時には、「マクロ実行時点でアクティブなブックの」セルやシートを操作対象とします。このため、アクティブなブックがどのブックかに関わらず、常に特定のブックのセルやシートを扱いたい場合には、次のようにブックまで指定する必要があります。

```
Workbooks("集計表.xlsm").Worksheets(1).Range("A1")
```

しかし、この方式でコードを作成していくと、対象ブックをバックアップする際等に、別名で保存してしまうと、マクロの方のブック名も修正が必要になりますね。ちょっと面倒です。

そこでThisWorkbookプロパティの出番です。前述のコードのブック指定部分をThisWorkbookプロパティに置き換えると、こうなります。

```
ThisWorkbook.Worksheets(1).Range("A1")
```

これならば、例え別名保存をしても操作対象は変わらず「このマクロを記述してあるブック」のままとなります。

「集計用ブックを用意し、その１枚目のシートに他のブックのデータを集計したい」といった場合には、集計用のブックにマクロを作成し、「このブックのシートにデータを集める」と考えてThisWorkbookプロパティを利用すれば、ブックを別名で保存しようが、マクロ実行時にどのブックがアクティブであろうが、常に集計用のブックを操作対象に指定し、集計できますね。また、「マクロの記述してあるブックのある場所（フォルダーのパス）」を得る際にもよく利用されます。覚えておくと便利なプロパティなのです。

Keyword

ThisWorkbookプロパティは、そのマクロが記述されているブックを返します。

04 オブジェクト・プロパティ・メソッドの調べ方

ここでは、「何オブジェクト」に対して「どのような命令」をすればよいのかを知る方法と、マクロ作成のヒントとなる「マクロの記録」機能を紹介します。

「何オブジェクト」に対して命令するかを知るには

Excel の機能を自動化するには、「オブジェクト」の仕組みを利用するということを紹介してきましたが、これは裏を返すと、「自分の操作したい対象は何オブジェクトなのかを知らないと自動化できない」ということでもあります。

学習を始めたばかりの場合は、オブジェクト名をほぼ知らない状態かと思います。そこでまずは、**リファレンス系の書籍を 1 冊用意するか、検索エンジン等を使って Web サイトを探し**ましょう。

そして、ざっと目を通しましょう。書籍の場合も 1 冊を隅から隅までじっくりと読む必要はありません。「この命令をするには何オブジェクトを使うのだろう」という目線で、パラパラとページを捲って目的のオブジェクトを見つけてください。場合によっては、そのまま目的の機能に当たるプロパティやメソッドの使い方までも記載されていることもあるでしょう。その場合には、その情報を自分のマクロに利用しましょう。

また、初学者の方が真っ先に覚えるオブジェクトは、以下の 3 つかと思います。

学習の最初の段階では、**「Range、Worksheet、Workbook の 3 つに絞って、オブジェクトの指定方法を理解」**していきましょう。その他のオブジェクトは必要に応じて学習すれば大丈夫です。

▼ まず覚えたい 3 つのオブジェクト

オブジェクト	用途
Range	セルに関する操作
Worksheet	ワークシートに関する操作
Workbook	ブックに関する操作

使用したいプロパティやメソッドを探す

目的のオブジェクトが探し出せたら、次は「使用したいプロパティやメソッド」を探しましょう。

リファレンス本等があれば、目次で探せばよいでしょうし、Web であれば**オブジェクト名と一緒に実行したい機能や目的を、「VBA」というキーワードと一緒に検索**すれば、だいたい作例が見つかります。

例えば、セルを消去する方法を知りたいのであれば、「Range VBA 消去」といったキーワードで検索してみるのがよいでしょう。

まだ知っているオブジェクトの数が少ない場合には、書籍を 1 冊用意してざっと目を通すのが一番効率がよいでしょう。そして、基本的な操作がわかってきたところで、ピンポイントで自分の自動化したい操作を Web で検索するのがお勧めです。

それでも見つからない場合は、次に紹介する、「マクロの記録」機能を利用してみましょう。

「マクロの記録」機能という最強の先生

VBA の学習を進める際に、知っているのといないのとでは大きな差がつくのが、**マクロの記録**機能です。

「マクロの記録」は、ユーザーが行った操作を自動でマクロに変換します。操作内容がマクロとして記録されるので、**「オブジェクトに対してどのように命令するか」**のお手本になります。

実際に試してみましょう。まず、リボンの「開発」タブから、[マクロの記録] ボタンをクリックします。

すると、「マクロの記録」ダイアログボックスが表示されます。[マクロ名] 欄に、「はじめてのマクロ」等、好きなマクロ名を入力し、[OK] ボタンをクリックします。

▼ マクロの記録を開始する

先ほどクリックした［マクロの記録］ボタンが、［記録終了］ボタンに切り替わります。この状態が記録モードです。記録モードになったら、マクロ化したい操作を実際に行います。例えば、次の手順で操作を行うとします。

❶セルA1を選択

❷「Excel」とセルに入力

❸セルB1を選択

❹「VBA」とセルに入力

なお、セルB1に値を入力したら、Enter キーで確定します。入力を確定すると、1つ下にセルの選択が移動します。

記録したい操作を終えたら、［記録終了］ボタンをクリックします。すると、ボタンが元の［マクロの記録］に戻ります。これで記録完了です。

▼ 操作してマクロを記録する

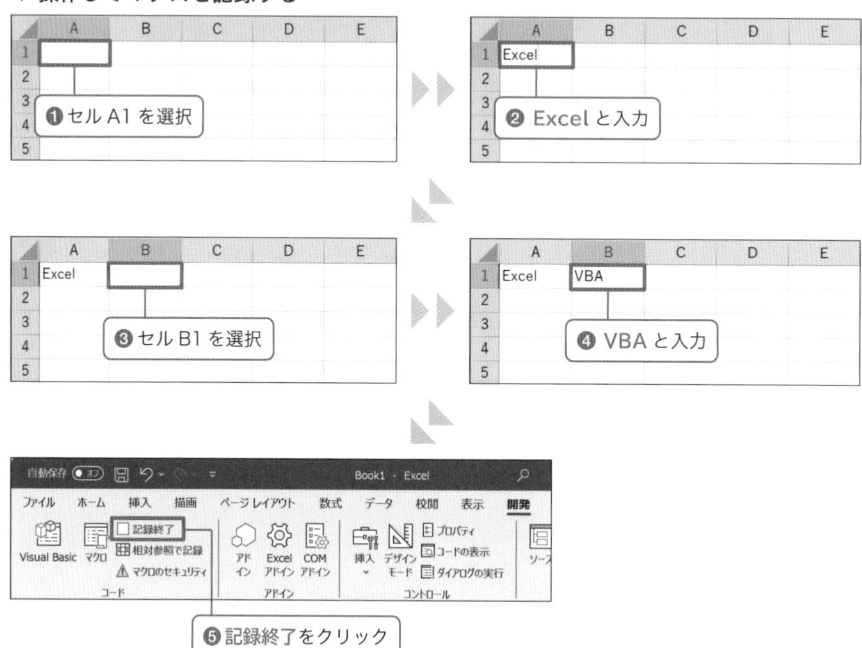

記録したマクロを実行してみましょう。2つのセルに入力した値を消去しておき、「開発」タブの［マクロ］ボタンをクリックします。すると、「マクロ」ダイアログボックスが表示され、［マクロ名］欄に、「はじめてのマクロ」等、先ほど入力したマクロ名が表示されています。

▼ 記録したマクロを実行する

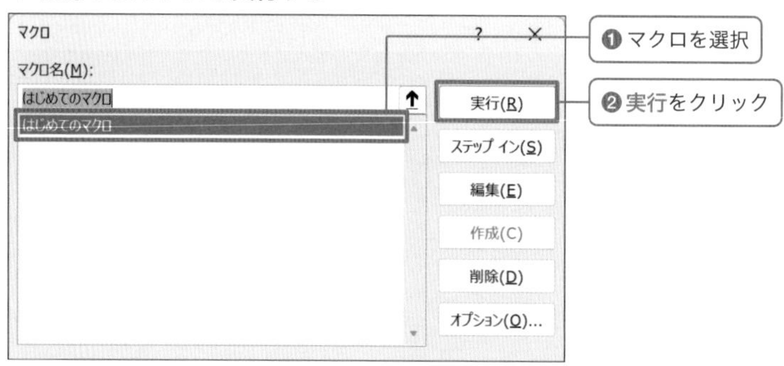

作成されたマクロを選択し、［実行］ボタンをクリックしてみましょう。すると、一瞬で「セル A1 とセル A2 にそれぞれ『Excel』『VBA』と入力される」、という先ほど記録した操作が再現されます。

これが「マクロの記録」機能ですが、我々が注目するのはこの先です。

「開発」タブの［Visual Basic］ボタンをクリックしてVBEの画面を表示し、「Module1」等の標準モジュールの内容を見てみましょう。**「記録したマクロのコード」**が確認できます。

▼記録されたマクロのコードをVBEで確認する

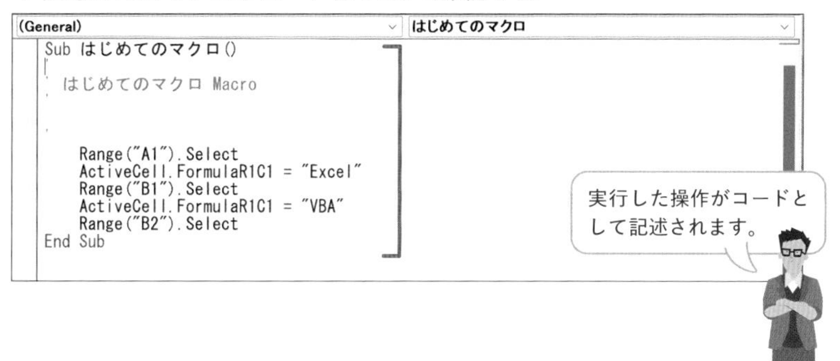

記録されたマクロのコードを見れば、「目的の操作を行うには、何というオブジェクトを利用し、何というプロパティやメソッドを利用すればいいか」の手掛かりを得ることができます。

つまり、実行したいExcelの操作さえできれば、その操作をコードとして記述する方法が、簡単に自分で調べられるというわけです。

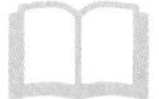「ステップ実行」機能で内容をさらに細かく確認

「マクロの記録」機能で操作を記録した内容は、実は、少々複雑で冗長になりがちです。というのも、いちいち全ての操作を記録するために、「セルA1に『VBA』と入力する」という操作のマクロを知りたい場合でも、記録されるのは、次の3段階の操作になってしまいます。

- **セルA1を選択する**
- **選択しているセルに「VBA」と入力する**
- **入力確定時に Enter キーを押す操作の結果、下のセルA2が選択される動きを再現するために、セルA2を選択する**

そのため、初めて記録されたマクロの内容を見た際には、長々とコードが並んでいるので、「何が何だかわからない」「難しい」「もう諦めよう」と、一気に学習意欲がなくなってしまう方も多いのが現実です。しかし、安心してください。

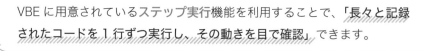

VBE に用意されている**ステップ実行**機能を利用することで、**「長々と記録されたコードを 1 行ずつ実行し、その動きを目で確認」**できます。

ステップ実行を行うには、VBE の「コード」ウィンドウでマクロ内の任意の箇所をクリックした後、メニューより、［デバッグ］→［ステップイン］を選択、もしくは F8 キーを押します。

▼ ステップ実行で 1 行ずつ確認していく

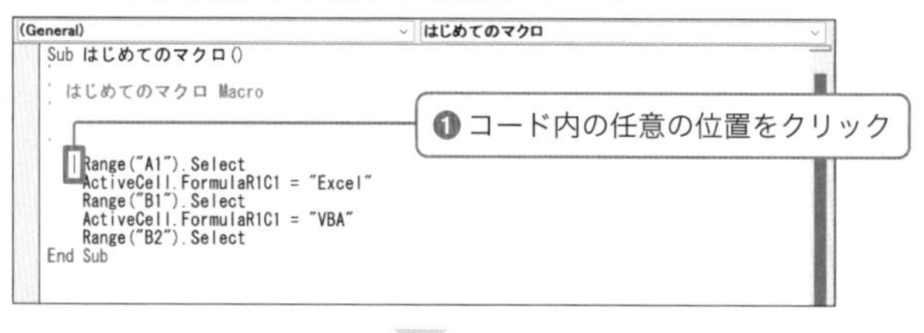

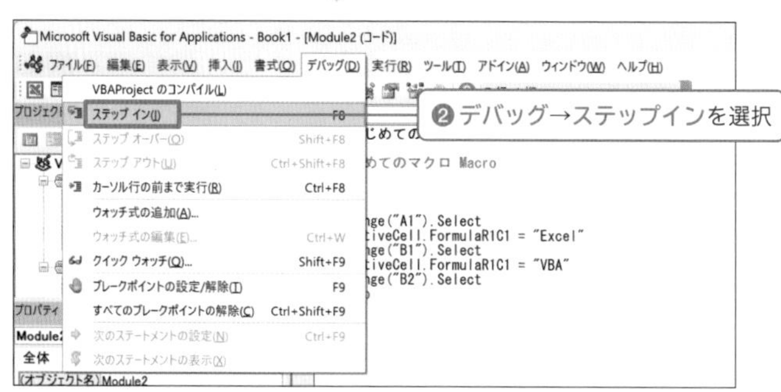

すると、次図のようにマクロの先頭の行が黄色くハイライト表示されて実行待機状態となります。

▼ マクロの先頭の行がハイライト表示される

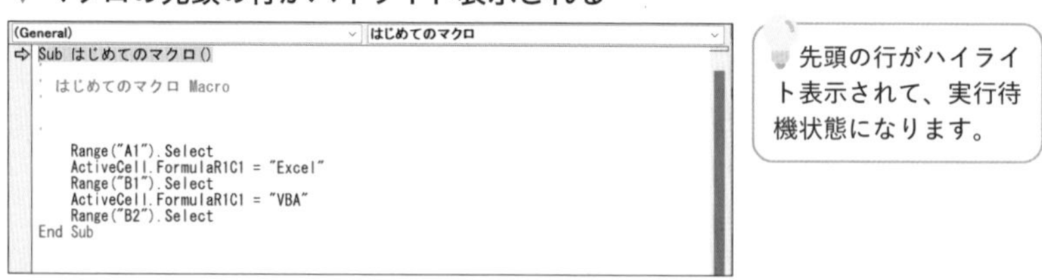

この状態で、再び［デバッグ］→［ステップイン］メニューを選択、もしくは F8 キーを押します。すると、ハイライト表示された箇所が、コードの 1 行分だけ進みます。「'」（シングルクォーテーション）から始まる箇所は、**コメント**と呼ばれるプログラムの実行に関係ない部分なので飛ばされます。

▼ ステップインで 1 行ずつ進めていく

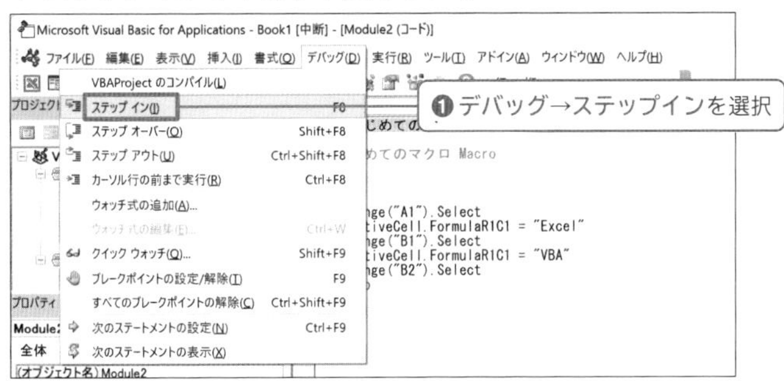

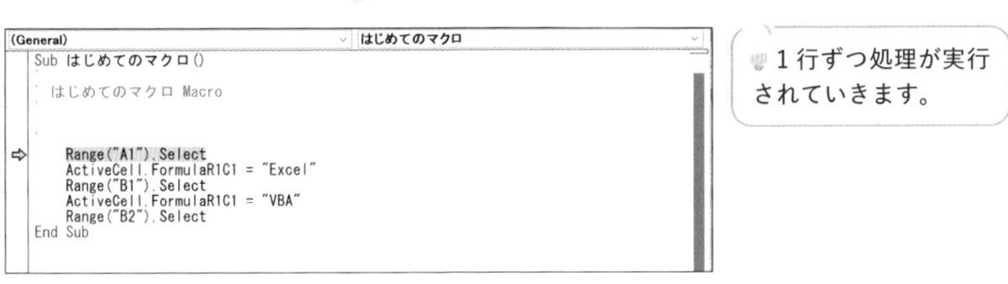

1 行ずつ処理が実行されていきます。

さらに、F8 キーを押すと、また 1 行分進みます。この時、Excel の画面に戻ってみると、1 行ずつコードの内容が実行されていきます。つまり、「マクロを実行すると、どのような処理が実行されるかということを 1 行ずつ確認できる」ということです。

なお、ステップ実行を途中で終えたい場合には、ツールバーの［■］ボタン（［リセット］ボタン）をクリックします。

COLUMN コメントでコード内容を示す

VBA のコード中で「'」（シングルクォーテーション）から始まる箇所は**コメント**となります。コメントはメモ書きのようなもので、「どのような処理を行っているか」といったコードの内容を示す場合等に使用します。

コメントは、行の先頭からでも、行の途中からでも記述することができます。行の途中に記述した場合は、「'」からその行の終わりまでがコメントになります。

Keyword

デバッグは、プログラムの誤り（エラー）を見つけ出して、修正する作業です。

COLUMN 「デバッグ」ツールバーで快適に操作

ステップ実行を行うには、F8 キーを利用するのが最も手軽ですが、「なるべくマウスで操作を行いたい」という方もいるかと思います。その場合には、VBE の［表示］→［ツールバー］→［デバッグ］メニューを選択して表示される、「デバッグ」ツールバーを利用してみましょう。

▼「デバッグ」ツールバー

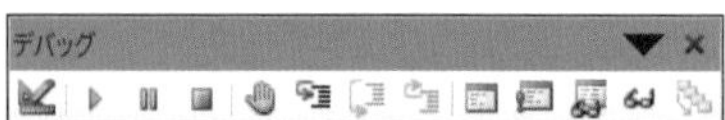

「デバッグ」ツールバーには、マクロの作成やデバッグ（動作確認・修正）に便利な機能がまとめられています。ステップ実行を行うには、左から 6 番目の［ステップイン］ボタンをクリックします。

「マクロの記録」の内容を AI に解説してもらう

「マクロの記録」機能で作成されたマクロの内容を詳しく知りたい場合には、ChatGPT（チャットジーピーティー）や Copilot（コパイロット）といった AI に助けてもらうのもよいでしょう。

例えば、次図は ChatGPT（バージョン 3.5）に、記録されたマクロにコメントを付けてくれるように相談したところです。

▼ ChatGPT に質問

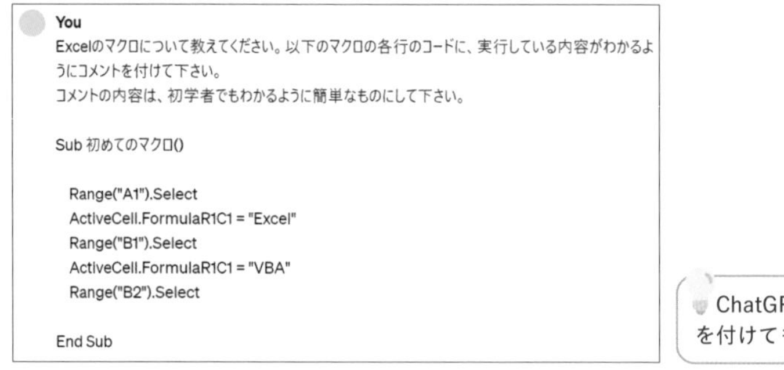

ChatGPT にコメントを付けてもらいます。

すると、次図のような回答が返ってきます。コメントを付けてもらうだけでも、どのコードがどんな操作に対応していたのかがわかりやすくなりますね。

▼ ChatGPT にコメントを付けてもらったところ

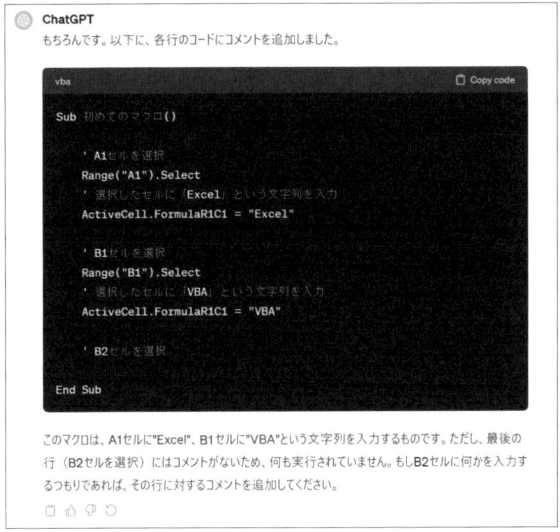

処理の内容がコメントで示されます。

また、コメントを付加してもらうのとは逆に、コメントを元にコードを作成してもらうことも可能です。

▼ コメントからコードを作成してもらったところ

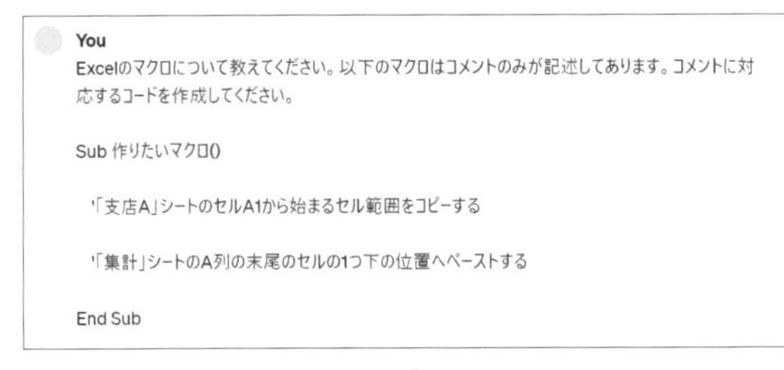

ChatGPT にコメントからコードを書いてもらいます。

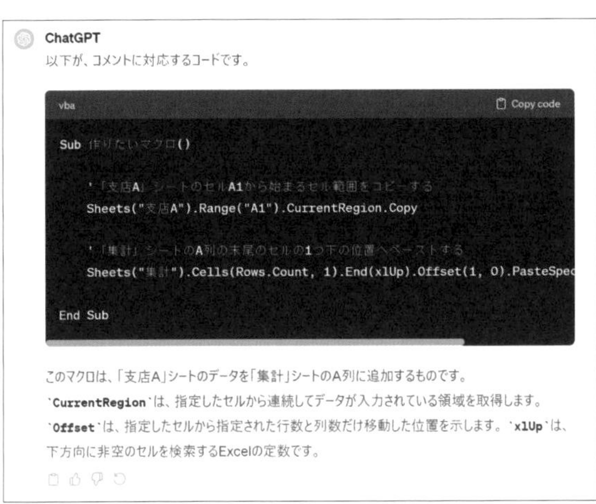

必ずしもこちらの望むような内容になるわけではないのですが、自分で一から作成するよりも手軽に取りかかれますね。

さらに、AIの回答の中にわからない単語が出てきたら、その場でその単語の説明を求めることも可能です。

▼わからない部分を聞いたところ

You
今の説明の中の「CurrentRegion」と「Excelの定数」について詳しく教えてください。説明は初学者でもわかるように簡単なものにして下さい。

ChatGPT
もちろんです。以下に、「CurrentRegion」と「Excelの定数（`xlUp`）」について簡単に説明します。

1. **CurrentRegion（現在の領域）**：
   - **説明**: `CurrentRegion`は、指定したセルから連続してデータが入力されている領域を取得するためのプロパティです。これにより、セルが含まれているテーブル全体を選択できます。
   - **例**: `Sheets("支店A").Range("A1").CurrentRegion` は、"支店A"シートのA1セルから始まり、連続してデータが入力されている領域を選択します。
2. **Excelの定数（`xlUp`）**：
   - **説明**: `xlUp`は、Excelで定義された定数であり、下方向に非空のセルを検索するときに使用します。通常、この定数は `End` メソッドと組み合わせて使用されます。
   - **例**: `Sheets("集計").Cells(Rows.Count, 1).End(xlUp)` は、"集計"シートのA列の最終行から上方向に非空のセルを検索します。

これらの要素を組み合わせることで、指定したセルから始まり、データが入力されている領域を検出し、それを別のシートの指定した位置にペーストすることが可能になります。

わからないことはChatGPTに質問しましょう。

これも、必ずしもこちらの望むような内容になるわけではないのですが、疑問に思った箇所をその場で説明してもらえるのは大変便利です。

AIに相談する際の最大のメリットは「しつこく質問しても怒られない」ことです。1回の質問で完全に望むような回答が得られることは珍しいです。言葉や角度を変えて何回か質問し、内容を掴む手掛かりにしていきましょう。

大変便利なので、ぜひ使ってみてください。コツは、「検索」するつもりで使うのではなく「相談」するつもりでやり取りすることです。

Keyword

ChatGPTは、OpenAI社が提供するAIサービスです。**Copilot**はMicrosoft社が提供するAIサービスで、WindowsやExcel等のアプリケーションから使用できます。

4章のおさらい

以下の問題文の中のカッコを埋める選択肢を選んでみましょう。

VBAでは、操作対象を（　A　）という単位で扱います。この（　A　）を指定する際によく利用されるのが（　B　）という仕組みです。多くの場合（　B　）の中から「名前」や「インデックス番号」を使って目的の操作対象である（　A　）を取得します。

①プロパティ　②メソッド
③オブジェクト　④コレクション　⑤引数

よく使う操作対象と対応するオブジェクトの組み合わせは、ブックが（　C　）オブジェクト、ワークシートが（　D　）オブジェクト、セルが（　E　）オブジェクトです。

①Range　②Worksheet　③Workbook　④Application

オブジェクトの状態や値等を取得・変更したい場合には、（　F　）の仕組みを利用し、オブジェクトに対して命令や機能を実行したい場合には、（　G　）の仕組みを利用します。
単純に命令を実行するのではなく、オプション設定を指定して実行したい場合など、必要な情報を指定する際には（　H　）の仕組みを利用します。

①関数　②プロパティ　③メソッド
④イベント　⑤引数　⑥変数

問題
4

オブジェクトは階層構造を使っての指定も可能です。例えば「Range("A1")」というコードで指定されるオブジェクトは（　I　）になりますが、「Worksheets(1).Range("A1")」というコードで指定されるオブジェクトは（　J　）になります。

①1枚目のシートのセルA1　②アクティブなシートのセルA1
③マクロを記述したブック　④1枚目のシートのアクティブなセル

解答と解説

問題 1 の解答　A：③オブジェクト、B：④コレクション

VBA では操作対象を「オブジェクト」の仕組みで扱います。特定のオブジェクトを指定するには「コレクション」の仕組みがよく利用されます。

問題 2 の解答　C：③Workbook、D：②Worksheet、E：①Range

ブックは「Workbook」オブジェクト、ワークシートは「Worksheet」オブジェクト、セルは「Range」オブジェクトとして扱います。

問題 3 の解答　F：②プロパティ、G：③メソッド、H：⑤引数

オブジェクトは「プロパティ」や「メソッド」の仕組みを使って操作します。操作の際に必要な情報やオプション設定は、「引数」の仕組みを使って指定することができます。

問題 4 の解答　I：②アクティブなシートのセル A1、J：①1 枚目のシートのセル A1

任意のセルを指定する場合、「Range(" セル番地 ")」という形で指定すると、マクロ実行時にアクティブなワークシートのセルが操作対象となります。

また、「Worksheets(インデックス番号／シート名).Range(" セル番地 ")」という形で指定すると、マクロ実行時にアクティブなブックの、指定したワークシート上のセルが操作対象となります。

第 5 章

操作を繰り返して実行する仕組み

01 高速化はループ処理で実現する

ここからは、作成した操作を繰り返し実行するための仕組みを紹介していきます。「繰り返し」を理解することが、実用的なマクロ作成の大きなポイントとなります。

 ループ処理では「繰り返す」作業を指示する

基本の操作を行う方法がわかったところで、今度は**ループ処理**の概要を押さえましょう。

ループ処理とは、**オブジェクトの仕組みを利用して行う操作を、その名の通り「繰り返して行う」**仕組みです。第２章で紹介した大きな仕組みの２つ目に当たります。

▼ループ処理でオブジェクトに対する操作を繰り返す

	A	B	C	D
1	値を入力			
2				
3				
4				
5				

```
Range("A1").Value = "値を入力"
```

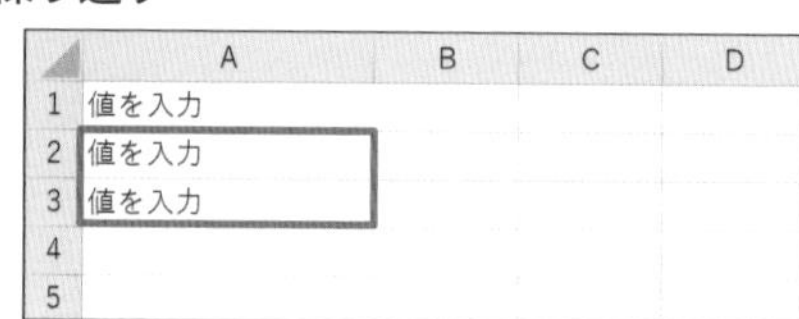

最初にセル等の単独の操作対象への命令を作成します。次に、操作対象を拡張して、入力処理を繰り返し実行できるようにします。

このループ処理こそが、作業効率化の要です。初めて触れる時には、オブジェクトのメソッドやプロパティを利用する時とはちょっと異なる記述方法のために戸惑うかと思いますが、頑張ってマスターしましょう。ループ処理を使えるか使えないかで、作業時間が何十倍も変わってきます。

3つのパターンの「繰り返し」

ループ処理は、用途に応じて大きく3つのパターンが用意されています。

▼3パターンのループ処理

種類	概要	変化するもの
For Next	指定回数だけ繰り返す	カウンタ変数
For Each Next	特定のグループ全てに対して繰り返す	メンバー変数
Do Loop	特定の条件を満たす間は繰り返す	条件の結果

ループ処理は、用途に応じてFor Next(フォー ネクスト)、For Each Next(フォー イーチ ネクスト)、Do Loop(ドゥー ループ)の3つのパターンを使い分けます。

1つ目は、「10回繰り返す」「100行目まで繰り返す」等、「特定の回数だけ処理を繰り返したい時」に利用する「For Next」です。

2つ目は、「全てのワークシートに繰り返す」「選択したセル全てに繰り返す」「リストアップしたブック全てに繰り返す」等、「特定のグループを用意し、そのグループ内の全てに対して処理を繰り返したい時」に利用する「For Each Next」です。

3つ目は、「セルの値が○になるまで繰り返す」「合計100になるまで繰り返す」等、「特定の条件を満たすまで処理を繰り返したい時」に利用する「Do Loop」です。

それでは、3パターンのループ処理の書き方を見ていきましょう。

KEYWORD

ループ処理は、オブジェクトに対する操作を繰り返して実行する仕組みです。For Next、For Each Next、Do Loopといった種類があります。

02 決まった回数を繰り返すループ処理

決まった回数だけ操作を繰り返すには、「For Next」を利用します。ここでは、「繰り返しの回数をどうやって指定するか」に注目して読み進めていきましょう。

指定した回数だけ繰り返す「For Next」

まずは、「決まった回数分だけ処理を繰り返すFor Next（フォー ネクスト）」です。基本的な記述ルールは次のようになります。

▼For Nextの記述ルール

```
Dim カウンタ変数
For カウンタ変数 = 開始値 To 終了値
    繰り返したい操作
Next
```

Forを記述した行から、Nextを記述した行までに挟まれている箇所の操作が繰り返されます。繰り返しの回数は開始値と終了値で指定します。

1行目の「Dim」は、変数（へんすう）という仕組み（第6章）を利用する準備をしています。とりあえずは、「Dim」の後ろにスペースを1つ開けて任意の単語を記述すると、それ以降は、その単語（カウンタ変数）によって、繰り返し回数がわかるようになる、くらいに考えておいてください。

続いての部分がFor Nextのキモです。「For カウンタ変数 = 開始値 To 終了値」の部分は、繰り返す回数を指定しています。例えば、10回繰り返したいのであれば、開始値を「1」、終了値を「10」とし、次のように記述します。なお、カウンタ変数の名前は「i」にしています。

▼ 10回繰り返すループ処理

```
Dim i
For i = 1 To 10
    繰り返したい操作
Next
```

開始値を「1」、終了値を「10」にすることで、**「1から始めて10」まで、つまりは10回**繰り返されます。10回繰り返すと、繰り返しを抜けて、次の操作に進みます。

▼ For Nextによる繰り返し

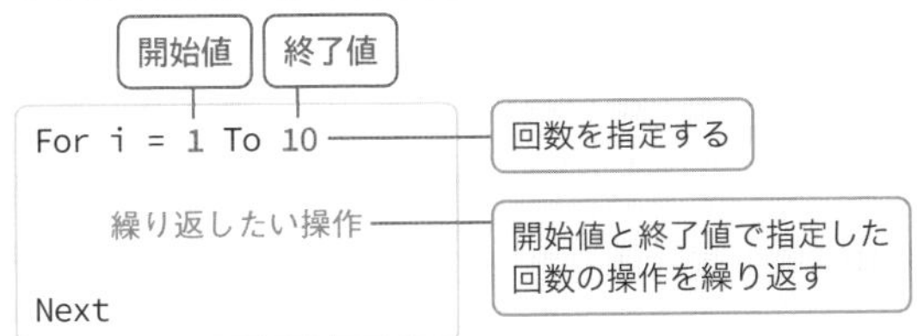

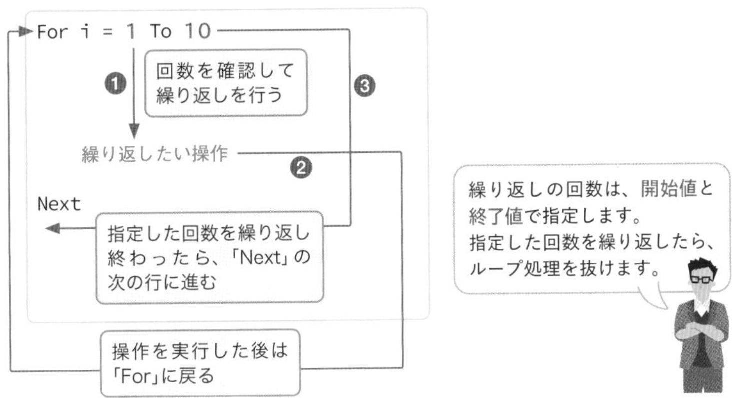

繰り返しの回数は、開始値と終了値で指定します。
指定した回数を繰り返したら、ループ処理を抜けます。

例えば、次のマクロは、「メッセージを3回表示」します。

なお、ここで紹介するマクロは、サンプルファイルの「第5章」フォルダーのブック内に収録されています。次のブックを開き、動作を確認しながら読み進めていきましょう。

SAMPLE ForNextのサンプル.xlsm

マクロ メッセージを3回表示する

```
Sub ForNextのサンプル1()
    Dim i
    For i = 1 To 3
        MsgBox "処理を実行しました"
    Next
End Sub
```

繰り返し行う操作を記述した「MsgBox "処理を実行しました"」という部分は、引数(ひきすう)として指定した文字列をメッセージとして表示するMsgBox(メッセージボックス)関数を利用しています。このマクロを実行すると、次図のようなダイアログボックスが指定回数、つまり3回表示されます。

▼ メッセージの表示

```
NsgBox 表示するメッセージ
```

▼ メッセージが3回表示される

同じメッセージが3回表示されます。[OK]ボタンでメッセージを閉じます。

COLUMN 関数と引数

VBAには、さまざまな命令を実行するための仕組みとして、多くの**関数**が用意されています。関数はメソッドと同様に、引数で実行条件を指定することができます。先ほど紹介したMsgBox関数では、表示するメッセージの文字列を引数で指定しています。

なお、「メソッド」と「関数」には、メソッドはオブジェクトに特有な機能を実行する仕組み、関数は引数を使った処理の結果を返す仕組み、という違いがあります。

KEYWORD

MsgBox関数は、引数に指定された値や文字列をメッセージとして表示します。

繰り返しの回数を操作に利用する

また、「For」と「Next」に挟まれた部分では、開始値を指定する際に使用したカウンタ変数によって、「繰り返しの回数」を知ることができます。MsgBox関数部分の記述を次のマクロのように変更すると、次図の結果となります。

マクロ 繰り返しの回数を表示する

```
Sub ForNextのサンプル2()
    Dim i
    For i = 1 To 3
        MsgBox i & "回目の処理を実行しました"
    Next
End Sub
```

▼ 繰り返しの回数が表示される

上記のコードでは、カウンタ変数「i」を利用し、「i & "回目の処理を実行しました"」という文字列を表示しています。「&」は文字列を連結する演算子です(84ページ)。

1回目の処理ではカウンタ変数「i」には開始値の「1」が格納され、2回目、3回目の処理では、それぞれ「2」「3」が格納されます。

カウンタ変数の値は繰り返しのたびに変化します。この仕組みを利用すると、同じコードの記述でも、ループの回数ごとに操作の内容に変化をつけることが可能です。

カウンタ変数を利用した典型的な2つのパターンが、「対象セルを変更しながらの繰り返し」と、「対象シートを変更しながらの繰り返し」です。

次のマクロでは、引数に「行番号・列番号」を指定して操作対象のセルを指定できるCellsプロパティ（74ページ）を利用して、「セルB2からセルB10までに『VBA』という文字列を入力」します。

マクロ 対象セルを変更しながら繰り返す

```
Sub ForNextのサンプル3()
    Dim i
    For i = 2 To 10
        Cells(i, 2).Value = "VBA"
    Next
End Sub
```

▼セルB2からセルB10まで入力を繰り返す

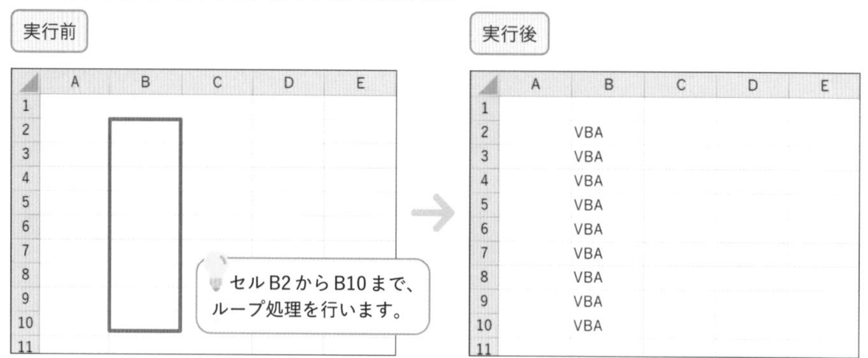

2～10行目に対して入力を繰り返したいので、ループの開始値は「2」、終了値は「10」を設定します。

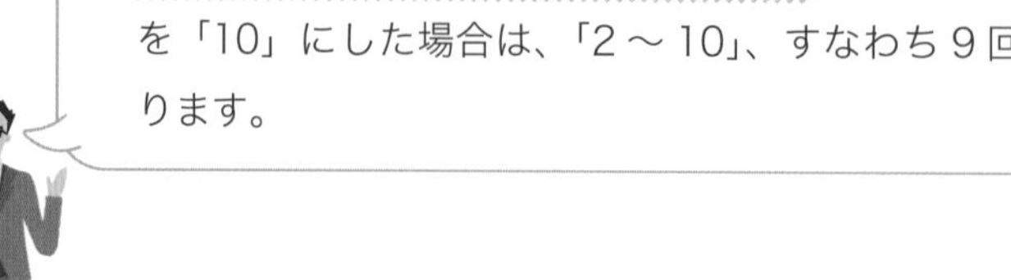

ループ処理の開始値は「1」以外も指定できます。開始値を「2」、終了値を「10」にした場合は、「2～10」、すなわち9回繰り返されることになります。

Cellsプロパティの1つ目の引数には、操作対象のセルの行番号を指定しますが、この部分にカウンタ用変数の「i」を記述することで、1回目のループでは、「Cells(2,2)」、つまりセルB2が対象となり、2回目のループでは、iの値が1つ増えて、「Cells(3,2)」、つまりセルB3が対象となります。以下、カウンタ変数の値が10になるまで繰り返すと、結果としてセルB2からB10を対象に目的の処理を行えます。

▼ Cellsプロパティを利用して繰り返す

For i = 2 To 10
    Cells(i, 2).Value = "VBA"
Next
行を指定
列を指定
Cells(2, 2) からCells(10, 2)まで、操作対象を変更しながら入力を行っていきます。

この例では単に「VBA」という文字列を入力しただけですが、この仕組みを知っておくことは、「1つのセルに対して行う操作を作成できれば、その操作をFor NextとCellsを利用して、たくさんのセルへと拡張できる」ことを意味します。

さらにここで、コレクション（70ページ）を思い出してください。VBAでは同じオブジェクトをまとめて扱うために、コレクションという仕組みが用意されており、そして、コレクション内のメンバーを指定する際には、「1」から始まるインデックス番号が利用できました。

コレクションの仕組みとFor Nextを組み合わせると、**「コレクション内のメンバーに対して繰り返し」**を行うことが可能になります。全てのワークシートに対して操作を行う、といったことも簡単に行えます。

例として、ワークシート（Worksheetオブジェクト）をまとめて管理するWorksheetsコレクションを利用してみましょう。「ブック内に6枚のワークシートがある時、2枚目のワークシートの表に、3～6枚目のワークシートのセルA1に入力してある値を転記」したいとします。

▼２枚目のワークシートに３～６枚目のワークシートの値を転記する

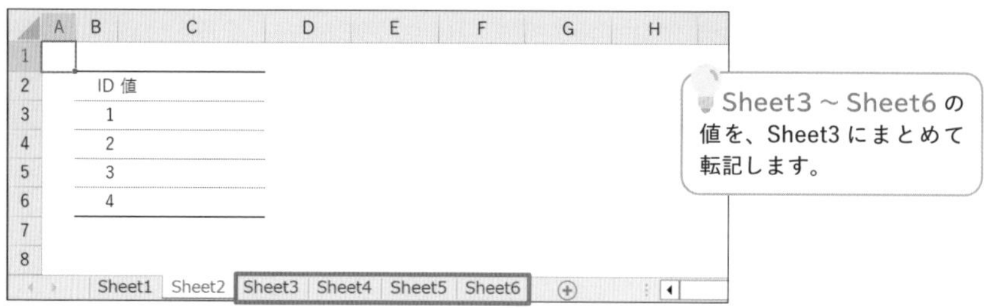

Sheet3 ～ Sheet6 の値を、Sheet3 にまとめて転記します。

この操作を行うマクロは、次のようになります。なお、ここでは「 _」で改行して表示しています。

マクロ 「2枚目」に「3～6枚目」の値を転記する

```
Sub ForNextのサンプル4()
    Dim i
    For i = 3 To 6
        Worksheets(2).Cells(i, 3).Value = _
            Worksheets(i).Range("A1").Value
    Next
End Sub
```

まず、「3～6枚目のワークシート」への繰り返しを行いたいので、カウンタ変数の開始値を「3」、終了値を「6」に設定します。

次に、繰り返したい内容ですが、繰り返すごとに変化させたい項目が２つあります。１つは、値の転記先となるSheet2のセル位置、もう１つは、値の転記元であるワークシート（Sheet3～Sheet6）です。

１つ目の変化項目は、「Worksheets(2).Cells(i, 3)」、つまり「Sheet2のi行目・3列目（C列）」を転記先としています。これで、「繰り返すたびに、対象がSheet2のセルB3～B6に変化する仕組み」が作成できました。

２つ目の変化項目は、「Worksheets(i)」とすることで、「ブック内のi番目のワークシート」を転記元シートとしています。これで、「繰り返すたびに、対象が「Sheet3～Sheet6」へと変化する仕組み」が作成できました。

結果として、上記のマクロを実行すると、Sheet2のセル範囲B3:B6に、Sheet3～Sheet6のセルA1の値が一瞬で転記されます。

▼3～6枚目のワークシートの値が転記される

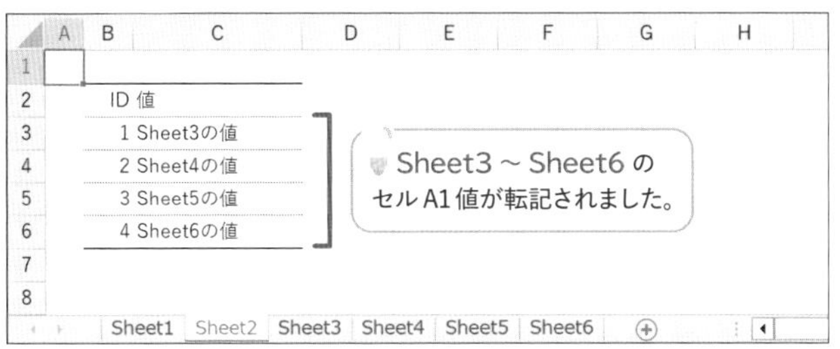

上記の例では、3～6枚目の4枚のワークシートのみですが、繰り返しの開始値と終了値を変化させれば、10枚だろうと20枚だろうと、同じ4行のコードで全て転記ができます。

このように、コレクションのインデックス番号とFor Nextを組み合わせて利用すると、複数のメンバーに対する繰り返しを簡単に行えます。

COLUMN 最後のインデックス番号を取得する「Count」プロパティ

本文中でループ処理の終了値を決める際には、6枚目のワークシートということで、「6」という値を決め打ちしていました。しかし、実務上では随時ワークシートを追加・削除しながら運用していくことの方が多いでしょう。このようなケースでは、いちいち終了値の値を書き換えなくとも、「コレクションの最後のインデックス番号」を取得するために、Count(カウント)プロパティを利用するのが便利です。

Countプロパティは、全てのコレクションに用意されている「コレクション内のメンバー数」を返します。つまり、このプロパティの値を利用すれば、「ワークシートを増減しても、常に最後のワークシートのインデックス番号を得ることができる」というわけです。

本文中のコードでは、次のように繰り返し回数を指定しています。

```
For i = 3 To 6
```

この部分を、Countプロパティを利用して書き換えると次のようになります。

```
For i = 3 To Worksheets.Count
```

このようにCountプロパティを利用したコードに変更すると、常に「3枚目以降の全てのワークシートに対するループ処理」と融通が効くものになります。ワークシートの追加・削除に合わせてコードを書き直す必要はなくなるのです。

KEYWORD

Countプロパティは、コレクション内のメンバー数を取得します。

03 特定のグループに対するループ処理

「For Each Next」を使えば、リストに含まれるメンバー全てに対して操作を繰り返すことができます。ここでは、リストの作り方に注目しましょう。

全てのメンバーに操作を繰り返す

「ある特定のグループをリストアップし、そのメンバー全てに対して操作を繰り返す」には、For Each Next（フォー イーチ ネクスト）を利用します。

基本的な記述ルールは次のようになります。

▼ For Each Next の記述ルール

```
Dim メンバー変数
For Each メンバー変数 In リスト
    繰り返したい操作
Next
```

For Each Next は、**「リストに指定された全てオブジェクト」**に対して操作を繰り返します。リストにセル範囲を指定すれば、範囲内の全てのセルに対する操作を行えます。

1行目の「Dim」は、変数（へんすう）の仕組み（第6章）を利用する準備をしています。とりあえずは、Dim の後ろにスペースを1つ開け、任意の単語と記述すると、それ以降は、その単語（本書では**メンバー変数**と呼びます）によって、リスト内から取り出した個々のメンバーを扱えるようになる、と考えてください。

▼ リストのメンバーに対して操作を行う

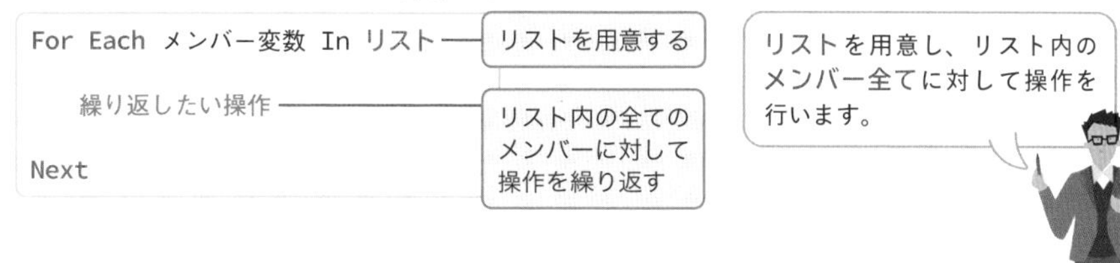
For Each メンバー変数 In リスト
繰り返したい操作
Next
リストを用意する
リスト内の全てのメンバーに対して操作を繰り返す
リストを用意し、リスト内のメンバー全てに対して操作を行います。

「For Each メンバー変数 In リスト」の部分で、「どのようなリストを対象に繰り返すか」を指定します。

例えば、次のコードは、「セル範囲 B2:B6 を対象に繰り返し」を行います。

```
Dim myRange
For Each myRange In Range("B2:B6")
    '繰り返したい操作
Next
```

この時、「For」から「Next」を記述した行までに挟まれている箇所が、繰り返される部分です。

また、For から Next に挟まれた部分では、「メンバー変数を通じて、リスト内の個々のメンバーにアクセス」できます。

上記の例では、「myRange」という単語が、そのままセル範囲 B2:B6 のリスト内の 1 セルとして扱えます。

▼ リストのイメージ

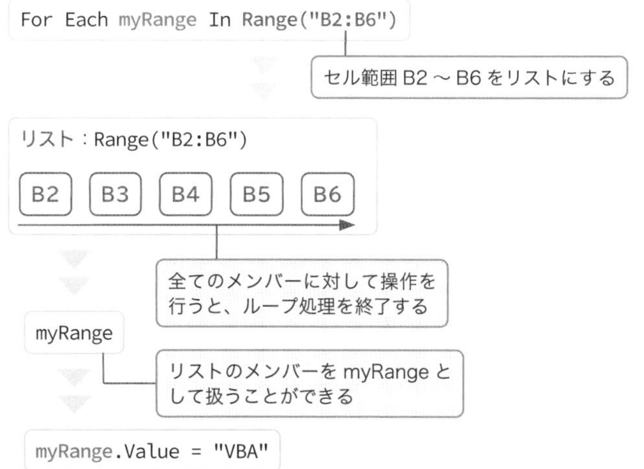
For Each myRange In Range("B2:B6")
セル範囲 B2 ～ B6 をリストにする
リスト：Range("B2:B6")
B2
B3
B4
B5
B6
全てのメンバーに対して操作を行うと、ループ処理を終了する
myRange
リストのメンバーを myRange として扱うことができる
myRange.Value = "VBA"

次のマクロは、For Each Nextを利用して、「セル範囲B2:B6の全てのセルの値の先頭に、『Excel 』という文字列を付け加える」ものです。

SAMPLE ForEachNextのサンプル.xlsm

マクロ セル範囲B2:B6に対して操作を繰り返す

```
Sub ForEachNextのサンプル1()
    Dim myRange
    For Each myRange In Range("B2:B6")
        myRange.Value = "Excel " & myRange.Value
    Next
End Sub
```

▼リストアップしたセル範囲全てに繰り返す

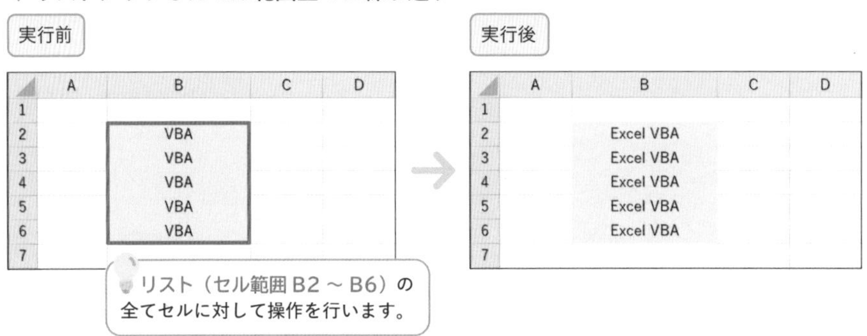

実行前
実行後
VBA
Excel VBA
リスト（セル範囲B2～B6）の全てセルに対して操作を行います。

ループ処理の冒頭で「`For Each myRange In Range("B2:B6")`」とすることで、「対象リストは『B2:B6』、毎回のループ処理内で、個々のメンバーにアクセスするためのメンバー変数は『myRange』」ということを指定し、繰り返しを開始します。

さらに、ループ処理内では、「`myRange.Value = "Excel " & myRange.Value`」と、「myRange」を使うことで、リストアップしたセル（Rangeオブジェクト）へとアクセスし、そのValueプロパティを使って、値を更新しています。

ループ処理は、「リストアップしたメンバー全てに対して処理が終わるまで」繰り返されます。つまり、ある回の「myRange」は、「セルB2」であり、また異なる回では、「セルB3」「セルB4」・・・と、毎回リスト内から1つずつメンバーが抜き出され、格納されるような形で処理が進みます。全てのメンバーが抜き出され、もうなくなったところで終了です。

オブジェクトやコレクションからリストを作成する

For Each Nextは「①リストアップ→②リスト全てに対して処理を行う」という普段の我々の思考に近い便利な処理なのですが、「難しい」と感じて敬遠されがちでもあります。恐らくその原因は、①のリストアップを行う箇所を、難しいと考える方が多いためでしょう。

For Each Nextでリストアップを行う方法として一番簡単なのは、「Rangeオブジェクトや、各種のコレクションをそのまま利用」することです。

▼ Rangeオブジェクトを利用してリストアップ

```
For Each メンバー変数 In Range("セル範囲")
    メンバー変数を通じた操作
Next
```

上記のようにすれば、「指定したセル範囲全てに対する繰り返し」になります。また、次のようにすれば、「ブック内の全てのワークシートに対する繰り返し」になります。

▼ Worksheetsコレクションを利用してリストアップ

```
For Each メンバー変数 In Worksheets
    メンバー変数を通じた操作
Next
```

また、独自にリストを作成するには、配列(はいれつ)という仕組みを利用する方法もありますが、もっと簡単な方法として、「Array関数」を利用する方法もあります。

Array関数を利用して独自のリストを作成する

Array(アレイ)関数は、引数としてカンマ区切りで値やオブジェクトを指定すると、それらをリストとして扱えるようになる関数です。例えば、「『1』『3』『5』という3つの数値をリストにまとめる」には、次のようにコードを記述します。

```
Array(1, 3, 5)
```

Array 関数で作成したリストと For Each Next を組み合わせると、**「自分で作成したリスト全てに対する繰り返し」**が簡単に実現できます。

次のマクロは、「Array 関数でリスト化した値をメッセージとして表示」します。

マクロ Array 関数で作成したリストに対して繰り返す

```
Sub ForEachNextのサンプル2()
    Dim myNumber
    For Each myNumber In Array(1, 3, 5)
        MsgBox myNumber
    Next
End Sub
```

▼ Array 関数を使って操作を繰り返す

数値を扱うリストなので、メンバー変数の名前を「myNumber」としています。そして、ループ処理のリストを指定する、「In」の後ろの箇所で、Array 関数を使って、3 つの文字をリスト化しています。

あとはループ処理内でメンバー変数を利用すれば、リスト化したメンバー 1 つひとつに対する処理が作成できます。

この仕組みを知っていると、フィルター機能と組み合わせて、「『担当エリア』が『東京』『神奈川』『愛知』のもののみを抽出し、別シートに転記したい」といったような独自のリストを使ったループ処理も簡単に作成できます。For Each Next を利用する際には、是非とも押さえておきたい仕組みです。

KEYWORD

Array 関数は、引数で指定された値をメンバーにしたリストを作成します。

COLUMN ワークシートのリストの作り方

「特定のワークシートのみに対してループ処理を行いたい」という場合に知っていると便利な仕組みが、Worksheets コレクションと Array 関数を組み合わせた記述です。

Worksheets コレクションのカッコの中に、Array 関数を利用して、インデックス番号もしくはシート名のリストを指定すると、そのワークシートのみからなるリストを作成できます。

次のマクロは、「2 枚目、3 枚目、5 枚目のワークシートのみからなるリストを作成して繰り返し」を行います。

マクロ 特定のワークシートのみに繰り返しを行う

```
Sub ForEachNextのサンプル3()
    Dim mySheet
    For Each mySheet In Worksheets(Array(2, 3, 5))
        MsgBox mySheet.Name
    Next
End Sub
```

また、Excel では、Ctrl キーを押しながら複数シートのタブをクリックすると、まとめて「グループ化」することもできます。このグループ化状態のワークシートをリストとして利用したい場合には、SelectedSheets(セレクテッドシーツ) プロパティが利用できます。次のマクロは、「グループ化しているワークシート全てに対して繰り返し」を行います。

マクロ グループ化したワークシートに繰り返しを行う

```
Sub ForEachNextのサンプル4()
    Dim mySheet
    For Each mySheet In ActiveWindow.SelectedSheets
        MsgBox mySheet.Name
    Next
End Sub
```

処理対象のワークシートが作業ごとに異なり、手作業で指定してからマクロで一気に処理したい、といった場合に知っていると便利な仕組みです。

KEYWORD

SelectedSheets プロパティは、指定したウィンドウ内で選択された全てのワークシートを管理します。

COLUMN Array の値の確認・出力方法

Array 関数で作成したリストの内容を確認したい場合に便利なのが、Join(ジョイン) 関数です。Join 関数は引数に指定したリストを全て連結した文字列として返してくれます。

例えば、次のようにコードを記述すれば、リストの値をメッセージとして表示することができます。

```
MsgBox Join(Array("りんご","蜜柑","レモン"))
```

▼ リストの値が表示される

「Join(Array 関数で作成したリスト)」とすれば、リストの内容を文字列として確認できるというわけですね。あとは MsgBox 関数で表示したり、「イミディエイト」ウィンドウに出力して確認していきましょう。なお、2 番目の引数にリストの各要素を区切る区切り文字を指定することも可能です。「Join(Array(" りんご "," 蜜柑 "," レモン "),",")」とすれば、カンマ区切りで文字列を作成してくれます。

KEYWORD

Join 関数は、引数にしたリストを連結した文字列を返します。

04 条件を満たしている間は繰り返すループ処理

「Do Loop」を利用すると、条件を満たしている間は操作を繰り返すことができます。ここでは、条件式の書き方に注目して読み進めていきましょう。

条件を満たしている間は繰り返す

ループ処理の3つ目は、「特定の条件を満たしている間は操作を繰り返す」、Do Loop（ドゥーループ）です。Do Loopの基本的な記述ルールは次のようになります。

▼ Do Loopの記述ルール

```
Do While 条件式
    繰り返したい操作
Loop
```

Do Loopは、**「条件式に指定した条件が満たされている間」**は、「Do」から「Loop」が記述された行に挟まれた操作を繰り返します。

Do Loopは、Forを使った他のループ処理とは少し毛色が異なります。**条件式**（じょうけんしき）という考えを使ってループ処理を続けるかどうかを判定します。

少々難しい概念ですが、ループ処理だけでなく「条件分岐」という処理にも応用できる考え方なので、頑張ってマスターしましょう。

まず、ループ処理の先頭に**Do While**（ドゥーワイル）と記述し、その後ろに「繰り返しを続けるかどうかを判定するための『条件式』」を記述します。そして、「Loop」を記述した行までの間に挟まれた操作を実行し、再びループ処理を続けるかどうかを判定し、「条件を満たしている間は操作を繰り返し実行」します。

▼ Do While を使った繰り返しの流れ

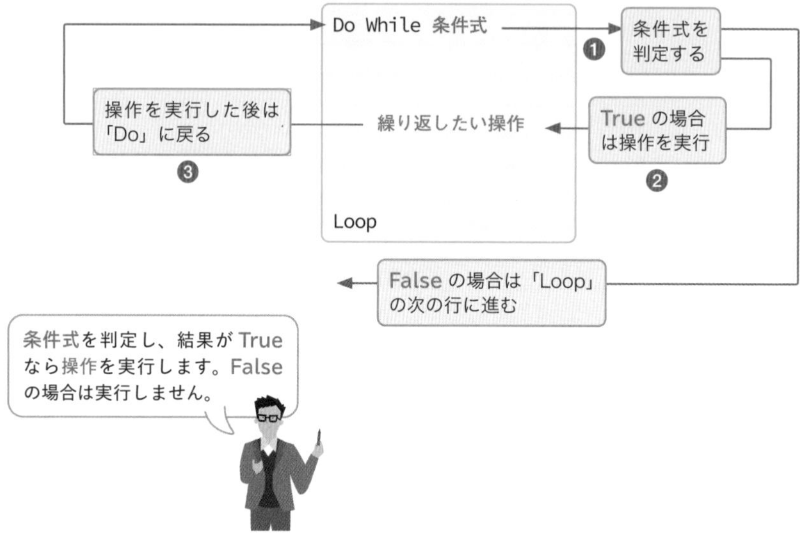
Do While 条件式
条件式を
判定する
❶
操作を実行した後は
「Do」に戻る
❸
繰り返したい操作
True の場合
は操作を実行
❷
Loop
False の場合は「Loop」
の次の行に進む
条件式を判定し、結果が True なら操作を実行します。False の場合は実行しません。

条件式は、IF ワークシート関数で利用するような、「特定の条件を満たしているかどうか」を問いかける式のことです。値を比較する記号を利用して作成します。

条件式は「等しい」「小さい」「大きい」等、値を比較する記号を利用して作成します。このような値を比較するための記号を**比較演算子**（ひかくえんざんし）と呼びます。

▼ 条件式を作成する比較演算子

演算子	例	意味
=	a = b	等しい。a と b が等しい場合は「True」
<>	a <> b	等しくない。a と b が等しくない場合は「True」
<	a < b	より小さい。a が b より小さい場合は「True」
>	a > b	より大きい。a が b より大きい場合は「True」
<=	a <= b	以下。a が b 以下の場合は「True」
>=	a >= b	以上。a が b 以上の場合は「True」

KEYWORD

比較演算子は、値を比較して「等しい」「小さい」「大きい」等の結果を返します。

比較演算子を使って条件式を作成する

条件式は、比較演算子を使って作成します。VBAでは、「=」等の記号を**演算子**と呼びます。比較に使う演算子なので「比較演算子」というわけですね。なお、「=」は比較演算子では「等しい」を意味しますが、プロパティ等に値を設定する場合にも使用します。使い分けに注意しましょう。

条件式が**「条件を満たす場合はTrue」**という値を、**「条件を満たさない場合はFalse」**という値を返します。Do Loopでは、条件式がTrueを返す間は繰り返しを続けます。

TrueとFalseは、日本語で言うと「真」と「偽」です。このため、TrueとFalseのことをまとめて、**真偽値**と呼ぶこともあります。

▼ 条件を満たす場合はTrue、満たさない場合はFalseを返す

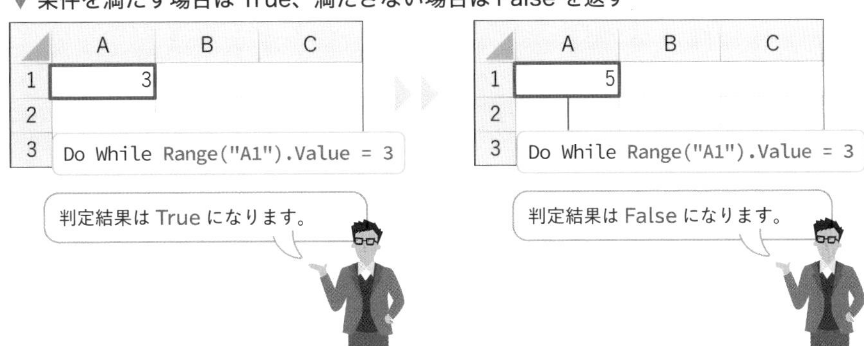

さて、Do Loopを使ったループ処理の話に戻りましょう。「Do While」の後ろに条件式を記述し、「Loop」に挟まれた行に繰り返したい操作を記述します。この時に注意したいのは、ループする処理の中に、「必ず」条件式に関わる変化を行う処理を組み込むということです。

例えば、次のマクロは、「変数『myRow』の値が『3』以下の間は繰り返しを続ける」というものです。「変数」に関しては第6章で解説しています。ここでは、変数はその中に値を格納するもの、というくらいをイメージしてください。

SAMPLE DoLoopのサンプル.xlsm

マクロ 値が「3」以下の場合は操作を繰り返す

```
Sub DoLoopのサンプル1()
    Dim myRow
    myRow = 1

    Do While myRow <= 3       '条件式:「myRow」の値が「3以下」
        Cells(myRow, 1).Value = "VBA"
        myRow = myRow + 1     'myRowの値を「1」加算する
    Loop
End Sub
```

繰り返しを続ける条件となる条件式は、「myRow <= 3」つまり、変数myRowの値によって繰り返しを続けるかどうかを判定します。

そして、繰り返す操作内では「myRow = myRow + 1」という部分で、変数myRowの値に「1」を加算しています。つまり、変数myRowの値を変化させています。この処理により、変数myRowはループするごとに「1」ずつ増加し、「3」を超えて「4」になった時点でこの処理は終了します。

▼ 値が「3」以下の間は処理が繰り返される

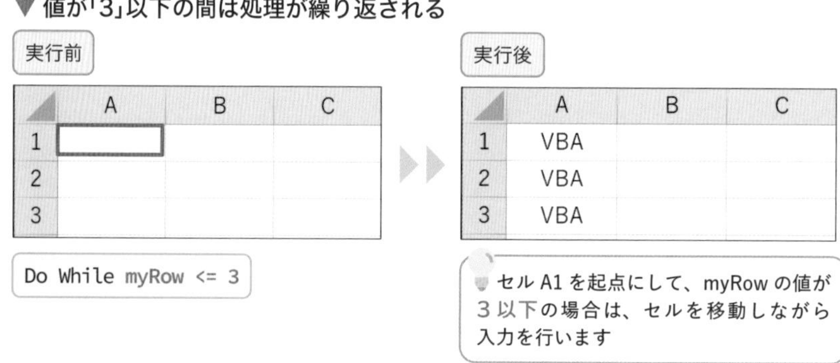

もし、変数myRowを変化させる箇所がなければ、変数myRowの値はずっと「1」のままとなり、結果として、「繰り返しがずっと終わらずにExcelも固まったまま」という状態になってしまいます。このループが終わらない状態を無限ループと呼びます。

COLUMN 無限ループに陥ってしまった時には

うっかり無限ループに陥るマクロを作成・実行してしまい、Excelがまったく動かない状態になってしまった場合には、Esc キーを押し続けてみましょう。すると、マクロが強制的に中断され、次図のようなダイアログボックスが表示されます。

▼ Esc キーでマクロを強制的に中断する

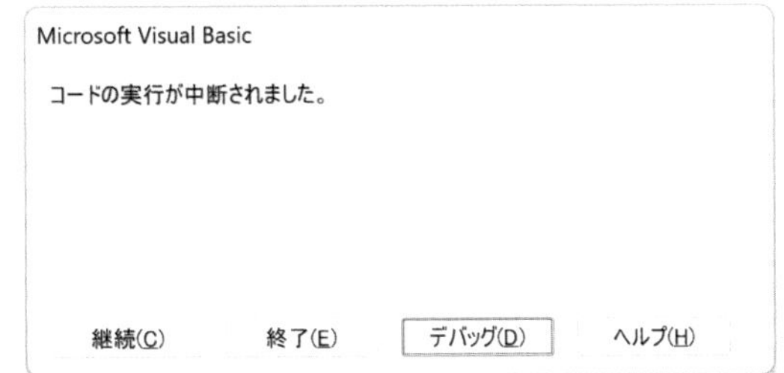

ここで、［終了］ボタンをクリックすると、マクロの実行を終了させることができます。間違って作成してしまったコードを修正し、再度動作を確認してみましょう。

なお、まれに、Esc キーを押し続けてもマクロが中断されないことがあります。その場合には、残念ですが、Excelごと強制終了するしかありません。Ctrl + Alt + Del キーを押して、「タスクマネージャー」を起動し、「Microsoft Excel」を選択して、［タスクの終了］ボタンをクリックしましょう。

▼「タスクマネージャー」でExcelを強制終了する

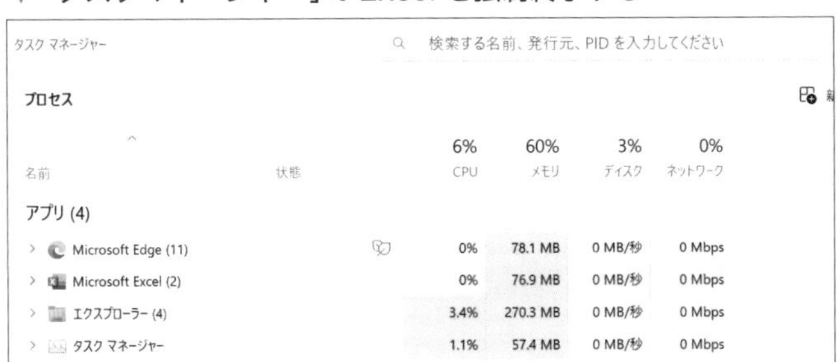

ただし、Excelを強制終了した場合には、保存していないデータは失われますし、ブックが破損する場合もあります。できるだけそういった事態に陥らないように、ループ処理を作成する際には、無限ループに陥らないかどうかを注意しましょう。

さまざまな値を利用して操作を繰り返す

無限ループにさえ注意すれば、Do Loop は非常に便利な処理です。例えば、セルに入力してある日付を元に、「特定の期日以前のデータの場合には処理を行う」、といった操作も簡単に行えます。

このように、Do Loop を使うと、**「さまざまな値を使って条件式を作成して、柔軟に操作を繰り返すかどうかを判定」**できるようになります。

次のマクロでは、「セル C5 から下方向に入力されている日付をチェックし、『10 月 5 日以前』だった場合には、同じ行の E 列に『○』」記号を入力」します。

マクロ 「10 月 5 日以前」の場合は操作を繰り返す

```
Sub DoLoopのサンプル2()
    Range("C5").Select
    Do While ActiveCell.Value <= #10/5/2024#
        ActiveCell.Offset(0, 2).Value = "○"
        ActiveCell.Offset(1, 0).Select
    Loop
End Sub
```

▼ 日付を元に操作を繰り返す

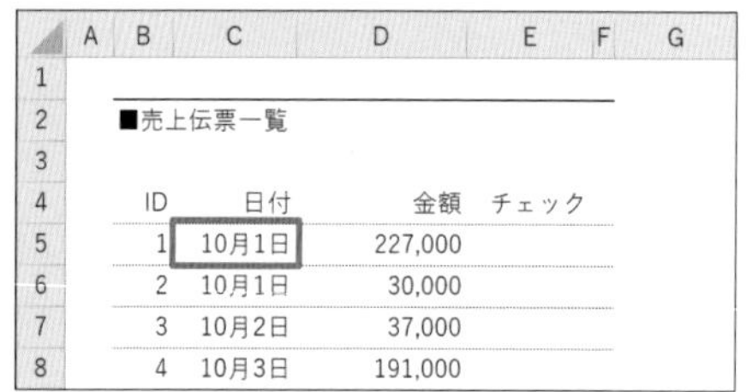

	A	B	C	D	E	F	G
1							
2		■売上伝票一覧					
3							
4		ID	日付	金額	チェック		
5		1	10月1日	227,000			
6		2	10月1日	30,000			
7		3	10月2日	37,000			
8		4	10月3日	191,000			

セル C5 を起点にして、日付が「10 月 5 日以前」の場合にチェックを入れます。

このマクロでは、Do Loop の条件式に「セルに入力してある**日付値**」を利用しています。まず、「Range("C5").Select」として、「判定を開始するセルであるセル C5 を選択」します。そして、「ActiveCell.Value <= #10/5/2024#」として、「アクティブセルの値が、2024 年 10 月 5 日以前かどうか」という条件式を指定しています。

続いて、引数として行・列の値を順番に指定すると、その数値の分だけ離れた位置にあるセルを取得できる **Offset** プロパティを利用し、「ActiveCell.

Offset(0, 2).Value = "○"」の部分で、「アクティブなセルから、0行2列分だけ離れた位置のセル」に「○」を入力しています。

▼ 離れた位置のセルを取得

```
Offset( 行, 列 )
```

▼ Offsetプロパティで離れたセルを取得する

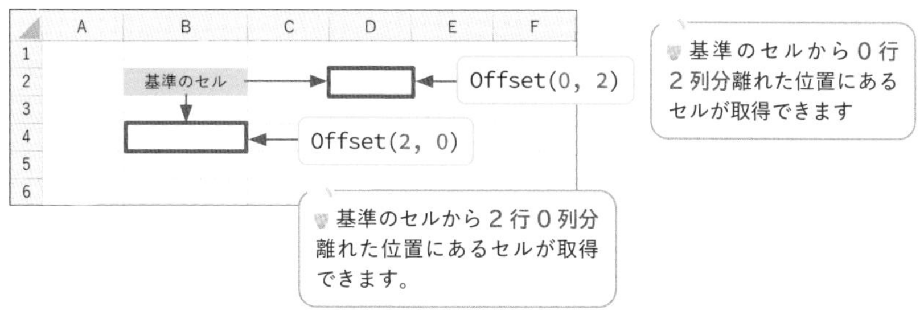
基準のセル
Offset(0, 2)
Offset(2, 0)
基準のセルから0行2列分離れた位置にあるセルが取得できます
基準のセルから2行0列分離れた位置にあるセルが取得できます。

その次の行が、このマクロのキモとなる部分です。「ActiveCell.Offset(1, 0).Select」とし、アクティブセルから1行0列離れた位置にあるセル、つまり、「1つ下のセル」を選択しています。これによって、次の判定式が適用されるのは、セルC5からセルC6に、そして、セルC7、C8…と、1行ずつ下のセルへと移動していきます。

▼ 行を移動しながら入力が行われる

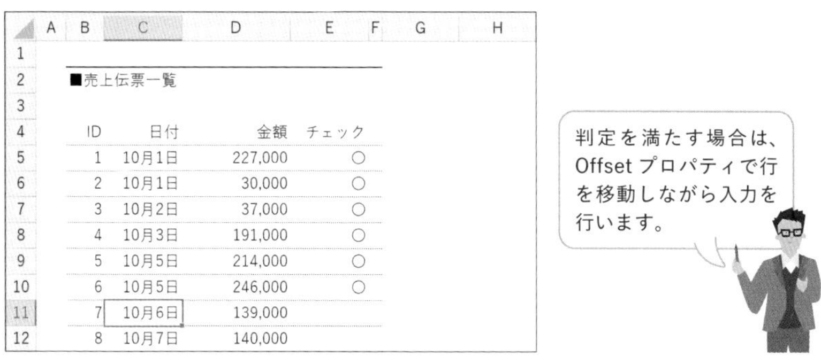

■売上伝票一覧

ID	日付	金額	チェック
1	10月1日	227,000	○
2	10月1日	30,000	○
3	10月2日	37,000	○
4	10月3日	191,000	○
5	10月5日	214,000	○
6	10月5日	246,000	○
7	10月6日	139,000	
8	10月7日	140,000	

判定を満たす場合は、Offsetプロパティで行を移動しながら入力を行います。

アクティブセルが移動したところで、また、条件式が判定され、10月5日以前の日付であれば繰り返しが続行されます。10月5日を超えると、繰り返しを停止します。上図の画像のアクティブセルの位置を確認してみてください。C列の日付の値が、10月6日になった時点で止まっていることが確認できますね。

KEYWORD

Offsetプロパティは、引数に指定した行・列の分だけ移動したセルを取得します。

COLUMN 「#」で日付を指定する

VBA では、コードの中で日付値を扱う場合には、その日付を「#」（シャープ）で囲んで指定します。例えば、「10 月 5 日」であれば、「#10/5#」と入力して Enter キーを押します。すると、VBE の方で「# 月 / 日 / 年 #」という形式に自動変換し、「#10/5/2024#」という形式で入力されます。

COLUMN 条件式が満たされない間は繰り返す

Do Loop は条件式を満たす間（True の間）は操作を繰り返しますが、Until（アンティル）キーワードを使うことで、「条件式を満たさない間（False の間）は操作を繰り返す」ようにできます。

▼ 条件を満たさない間は操作を繰り返す

```
Do Until 条件式
    繰り返したい操作
Loop
```

記述ルールは「Do While」と同様です。「Do Until」に続いて条件式を記述し、条件式が「False」の間は、「Do」と「Loop」に挟まれた行の操作を実行します。

5章のおさらい

以下の問題文の中のカッコを埋める選択肢を選んでみましょう。

問題 1

マクロの便利さを大幅にアップさせる仕組みが「繰り返し（ループ処理）」です。繰り返しの仕組みには「回数」を基準に繰り返す（　A　）、「グループ」を基準に繰り返す（　B　）、「条件」を基準に繰り返す（　C　）等の仕組みが用意されています。

①Sub ～ End Sub　②For Next　③For Each Next
④Do Loop　⑤Switch Case　⑥If Then Else

問題 2

For Next ステートメントでは、繰り返し回数をカウンタ変数で管理します。次のコードを実行した場合、赤字で示した部分の処理は（　D　）回実行されます。

```
Dim i
For i = 5 To 10
    Debug.Print i & "の時の処理"
Next
```

①1　②10　③5　④6　⑤11

問題 3

For Each Next ステートメントでは、指定したリストのメンバー全てに対して処理を繰り返します。次のコードを実行した場合、「○」と入力されるセル範囲は（　E　）となります。

```
Dim cell
For Each cell In Range("A1:E3")
    cell.Value = "○"
Next
```

①セル A1 と E3 のみ　②セル A1 のみ
③セル E3 のみ　④セル範囲 A1:E3 の全てのセル

解答と解説

問題 1 の解答　A：②For Next、B：③For Each Next、C：④Do Loop

ループ処理の仕組みは、回数を基準とする「For Next」、リストアップしたグループを基準とする「For Each Next」、条件式を基準とする「Do Loop」が用意されています。

問題 2 の解答　D：④6

For Next ステートメントでは、「For カウンタ変数 = 開始値 To 終了値」の形で操作を繰り返す回数を指定します。設問では「For i = 5 To 10」ですので、「5」～「10」の6 回分処理を繰り返します。

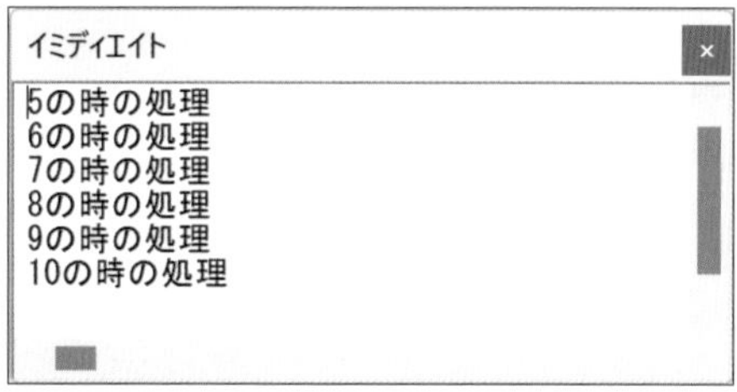

問題 3 の解答　E：④セル範囲 A1:E3 の全てのセル

For Each Next ステートメントでは、「For Each メンバー変数 In リスト」の形で、同じ処理を繰り返したいメンバーをリストアップして指定します。設問では「For Each cell In Range("A1:E3")」ですので、セル範囲 A1:E3 内の個々のセル全てに対して処理が繰り返されます。

	A	B	C	D	E
1	○	○	○	○	○
2	○	○	○	○	○
3	○	○	○	○	○
4					

第 6 章

マクロをわかりやすく整理する

01 変数の仕組みを理解する

変数の仕組みを使うことで、コード内で使用する値やオブジェクトをわかりやすい名前で管理できるようになります。まずは、変数の使い方を学びましょう。

値やオブジェクトを覚えやすい名前で扱う

VBA では、「値やオブジェクトを自分の覚えやすい名前で扱う」ようにできる、**変数**（へんすう）という仕組みが用意されています。

変数を利用すれば、ひとめ見ただけでは意味がわかりにくい値や、長いコードを書かないと操作対象として指定できないようなオブジェクトを、「見た目にわかりやすい名前で扱える」ようになります。結果として、プログラムが整理され、可読性が上がります。

変数は、**「値やオブジェクトを自分で付けた名前で管理する仕組み」**です。変数を利用することで、マクロをわかりやすく整理整頓することができます。

例えば、「単価 100 円の商品を、100 個購入した金額を計算し、セル A1 に入力する」という操作を行う場合を考えてみてください。単純に考えるのであれば、この操作は次のコードのように記述できます。

```
Range("A1").Value = 100 * 100
```

しかし、このコードを後から見返したとしましょう。その際に、このコードの意味がわかるでしょうか？ 2 つの「100」という値は、いったい何を表しているのかが不明です。さらに、後から「単価を 120 円に上げる」場合に、どちらの数値を変更すればよいのか判断できるでしょうか？

うっかり単価と数量を間違って修正してしまったために、実際の取引の金額と乖離してしまっては元も子もありません。

▼ 値をそのまま使用する場合

```
Range("A1").Value = 100 * 100
```

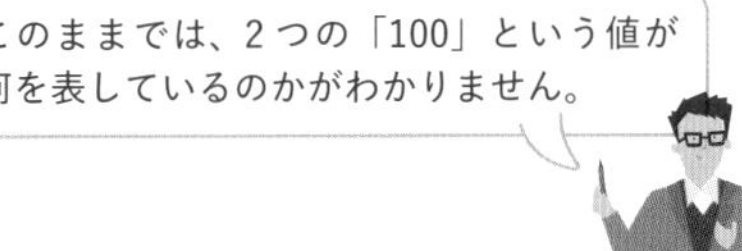

このままでは、2つの「100」という値が
何を表しているのかがわかりません。

このコードを変数の仕組みを利用して書き直すと、次のようになります。

```
Dim 価格 , 数量
価格 = 100
数量 = 100
Range("A1").Value = 価格 * 数量
```

この例では、**「『価格』と『数量』の2つの変数を用意し、それぞれの値を設定」**しています。このように、値を設定した変数は、計算等の処理に利用することができます。

▼ 値を変数に置き換えて意味をわかりやすくする

```
Dim 価格 , 数量
価格 = 100
数量 = 100
Range("A1").Value = 価格 * 数量
```

1つ目の「100」が価格、2つ目の「100」
が数量であることがひとめでわかります。

現時点では、上の3行分の意味はよくわからないかもしれませんが、最後の「`Range("A1").Value = 価格 * 数量`」を見れば、どんな意図で計算を行っているのかが明確になっていますね。もし、「単価を120円にする」のであれば、2行目の「100」を「120」に変更すればよいことも見当がつくでしょう。このように、変数を利用するとプログラムの見通しがよくなります。

KEYWORD

変数は、値やオブジェクトにわかりやすい名前を付けて管理する仕組みです。

「名前」を使って操作の「ひな型」を先に作る

変数を利用することで、「仮の値」を当てはめたコードの「ひな型」を作成しておくことができます。具体的な数値や操作するセルの場所がまだ未定の場合でも、「ひな型」となるコードを用意しておけば、スムーズにマクロの作成を行えます。

変数に設定した値は、後から自由に変更することができます。計算に使用する値を変数にしておけば、さまざまな操作で使えるひな型のコードを作成可能です。

▼ 変数の値は自由に変更できる

```
Dim 価格 , 数量
価格 = 100
数量 = 100
Range("A1").Value = 価格 * 数量
```

```
Dim 価格 , 数量
価格 = 150
数量 = 200
Range("A1").Value = 価格 * 数量
```

変数の値を変えても、問題なく操作が行えます。上の例は「10000」、下の例は「30000」がセルA1に入力されます。

先ほどのコードを例に取ると、「価格」や「数量」が未定の段階でも、次のように「適当な値と変数を利用した『ひな型』のコード」を用意しておけば、処理全体を先に作成することが可能です。

```
Dim 価格 , 数量
価格 = 999
数量 = 999
Range("A1").Value = 価格 * 数量
```

後で価格と数量が判明したら、その部分の値だけを入れ替えればOKです。言ってみれば、「あとは材料を流し込めばOK」という用意が簡単になります。

このような「ひな型」を作っておくと、「価格」や「数量」といった値や、「計算結果を書き込むセルの位置」等が後から変更になっても、すぐさまその変更を柔軟に反映できるようになります。

COLUMN 算術演算子で計算を行う

VBA では「+」(プラス)、「-」(マイナス)、「*」(アスタリスク)、「/」(スラッシュ)等の記号を使って計算を行います。これらの記号を**算術演算子**(さんじゅつえんざんし)と呼びます。

算術演算子の使い方は、通常の計算と同様に「値 演算子 値」の形で記述し、演算子の左側の値に対して、右側の値を計算します。本文の例で紹介したように、変数を使って値を指定することもできます。

また、算術演算子には優先順位があります。乗算(*)や除算(/)の方が、加算(+)や減算(-)よりも優先されます。これも通常の計算と同様です。

▼ VBAの算術演算子

計算	演算子	使用例	結果
加算	+	5 + 2	7
除算	-	5 - 2	3
乗算	*	5 * 2	10
除算	/	5 / 2	2.5
除算の商の整数部分	¥	5 ¥ 2	2
剰余	Mod	5 Mod 2	1
累乗(べき乗)	^	5 ^ 2	25

「宣言」して値を「代入」する

変数を扱うには、Dim(ディム)というキーワードを利用し、次のようにコードを記述します。

▼ 変数の宣言

```
Dim 変数名
```

「Dim」を利用した変数の準備のことを、**「変数の宣言(せんげん)」「変数を宣言する」**と言います。値やオブジェクトの用途がわかりやすい名前を付けて宣言しましょう。

「Dim」の後ろに半角１つスペースを入れ、その後ろに変数として扱いたい単語（変数名）を指定します。

▼ 変数を宣言する

```
Dim 変数名
```

Dim の後ろに半角スペースを入れ、続けて変数名を指定します。

例えば、次のコードでは、「『myNumber』という単語を変数として宣言」しています。

```
Dim myNumber
```

宣言された変数は、プロパティに値を設定する時と同じように、**「=」を使って値を設定**できます。変数に値を設定する処理を**「変数に値を代入する」**と言います。

変数の代入は「=」に続けて、値を指定します。「=」を**代入演算子**と呼びます。

▼ 変数に値を代入

```
Dim 変数名 = 値
```

▼ 変数を宣言して値を代入する

```
Dim 変数名 = 値
```

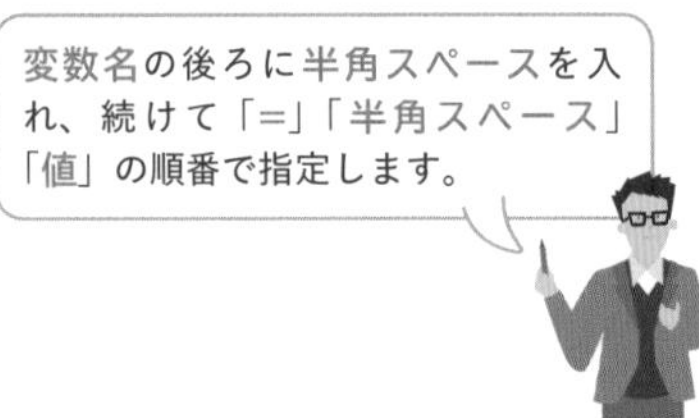

変数名の後ろに半角スペースを入れ、続けて「=」「半角スペース」「値」の順番で指定します。

次のマクロは、「変数 myNumber に『10』を代入し、その変数の値をメッセージとして表示」しています。

SAMPLE 変数の利用.xlsm

マクロ 変数を宣言して値を代入する

```
Sub 変数の宣言と値の代入()
    Dim myNumber
    myNumber = 10
    MsgBox myNumber
End Sub
```

▼変数に代入した値が表示される

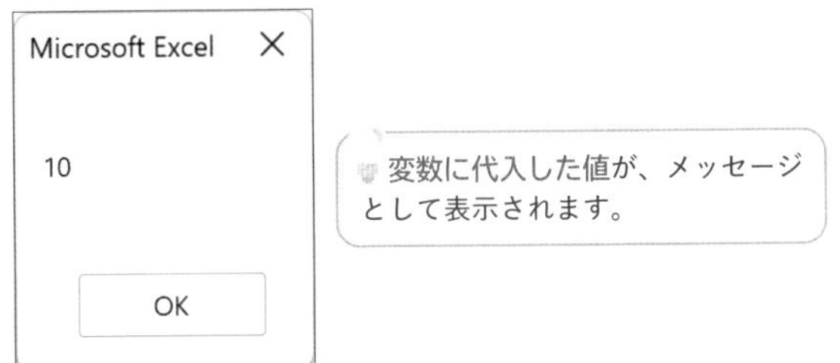
Microsoft Excel
10
OK
変数に代入した値が、メッセージとして表示されます。

変数には、文字列や日付も代入できます。文字列を代入する時はダブルクォーテーション（"）で囲み、日付を代入する時はシャープ（#）で囲みます。

次のマクロは、「変数myStringに文字列、変数myDateに日付を代入して、それぞれの変数の値をメッセージとして表示」します。

マクロ 文字列や日付を代入する

```
Sub さまざまな形式の値の代入()
    Dim myString, myDate
    myString = "Excel"
    myDate = #10/12/2024#
    MsgBox myString & ":" & myDate
End Sub
```

▼代入された文字列や日付が表示される

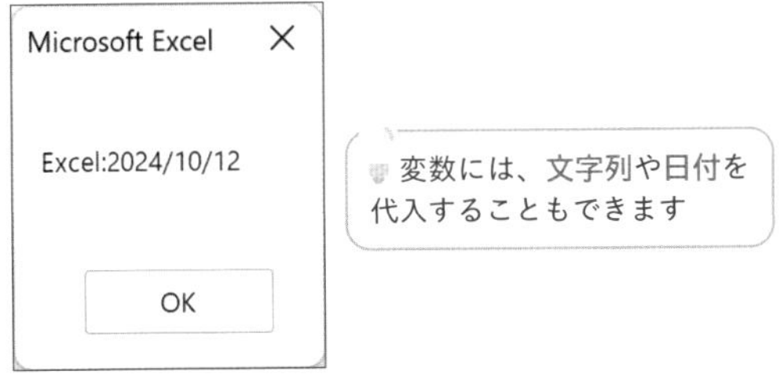
Microsoft Excel
Excel:2024/10/12
OK
変数には、文字列や日付を代入することもできます

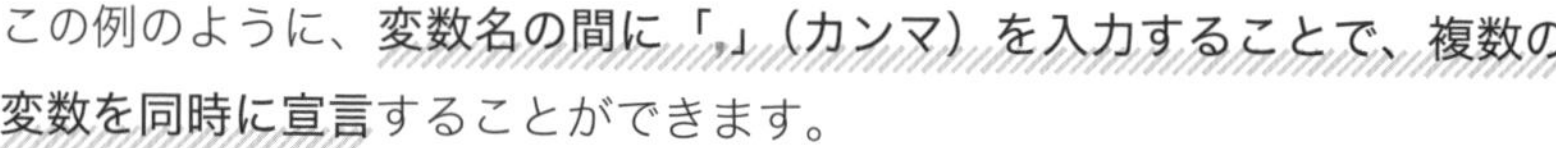

この例のように、変数名の間に「,」（カンマ）を入力することで、複数の変数を同時に宣言することができます。

なお、変数を宣言する際には、英数字や日本語等、ほとんどの文字が利用できますが、「If」や「Sub」等、「VBAで使用するキーワードとバッティングするもの」は変数名として利用できません。また、「数値や『-』部記号から始まる変数名」も利用できません。

これらを入力した場合にはエラーメッセージが出ますので、エラーが出たら、「あ、これは使えないんだな」と判断して他の変数名にしましょう。

COLUMN 変数名に迷ったらAIに相談するのもアリ

変数の名前は用途にあった名前にしておくと何に使うのかがわかりやすくなります。とはいえ、最初のうちはどんな名前にすればいいのか悩むことも多いでしょう。そんな場合は、AIに聞いてみましょう。下図は、Copilotに変数名を相談した結果です。よいアイデアを出してくれますね！

▼ AIに変数名の付け方を相談する

自分

Excelのvbaの変数名を3つ考えて下さい。変数で扱う対象は、「転記先のセル」「合計を計算するシート」「計算の元となるデータが保存されているブック」の3つです。

Copilot

もちろんです！Excel VBAの変数名を考えてみましょう。以下の3つの対象に対する変数名を提案します：

1. **転記先のセル**:
   - `targetCell`
   - `destinationCell`
   - `copyToCell`
2. **合計を計算するシート**:
   - `summarySheet`
   - `totalSheet`
   - `calculationSheet`
3. **計算の元となるデータが保存されているブック**:
   - `sourceWorkbook`
   - `dataWorkbook`
   - `inputWorkbook`

これらの変数名は、わかりやすく、プログラムの意図を明確に伝えるものです。選んでいただければ幸いです！😊

KEYWORD

変数はDimを使って宣言します。変数には「=」で値やオブジェクトを代入できます。

02 変数でオブジェクトを管理する

変数にはオブジェクトを代入することもできます。変数でオブジェクトを管理して、マクロをわかりやすく整理していきましょう。

変数でオブジェクトを扱う

変数では「値だけでなくオブジェクトを扱う」こともできます。この仕組みがマクロの整理と修正時に大変便利なのです。

変数には値だけでなく、**「オブジェクトを代入して利用」**することができます。オブジェクトを代入した変数に対して、プロパティやメソッドを利用することもできます。

例えば、「見積書」シート上の「担当者」の入力されているセルに対して一連の操作を実行したいとします。

▼操作対象としたいセル

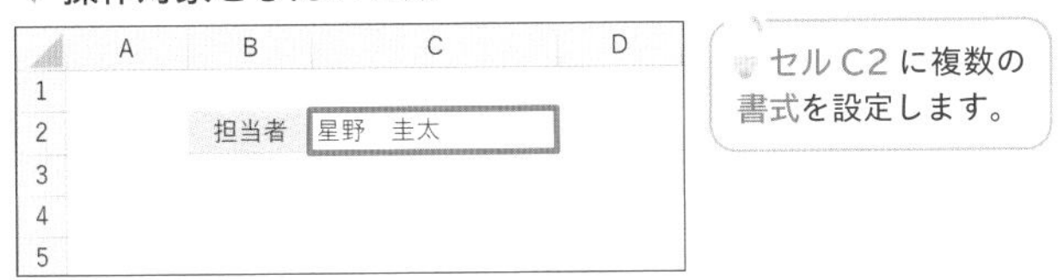

変数を使わない場合は、毎回「見積書シートのセルC2」を指定するコードを記述します。例えば、次のマクロは、「『見積書シートのセルC2』に対して値と書式を設定」します。

SAMPLE 変数でオブジェクトを管理.xlsm

マクロ セルの値や書式を設定する

```
Sub セルC2を操作()
    '見積書シートのセルC2に値を入力し、書式を設定する
    Worksheets("見積書").Range("C2").Value = "星野　圭太"
    Worksheets("見積書").Range("C2").HorizontalAlignment = _
        xlCenter
    Worksheets("見積書").Range("C2").Font.Name = "游ゴシック"
    Worksheets("見積書").Range("C2").Font.Size = 16
    Worksheets("見積書").Range("C2").Font.Bold = True
End Sub
```

このマクロを変数を使って整理すると、以下のように修正できます。

マクロ 変数を使って整理する

```
Sub 変数にセルC2を代入して操作()
    '担当者の入力されているセルを変数で扱えるようにセットする
    Dim 担当者のセル
    Set 担当者のセル = Worksheets("見積書").Range("C2")
    '担当者のセルに値を入力し、書式を設定する
    担当者のセル.Value = "星野　圭太"
    担当者のセル.HorizontalAlignment = xlCenter
    担当者のセル.Font.Name = "游ゴシック"
    担当者のセル.Font.Size = 16
    担当者のセル.Font.Bold = True
End Sub
```

▼ 書式が設定される

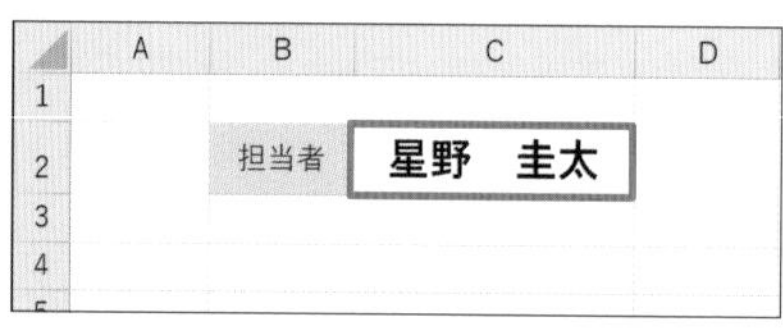

変数で指定したセルの書式が設定されました。

まず、変数の仕組みを使って、「担当者のセル」という言葉（変数）で「見積書シートのセルC2」を扱えるようにしています。以降は「担当者のセル」に対して実行する操作を記述しています。

変数を使っていない時と比べると、「どんな目的のセルを操作しているのか」が明確になりましたね。

また、「担当者」の入力されているセルの位置やワークシートの名前が変更になった場合のことを想像してみてください。変数を使っていない場合は

「Worksheets("見積書").Range("C2")」と操作対象を指定している5箇所を全て書き直さなくてはいけません。それに対して、変数を使っている場合は、「変数に操作対象を指定している箇所」のみを変更するだけで済みます。

▼ 変数に指定している箇所だけを修正すればよい

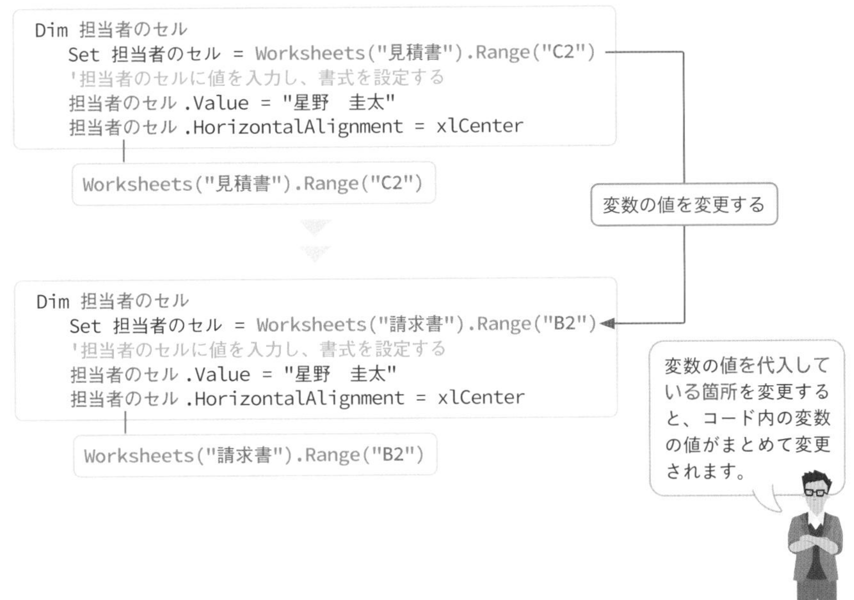
Dim 担当者のセル
Set 担当者のセル = Worksheets("見積書").Range("C2")
'担当者のセルに値を入力し、書式を設定する
担当者のセル.Value = "星野　圭太"
担当者のセル.HorizontalAlignment = xlCenter
Worksheets("見積書").Range("C2")
変数の値を変更する
Dim 担当者のセル
Set 担当者のセル = Worksheets("請求書").Range("B2")
'担当者のセルに値を入力し、書式を設定する
担当者のセル.Value = "星野　圭太"
担当者のセル.HorizontalAlignment = xlCenter
Worksheets("請求書").Range("B2")
変数の値を代入している箇所を変更すると、コード内の変数の値がまとめて変更されます。

このように、オブジェクト、言い換えると、操作対象を変数で扱えるようになると、「何をやっているコードなのか」という整理や、修正作業に役に立つのです。

変数にオブジェクトを代入するルール

もう少し詳しい使い方を見てみましょう。変数でオブジェクトを扱う場合は、値を扱う場合と少しルールが変わってきます。

変数にオブジェクトを代入するには、Set（セット）というキーワードを利用します。「Set」の後ろに半角スペースを1つ入れ、変数名を入力します。

▼ 変数にオブジェクトを代入

```
Set 変数名 = オブジェクト
```

▼ 変数にオブジェクトを代入する

```
Set 変数名 = オブジェクト
```

「Set」「半角スペース」「変数名」「半角スペース」「=」「半角スペース」「オブジェクト」の順番で指定します。

次のマクロは、「セル A1 を変数『myRange』で扱う」ようにしています。

マクロ 変数にオブジェクトを代入して利用する

```
Sub Setでオブジェクトを変数に代入()
    Dim myRange
    Set myRange = Range("A1")
    myRange.Value = "VBA"
End Sub
```

オブジェクトを代入した変数は、後ろにドット（.）を打ってプロパティやメソッドを記述すれば、代入したオブジェクトのプロパティやメソッドをそのまま利用できます。

▼ オブジェクトの変数を通じて値を入力する

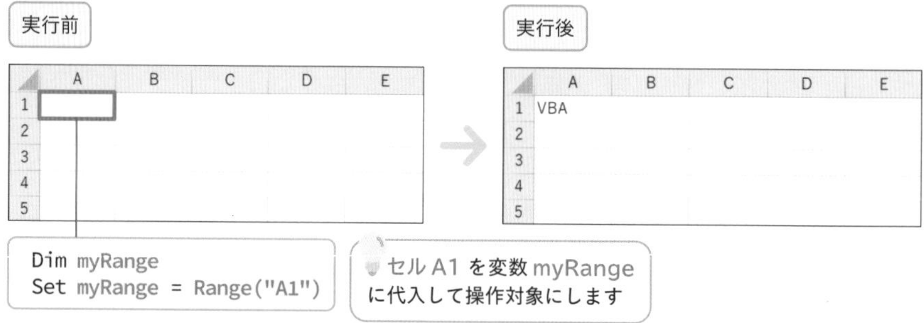

オブジェクトに関する説明では、個々のオブジェクトを「操作を行う担当者」と表現しましたが、オブジェクトを変数で扱うことは「担当者に対するニックネームを決める」ようなものです。例えば、毎回「A 株式会社の営業 1 課の田中さん」と呼ぶのは長くなるので、「A 担さん」とニックネームを付け、「在庫切れの場合は A 担さんに商品 50 個発注する」とマニュアルを作るようなものです。

指示も短く済むようになりますし、もし、田中さんが配置転換になって担当が鈴木さんになった場合でも、マニュアルは変更する必要はありません。「A 担さんは誰なのか」という部分のみを変更するだけです。

▼ 担当の名前を変えるだけでよい

「在庫切れの場合は A 担さんに商品 50 個発注する」
A 担 = 田中さん
A 担 = 鈴木さん
担当者が変わってもマニュアルの変更は不要になります。

変数でオブジェクトを扱う場合も同じです。最初の頃は「わざわざ変数にセットしなくてもその都度指定すればいいじゃん」と思うかもしれませんが、だんだんと長いマクロが作成できるようになってくると、この「ニックネーム」の仕組みの便利さがわかってきます。

すぐには使わない場合でも、仕組みとして覚えておくようにしましょう。

KEYWORD

Set は、変数にオブジェクトを代入する際に使用するキーワードです。

COLUMN 「With」で同じオブジェクトに対しての命令をまとめる

同じオブジェクトに対しての一連の操作をまとめるために、With（ウィズ）という仕組みが用意されています。

例えば、セル A1 に対する「値を入力」「背景色を変更する」という操作は、次のコードのように記述します。

```
Range("A1").Value = "VBA"
Range("A1").Interior.Color = 65535
```

これを、「With」を使ってまとめると、次のようになります。

```
With Range("A1")
    .Value = "VBA"
    .Interior.Color = 65535
End With
```

「With」の後ろに半角スペースを 1 つ入れ、操作したいオブジェクトを指定すると、「End With」に挟まれた行で「.」（ドット）から始まるものは、With の後ろに記述したオブジェクトに対する命令と見なされます。

セル A1 を指定した場合、「.Value」とすれば、セル A1 の Value プロパティが扱えますし、「.Interior.Color」とすれば、セル A1 の Interior（インテリア）プロパティ（セルの書式を管理するオブジェクトにアクセスするプロパティ）から取得したオブジェクトの Color（カラー）プロパティ（背景色の色）が扱えます。

変数を使うまでもないけれど、同じオブジェクトに対する処理をわかりやすくしたい、という時に知っておくと便利な仕組みですね。

COLUMN 長いコードが必要な操作対象を扱いやすくするために変数を利用

オブジェクト変数は、「指定するために長いコードが必要な操作対象のショートカット」という用途で利用することもできます。例えば、「マクロの記述してあるブックの『見積書』シート」は、以下のコードで指定できます。

```
ThisWorkbook.Worksheets("見積書")
```

しかし、毎回この指定方法を行うのは、なかなか大変です。そこで、まず変数に格納してしまい、その変数経由で操作するようにします。

```
Dim totalSht
Set totalSht = ThisWorkbook.Worksheets("見積書")
```

これで「マクロの記述してあるブックの『見積書』シート」は、「totalSht」という名前で扱えるようになります。タイプも楽になりますし、コードの見通しもよくなりますね。どんどん使っていきましょう。

KEYWORD

Interiorプロパティはセルの書式を、Colorプロパティはセルの背景色を管理します。

03 変数の値を更新する

変数に代入した値やオブジェクトは、後から変更することができます。ここでは、変数を更新しながら操作を行う方法を見ていきましょう。

変数に値やオブジェクトを「再代入」する

変数はその名前の通り、値を途中で「変更」できます。変更方法は簡単で、もう一度代入するだけです。

変数に**「代入した値を変更する操作」**を**再代入**（さいだいにゅう）と呼びます。最初に代入した値を、別の値で上書きするイメージです。

次のマクロは、「最初に変数 myValue に『10』を代入し、次の行で『20』に再代入」を行っています。

SAMPLE 変数の変更 .xlsm

マクロ 変数の値を再代入する

```
Sub 値の再代入()
    Dim myValue
    myValue = 10
    myValue = 20
    MsgBox myValue      '表示されるのは「20」
End Sub
```

▼ 再代入した変数の値が表示される

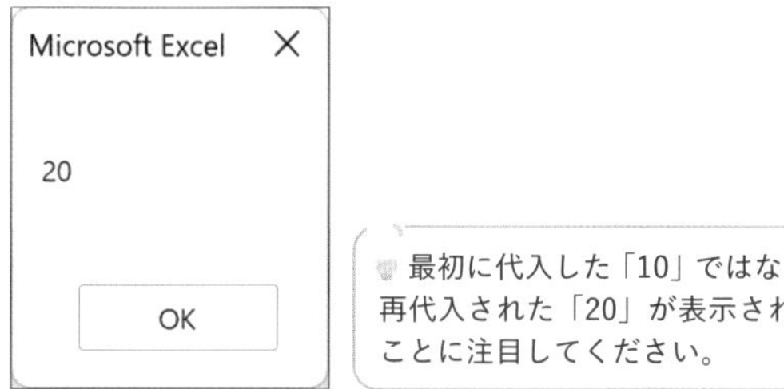
Microsoft Excel
20
OK
最初に代入した「10」ではなく、再代入された「20」が表示されることに注目してください。

また、再代入の仕組みを使うことで、「計算結果を更新や数量のカウント」を行えます。ループ処理のカウンタ変数やメンバー変数を思い出してください。

変数の値を更新する

多くの場合は、変数に「元の値に『10』を加える」「元の値に『1』をプラスする」のように、「それまでの変数の値を元に、新たな値を計算し、変数に再代入」することが多いでしょう。

この場合のコードは、以下のように記述します。

▼ 変数の値を使って変数を更新

```
変数 = 変数 + 値
```

▼ 変数の値を更新する

変数 = 変数 + 値
元の変数の値に値を加算した結果を変数の値として代入して、変数を更新します。

一見すると「変数と、変数に新たな値を加算したものをイコールで結ぶ」という何とも不思議な書き方ですが、この場合のイコールは「代入」を表すため、「変数に新たな値を加えた結果を、元の変数に再代入する」という意味となり、これで値が更新されます。

次のマクロは、「変数『myValue』の値を2倍し、さらに100を加えた結果をメッセージとして表示」します。

マクロ 値を更新して再代入する

```
Sub 再代入で変数の値を更新()
    Dim myValue
    myValue = 10
    myValue = myValue * 2
    myValue = myValue + 100
    MsgBox myValue     '表示されるのは「120」
End Sub
```

▼ 変数の値を更新しながら計算を行う

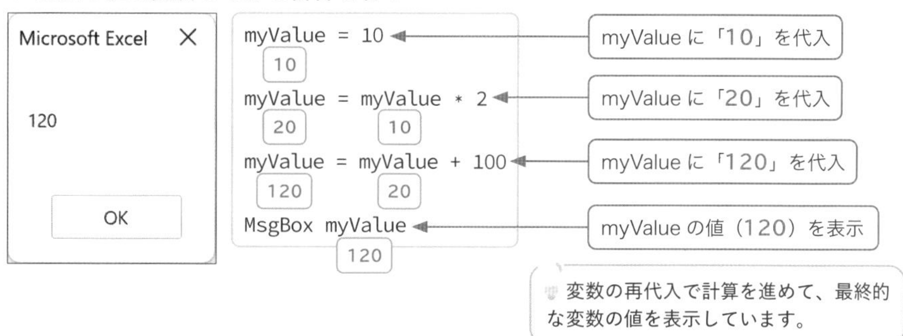
Microsoft Excel
120
OK
myValue = 10
10
myValue = myValue * 2
20
10
myValue = myValue + 100
120
20
MsgBox myValue
120
myValue に「10」を代入
myValue に「20」を代入
myValue に「120」を代入
myValue の値（120）を表示

変数の再代入で計算を進めて、最終的な変数の値を表示しています。

再代入の仕組みを利用すると、1 つの変数を、**「何らかの計算を行う際の途中経過の入れもの」** のようなイメージで扱えます。上記の例では、変数 myValue に途中で乗算の結果を再代入し、その値を使って加算を行っています。

まるで計算結果をその都度メモするかのように、どんどんと変数の値を更新していくことで、複雑な計算を整理し、最終的な計算結果を導き出すことができますね。

プログラムの学習を始めたばかりの方は、変数を利用するのは面倒だと感じることの方が多いかと思いますが、実は、面倒でも変数を利用して少しずつ計算を刻んでいった方が、結果としてわかりやすいプログラムを、手早く作成できることの方が多いのです。

オブジェクトも再代入できる

オブジェクトを変数に再代入することも可能です。

次のマクロは、「変数 myRange に最初に代入したセル A1 から、選択範囲を 2 行 3 列分だけ拡張したセル範囲（A1:C2）を再代入し、値を入力」します。

マクロ 変数にオブジェクトを再代入する

```
Sub オブジェクトの再代入()
    Dim myRange
    Set myRange = Range("A1")
    Set myRange = myRange.Resize(2, 3)
    myRange.Value = "VBA"
End Sub
```

▼ セルを再代入して値を入力する

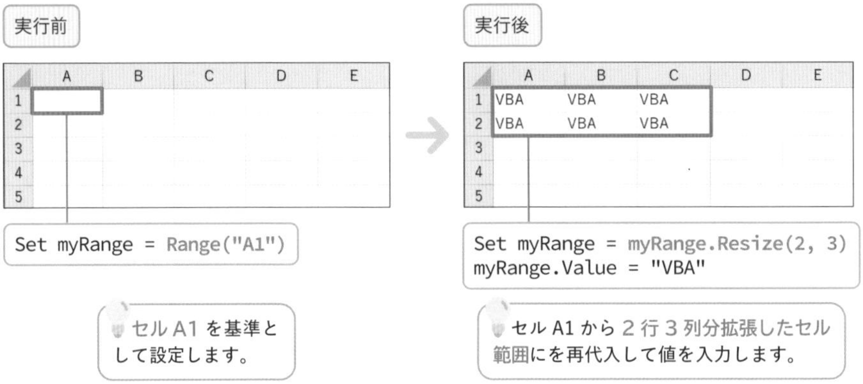

実行前

	A	B	C	D	E
1					
2					
3					
4					
5					

```
Set myRange = Range("A1")
```

セルA1を基準として設定します。

実行後

	A	B	C	D	E
1	VBA	VBA	VBA		
2	VBA	VBA	VBA		
3					
4					
5					

```
Set myRange = myRange.Resize(2, 3)
myRange.Value = "VBA"
```

セルA1から2行3列分拡張したセル範囲にを再代入して値を入力します。

コード中のResize（リサイズ）プロパティは、基準となるセル範囲から、引数に指定した行・列分だけ拡張したセル範囲を返します。ここでは、変数myRangeに代入されたセルA1を基準に、2行3列分だけ拡張したセル範囲を取得し、それを変数myRangeに再代入しています。

COLUMN　オブジェクトの再代入と「For Each Next」

オブジェクトの再代入の仕組みが最も顕著なのは、「For Each Next」です。Forの先頭行に指定したメンバー変数とリストを利用して、次々に対象オブジェクトを再代入しながら繰り返し処理を行っていきます。

次のマクロは、「全てのワークシートのセルA1に値を入力」します。

マクロ 全てのワークシートに値を入力

```
Sub ForEachとメンバー変数の仕組み()
    Dim mySheet
    For Each mySheet In Worksheets
        mySheet.Range("A1").Value = "VBA"
    Next
End Sub
```

「Set」は使用しませんが、処理を繰り返すごとに、異なるワークシートが変数mySheetに再代入され、全てのワークシートに対する処理となります。

KEYWORD

Resizeプロパティは、引数に指定した行・列の分だけ拡張したセル範囲を取得します。

04 データ型で変数の種類を明確にする

変数に代入するデータの種類を指定することができます。値やオブジェクト等、代入するデータの種類に応じた「データ型」を指定していきましょう。

変数のデータの種類を指定する

変数は数値や文字列、オブジェクト等、さまざまな種類のデータを扱うことができます。変数に代入するデータの種類は、データ型で指定することができます。

データ型は、変数で扱うデータの種類を指定する仕組みです。VBAでは、**「変数の宣言の際にAs（アズ）というキーワードを使ってデータ型を指定」**することができます。

変数の宣言をする際にデータ型も指定するには、Dimに加えて、「As」というキーワードを併用します。

▼ 変数の宣言時にデータ型を指定

```
Dim 変数名 As データ型
```

▼ 変数のデータの種類を指定する

```
Dim 変数名 As データ型
```

```
Dim 変数名 As Integer
```
← 数値を扱う変数を宣言

```
Dim 変数名 As String
```
← 文字列を扱う変数を宣言

```
Dim 変数名 As Object
```
← オブジェクトを扱う変数を宣言

変数名の後ろに半角スペースを入れ、続けて「As」「半角スペース」「データ型」の順番で指定します。

データ型を指定した変数に、異なる種類のデータを代入するとエラーが発生します。

データ型は、対応するキーワードを使って指定します。指定できるデータ型とキーワードは、次のようになります。

▼よく利用するデータ型

データ型	説明
String	文字列型
Integer	整数型：-32,768 ～ 32,767 の範囲の整数
Long	長整数型：-2,147,483,648 ～ 2,147,483,647 の範囲の整数
Single	単精度浮動小数点数型 正の値：1.401298E-45 ～ 3.4028235E+38 負の値：-3.4028235E+38 ～ -1.401298E-45
Double	倍精度浮動小数点数型 正の値:4.94065645841246544E-324 ～ 1.79769313486231570E+308 負の値：-1.79769313486231570E+308 ～ -4.94065645841246544E-324
Date	日付型：年月日・時分秒を扱う（西暦 100 年 1 月 1 日 ～ 西暦 9999 年 12 月 31 日）
Object	汎用オブジェクト型：どんなオブジェクトでも代入可能
Variant	バリアント型：どんな値・オブジェクトでも代入可能
Range 等	固有オブジェクト型：Range や Worksheet 等、特定の種類のオブジェクトを指定

変数はデータ型を指定せずに利用することができます。その場合は、「何でも値を代入できる Variant（バリアント）型」として扱われます。

データ型を指定することで、**「その変数がどのような種類の値を扱うものなのか」を明確にする**ことができます。後からコードを見直す場合にも見通しがよくなります。なるべく、データ型を指定していきましょう。

データ型の指定を行ってみましょう。例えば、「変数『myValue』を文字列型（String 型）で宣言」するには、次のようにコードを記述します。

```
Dim myValue As String
```

また、複数の変数を同時に宣言する際には、「たとえ同じデータ型であっても、個別に As キーワードを利用してデータ型を宣言」する必要があります。

次のコードは、「変数『myNumber1』『myNumber2』を長整数型（Long 型）で宣言」します。

```
Dim myNumber1 As Long, myNumber2 As Long
```

よくある間違いが、片方だけにデータ型を宣言する記述です。

```
Dim myNumber1, myNumber2 As Long
```

上記のコードは、myNumber1は「型指定なし(Variant型)」となり、myNumber2のみがLong型になります。注意しましょう。

KEYWORD

データ型は、変数のデータの種類を表し、Asキーワードを使って指定します。データ型を指定しない場合は、全ての種類を扱えるVariant型になります。

データ型を指定するとヒントが表示される

データ型を指定することのもう1つのメリットとして、VBEの「コード」ウィンドウで、「コードを入力する際にヒント」が表示されます。

変数にデータ型を指定すると、コードを入力する際に、**入力補助**機能が働きます。**入力候補が表示されて、その中から選択する**といったことが行えるようになります。

まずは、実際のコードを見ていただきましょう。

```
Dim myNumber As Long
Dim myRange As Range
```

上記の2行のコードの意味は、1行目は、「変数『myNumber』を、数値を扱う変数として宣言します」という意味となり、2行目は、「変数『myRange』を、セル（Rangeオブジェクト）を扱う変数として宣言します」という意味となります。この時、「○○として扱う」という部分が「データ型」です。

▼ データ型は「○○として扱う」という意味

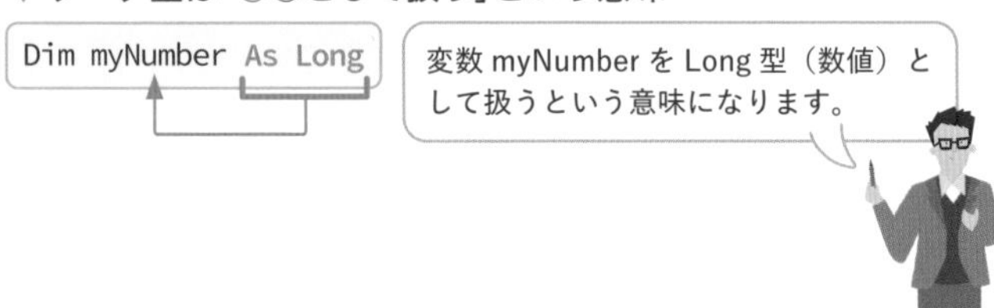

Dim myNumber As Long
変数 myNumber を Long 型（数値）として扱うという意味になります。

例えば、Range 型で変数「myRange」を宣言したとします。その場合には、VBE でコードを入力する際に、「myRange.」と、変数名に続けてドット（.）を入力した段階で、次図のように、「Range オブジェクトのプロパティやメソッドの一覧がリスト表示」されます。

▼ 入力候補が表示される

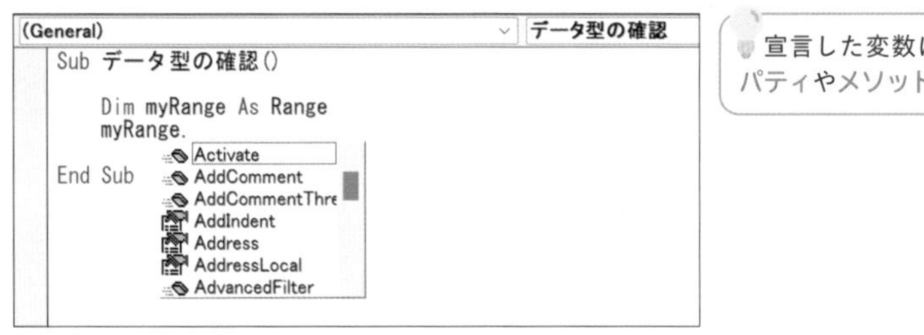

このように、データ型に応じたヒントが表示されるため、コードの入力がとても楽になります。その他にも、あらかじめどんなデータを扱うかが明確になっているため、エラーチェックの厳密化や処理速度の向上等のメリットもあります。

COLUMN　データ型の宣言は必須ではないが…

VBA は、データ型を「宣言しても OK だし、しなくても OK」という仕組みとなっています。本来であれば、データ型を宣言した方がさまざまなメリットがあるのですが、本書では、プログラム未経験者の方に、「まず、VBA のプログラムの全体の流れを押さえていただきたい」という方針であるため、本文内のコードでは、変数のデータ型の宣言は行っていません。

とはいえ、ゆくゆくは変数のデータ型の宣言も行えるようになるのが理想です。また、「他の上級者の方が作成したコードを読み解いて自分のマクロにも利用したい」という方も、自分では利用しなくても、仕組みを知っておくと理解の役に立つでしょう。

COLUMN 変数の宣言を強制する「Option Explicit」ステートメント

実はVBAの変数は、Dimで宣言しなくてもいきなり利用することも可能です。次のコードは、「変数『num』に宣言なしで『10』を代入し、その後、『5』だけ加算した値を再代入し、変数の値を表示」します。

```
num = 10
num = num + 5
MsgBox num    '「15」という値が表示される
```

便利な仕組みなのですが、コードの途中で変数名を間違ってタイプした場合にも、間違いに気づきにくい等の問題点もあります。

そのため、VBAには、「変数の宣言を強制するための機能」も用意されています。標準モジュールの先頭行に「`Option Explicit`」と記述することで、その標準モジュール内のマクロでは、宣言せずに変数を扱うと実行時にエラーになります。

▼「Option Explicit」により変数の宣言がチェックされる

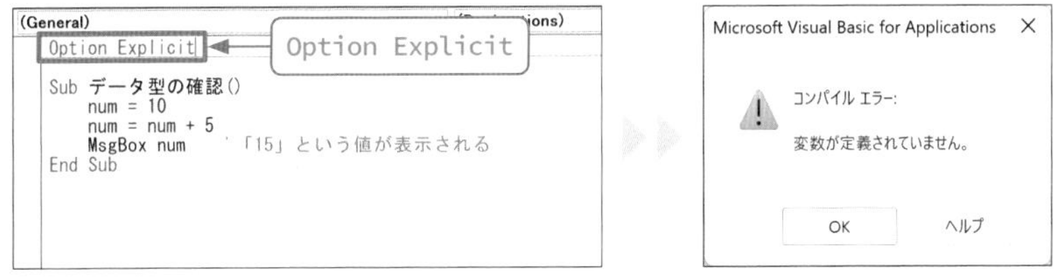

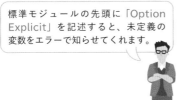

標準モジュールの先頭に「Option Explicit」を記述すると、未定義の変数をエラーで知らせてくれます。

また、「Option Explicit」を毎回手作業で入力しなくても、「標準モジュールの追加時に自動入力させる」ことも可能です。VBEのメニューから、[ツール]→[オプション]を選択して表示される、「オプション」ダイアログボックス内の、[変数の宣言を強制する]にチェックを入れて、[OK]ボタンをクリックすれば、以降は、標準モジュール追加時に、自動的に「Option Explicit」が記述されます。

▼ VBEのオプション設定で自動入力されるようにもできる

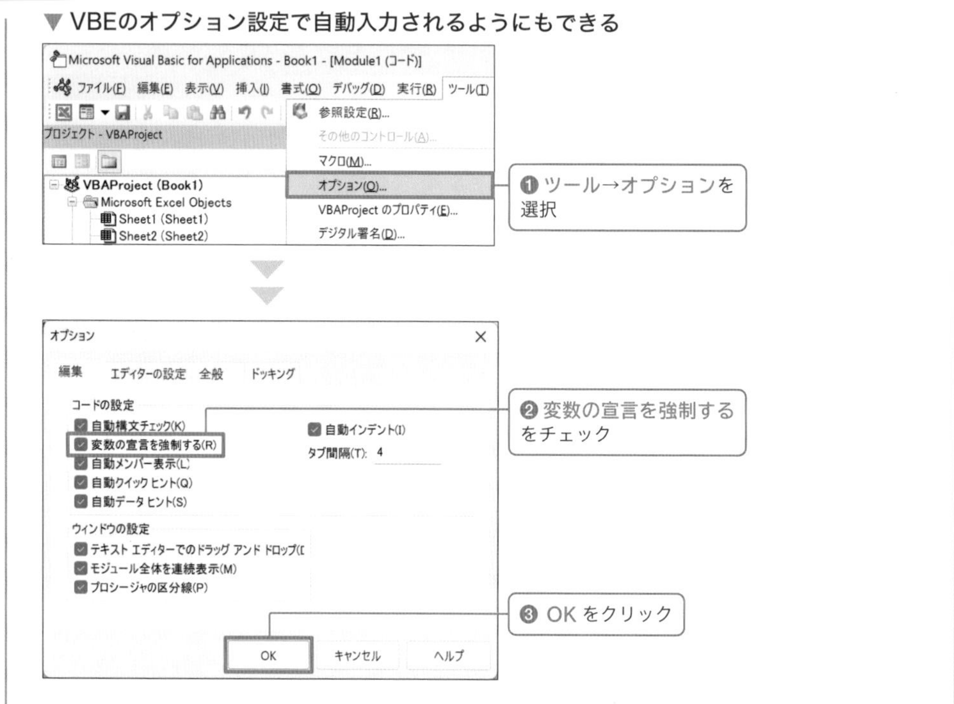

6章のおさらい

以下の問題文の中のカッコを埋める選択肢を選んでみましょう。

問題 1

値やオブジェクトを特定の名前で扱えるようにする仕組みが（　A　）です。（　A　）に値やオブジェクトを設定・再設定する仕組みを（　B　）と呼びます。

①変数　②定数　③構造体　④演算子
⑤初期化　⑥代入　⑦確保

問題 2

変数は、Dim ステートメントを使って「この名前を変数として扱います」と（　C　）できます。また、変数に値を設定する際には（　D　）の形で代入を行い、オブジェクトを設定するには、（　E　）の形で代入を行います。

①宣告　②宣言
③変数 = 値　④Dim 変数 = 値　⑤For 変数 = オブジェクト
⑥Dim 変数 = オブジェクト　⑦Set 変数 = オブジェクト

問題 3

変数は、Dim ステートメントで宣言する際、As キーワードを使って「この変数ではこの（　F　）を扱いますよ」と指定可能です。（　F　）を指定して宣言した変数に、異なる（　F　）の値やオブジェクトを代入しようとするとエラーメッセージが表示されます。
よく使う（　F　）は、整数であれば（　G　）、文字列は（　H　）等です。また、特に指定しない場合には、（　I　）という「何でも代入できる（　F　）」として扱われます。

①拡張子　②データ型　③Option Explicit
④String 型　⑤Object 型　⑥Variant 型　⑦Long 型

解答と解説

問題 1 の解答

A：①変数、B：⑥代入

値やオブジェクトを特定の名前で扱いたい場合には、「変数」を利用します。変数に値やオブジェクトを設定する仕組みは「代入」と呼ばれます。

ちなみに、変数によく似た仕組みに「定数」があります。変数と定数は、どちらも値を特定の名前（識別子）で扱えるようにする仕組みですが、変数は値の再代入が可能、定数は一度値を設定したら変更（再代入）は不可能という違いがあります。

問題 2 の解答

C：②宣言、D：③変数 = 値、E：⑦Set 変数 = オブジェクト

Dim ステートメントを使って扱う変数を記述することを、「変数を宣言する」と言います。

また、変数に値を代入する際には「変数 = 値」、オブジェクトを代入する際には「Set 変数 = オブジェクト」の形でコードを記述します。この場合の「=」は「変数と値やオブジェクトが、同じかどうかを比較する」という意味ではなく、「変数に値やオブジェクトを代入する」という意味になります。

問題 3 の解答

F：②データ型、G：⑦Long 型、H：④String 型、I：⑥Variant 型

変数を宣言する際、As キーワードを使って扱うデータ型を含めて宣言することが可能です。データ型を宣言した変数に、異なるデータ型の値やオブジェクトを代入しようとするとエラーが表示されるようになるため、意図していないものを扱ってしまうミスを減らすことができます。また、データ型に対応したヒントも表示されるようになります。

よく使われるデータ型は、整数であれば Long 型、文字列であれば String 型です。その他、小数も扱いたい場合は Double 型、日付の場合は Date 型等が用意されています。

また、特にデータ型を宣言しない場合は、Variant 型で宣言したと見なされ、どんな値やオブジェクトも扱えます。ただし、意図していないデータ型の代入チェックやコードヒントの表示が行われない点には注意しましょう。

第 7 章

状況に応じて
自動で操作を分岐する

01 「条件分岐」で操作の流れを変える

セルに入力されている値によって、対応する操作を自動で切り替えることもできます。操作の流れを自在にコントロールする仕組みを学習していきましょう。

状況に応じて実行する操作を変更する

VBAには、条件分岐(じょうけんぶんき)という仕組みも用意されています。条件分岐は、今まで学習してきた基本の操作やループ処理とは、少し異なる仕組みです。

条件分岐を簡単に言うと、**「実行する操作をプログラムに『判断』させる仕組み」**です。セルの値等に応じて、実行される操作を自動的に変更することができます。

ここまで聞くと、Excelのワークシート関数をよく利用されている方であれば、IFワークシート関数が思い浮かぶのではないでしょうか。IFワークシート関数は、「条件式に応じて2パターンの結果のいずれかを返す」ものですが、まさにこの仕組みをプログラム化したのが、条件分岐の仕組みです。

▼条件に応じてプログラムの流れを変化させる

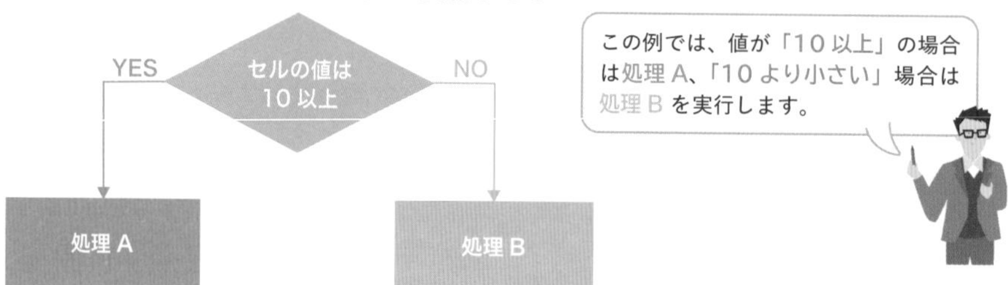
セルの値は
10以上
YES
NO
処理A
処理B
この例では、値が「10以上」の場合は処理A、「10より小さい」場合は処理Bを実行します。

例えば、「セルに値を入力するコード（処理A）」と、「セルの値を消去するコード（処理B）」を作成したとします。このコードの適用ルールとして、「B列に入力されている担当者名が『中村』であれば値を入力（処理A）、そうでなければ消去（処理B）」という操作を行います。

▼ セルの値によって実行する操作が変化する

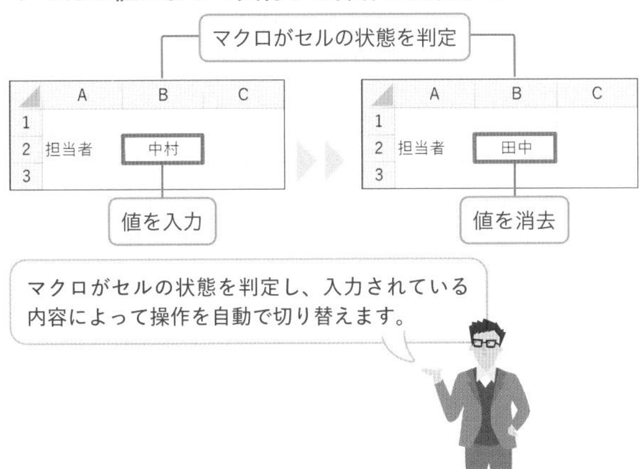

この場合、条件分岐の仕組みを知らないと、それぞれの操作を行う対象の仕分けや選択は、手作業で行う必要があります。これは、時間を取る上に、うっかりミスが発生する可能性があります。

条件分岐の仕組みを利用すれば、**「どちらの操作を適用するのか」の判断までマクロ上で行える**ので、素早く・ミスなく操作が行えるようになります。

条件分岐は、操作の自動化において、「判断」の部分までプログラムに委ねられる、一歩進んだテクニックと言えます。特に、状況に応じて、細やかに操作を切り替えるような業務を日々行っている場合には、押さえておくと作業効率がグンと上がるテクニックでもあります。

KEYWORD

条件分岐は、対象のオブジェクトの状況を判断して、自動で実行する操作を切り替える仕組みです。

状況の判断は「条件式」で行う

VBA で条件分岐を行うには、If（イフ）というキーワードを利用します。「If」を使った条件分岐の基本的な記述ルールは次のようになります。これは丸暗記してしまいましょう。

▼「If」の記述ルール

```
If 条件式 Then
    条件式が True(真)の場合に実行する操作
End If
```

「If」の後ろに記述した条件式を判定し、条件を満たす場合（True の場合）のみ、「End If」との間までに挟まれた行に記述してある操作を実行します。条件を満たさない場合は、挟まれた部分の操作は実行されません。

▼条件を満たす場合は操作を実行する

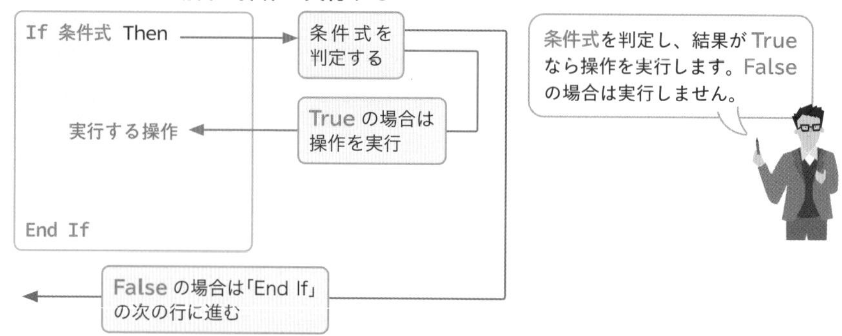
If 条件式 Then
条件式を判定する
実行する操作
True の場合は操作を実行
End If
False の場合は「End If」の次の行に進む
条件式を判定し、結果が True なら操作を実行します。False の場合は実行しません。

次のマクロは、「セル A1 の値が『VBA』の場合のみメッセージを表示」します。

SAMPLE 処理の分岐 .xlsm

マクロ 「If」で条件分岐を行う

```
Sub 条件分岐()
    If Range("A1").Value = "VBA" Then
        MsgBox "セル A1 の値は「VBA」です"
    End If
End Sub
```

この例では、「`Range("A1").Value = "VBA"`」が条件式です。条件式を作成するには、122 ページでも紹介した**比較演算子**を利用します。

比較演算子による判定は、条件を満たす場合は「True」を返し、満たさない場合は「False」を返します。

▼ セルの値を判定して操作を行う

実行前
実行後
A
B
C
VBA
Microsoft Excel
セルA1の値は「VBA」です
OK
Excel
セル A1 の値が「VBA」の場合はメッセージが表示され、それ以外の場合は何も起こりません。

IF ワークシート関数を利用している方であれば、IF ワークシート関数の 1 つ目の引数に指定する式と同じ感覚で利用できるでしょう。

▼ 条件式を作成する比較演算子

演算子	例	意味
=	a = b	等しい。a と b が等しい場合は「True」
<>	a <> b	等しくない。a と b が等しくない場合は「True」
<	a < b	より小さい。a が b より小さい場合は「True」
>	a > b	より大きい。a が b より大きい場合は「True」
<=	a <= b	以下。a が b 以下の場合は「True」
>=	a >= b	以上。a が b 以上の場合は「True」

条件式には、VBA に用意されている関数を利用することもできます。主に、「セルの値が数値だった場合」「セルの値が日付だった場合」のように、**「値が○○かどうか」を判定**するのに利用できます。

KEYWORD

If は、条件分岐の仕組みを利用するためのキーワードです。条件式を判定し、結果に応じて実行する操作を切り替えます。

条件式に利用できる関数のうち、主なものを以下に示します。

▼ **条件式に指定できる関数**

関数	意味
IsNumeric	数値の場合に「True」
IsDate	日付値の場合に「True」
IsError	エラー値の場合に「True」
IsEmpty	Empty の場合に「True」
IsArray	配列の場合に「True」
IsNull	Null 値の場合に「True」
IsObject	オブジェクトの場合に「True」
TypeName	引数のデータ型を表す文字列を返す
VarType	引数のデータ型を表す定数を返す

例えば、「セル A1 の値が数値かどうか」を判定するには、IsNumeric(イズニューメリック) 関数を利用して次のようにコードを記述します。

```
If IsNumeric(Range("A1").Value) Then
    'セル A1 が数値だった場合の操作
End If
```

IsNumeric 関数を始めとして「○○かどうか」を判定する関数には、名前の先頭に「Is」が付くという特徴があります。英語の疑問形（「Is This a Pen?」のような形式）を模しているわけですね。

自分では利用しない場合でも、このルールを覚えておくと、「Is ○○」というコードを見かけた際、「この部分は○○かどうか、ということを判定しているのだな」と、見当をつけられるようになります。

KEYWORD

IsNumeric 関数は、引数の値が数値かどうかを判定します。

COLUMN 「文字列かどうか」を判定するには

よくある例として、「文字列がどうか」を判定して操作を分岐したい場合があります。ただ、VBAには、「文字列かどうか」を直接判定する関数は用意されていません。この場合には、TypeName（タイプネーム）という、引数として指定した値の書式（データ型）を文字列で返す関数を利用します。

例えば次のコードは、引数が文字列なので、文字列を表す「String」という結果を返します。

```
TypeName("あいうえお")
```

また、次のコードは、長整数型（標準的な桁数の数値）を表す「Long」という結果を返します。

```
TypeName(123456)
```

▼ TypeName関数の引数と結果

引数のデータ型	返ってくる文字列
文字列	String
数値	Long 等(桁数によって変化)
日付	Date

文字列かどうかは、TypeName関数を利用して戻り値が「String」かどうかで判定します。コードは次のようになります。

```
If TypeName(Range("A1").Value) = "String" Then
    'セル A1 が文字列だった場合の操作
End If
```

また、TypeName関数は、「変数に代入されているのがセル（Rnageオブジェクト）かどうか」等の判定を行いたい場合にも利用可能です。例えば、「TypeNmae(変数) = "Range"」の結果が「True」であれば、変数にはセルが代入されています。

KEYWORD

TypeName関数は、引数に指定した値のデータ型を返します。

02 「True」と「False」で操作を分岐する

条件を「満たす場合」と「満たさない場合」で、操作を分岐する方法を学習しましょう。２つ以上の操作を自動で切り替えることができます。

条件式の結果に応じて2パターンの操作を行う

「If」を使えば、「条件を満たす場合のみに操作を実行」することができます。それだけでなく、「条件式の結果に応じて実行する操作を変化」することもできます。

Else（エルス）キーワードを使えば、条件式の結果が「True」の場合は操作A、「False」の場合は操作B、というように実行する操作を分岐することができます。

条件式を使って、２パターンの操作に分岐させたい場合には、「Else」キーワードを使って次のように記述します。

▼２パターンの操作に分岐

```
If 条件式 Then
    条件式が True(真)の場合に実行する操作
Else
    条件式が Flase(偽)の場合に実行する操作
End If
```

▼２パターンの操作に分岐する

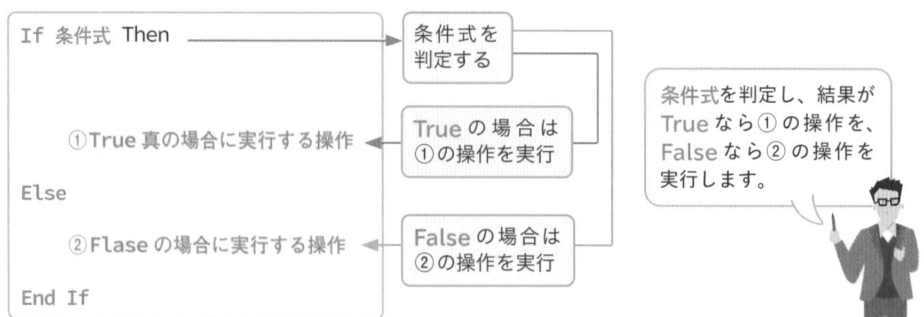
If 条件式 Then
①True 真の場合に実行する操作
Else
②Flase の場合に実行する操作
End If
条件式を判定する
True の場合は①の操作を実行
False の場合は②の操作を実行
条件式を判定し、結果がTrueなら①の操作を、Falseなら②の操作を実行します。

次のマクロは、「セル A1 の値が『VBA』の場合と、そうでない場合で実行する操作を分岐」します。

SAMPLE 複数パターンに分岐 .xlsm

マクロ 「Else」キーワードで 2 パターンに分岐する

```
Sub IfThenElseで分岐()
    If Range("A1").Value = "VBA" Then
        MsgBox "セルA1の値は「VBA」です"
    Else
        MsgBox "セルA1の値は「VBA」ではありません"
    End If
End Sub
```

▼ 実行する操作を 2 つに分岐する

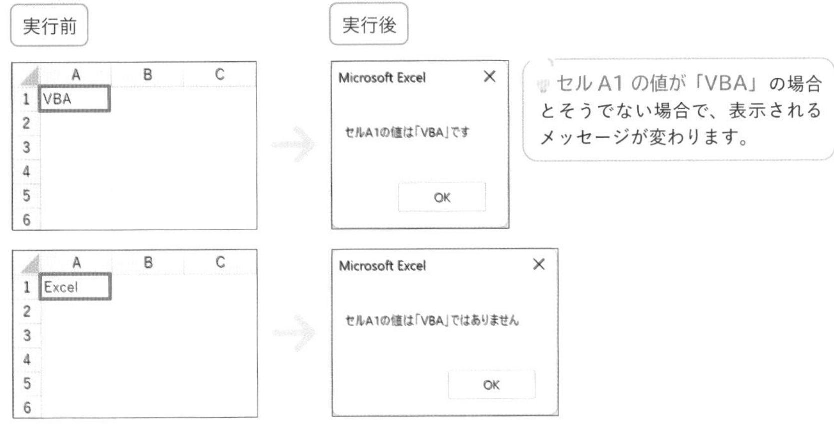
実行前
実行後
A
B
C
VBA
Excel
Microsoft Excel
セルA1の値は「VBA」です
セルA1の値は「VBA」ではありません
OK
セル A1 の値が「VBA」の場合とそうでない場合で、表示されるメッセージが変わります。

ポイントは、「If」と「Else」の間に挟まれた行に、**条件式が「True」の場合に実行したい操作**を記述し、「Else」と「End If」の間に挟まれた行に、**条件式が「False」の場合に実行したい操作**を記述することです。

2 パターンの操作を記述するために、少しコードが長くなり、ぱっと見ると難しそうにも感じますが、キーワードに注目し、「挟まれた部分」を意識してみると、簡単なコードを組み合わせているだけ、ということに気がつきます。

KEYWORD

Else キーワードを使うことで、True の場合と False の場合で、それぞれ実行する操作を切り替えることができます。

もっと分岐の数を多くするには

2パターンに分岐する方法を紹介しましたが、分岐の数は3パターン以上に増やすこともできます。

分岐の数をさらに増やしたい場合には、ElseIf（エルスイフ）キーワードを利用します。ElseIfの後ろに条件式を追加し、その後の行に、追加した条件式が「True」の時に実行したい操作を記述します。

▼3パターン以上に処理を分岐する

```
If 条件式1 Then
    ①条件式1がTrue(真)の場合に実行する操作
ElseIf 条件式2 Then
    ②条件式2がTrue(真)の場合に実行する操作
Else
    ③全ての条件式がFalse(偽)の場合に実行する操作
End If
```

上記のように記述すると、「条件式1がTrueの場合」は、操作①が実行されます。操作②と操作③は実行されません。また、「条件式2がTrueの場合」は、操作②が実行され、操作①と操作③は実行されません。「条件式1と条件式2がどちらもFalseの場合」は、操作③が実行されます。操作①と操作②は実行されません。

▼3つ以上のパターンに分岐する

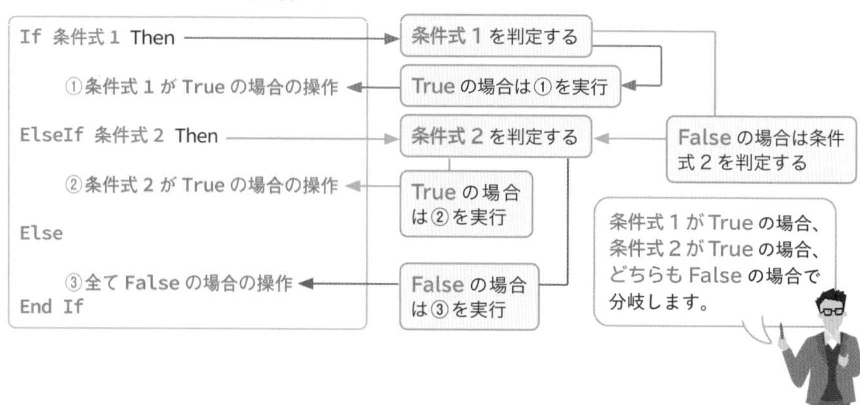

KEYWORD

ElseIfキーワードを使うことで、条件式を追加して、3パターン以上の分岐が行えるようになります。

上から順に条件式を判定し、「True」であれば対応する箇所の処理のみを実行して終了するわけですね。全ての条件式の結果が「False」の場合は、「Else」の箇所の処理が実行されます。

次のマクロは、「ブック内のシート枚数が3枚以上かをチェックし、続いて、1枚目のシート名が『集計』かどうかをチェックし、どちらのチェックにも引っかからない場合には、『チェックOK』のメッセージを表示」します。

マクロ　3パターンに操作を分岐する

```
Sub ElseIfで複数条件で判定()
    If Worksheets.Count < 3 Then
        MsgBox "ワークシートを3枚以上にしてください"
    ElseIf Worksheets(1).Name <> "集計" Then
        MsgBox "1枚目のシート名を「集計」に変更してください"
    Else
        MsgBox "シート数・シート名のチェックOKです"
    End If
End Sub
```

▼ ワークシートの状態で実行される操作が変わる

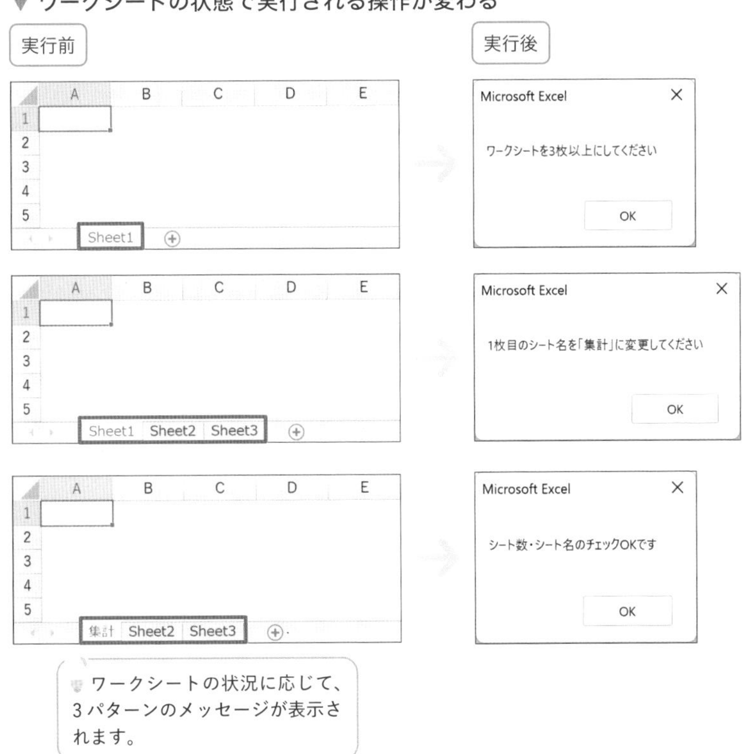

この場合、1つ目の条件式は「`Worksheets.Count < 3`」の部分です。内容は、「ワークシートの総数が『3』より小さいかどうか」を判定します。この条件式の結果が「True」の場合には、その次の「ElseIf」までの間に挟まれた行に記述された操作のみが実行されます。

2つ目条件式は、「Else If」に続く、「`Worksheets(1).Name <> "集計"`」の部分です。「<>」は「等しくない」という意味の比較演算子でしたね。内容は、「1枚目のシート名が『集計』ではないかどうか」を判定します。この条件式の結果が「True」の場合には、その次の「Else」までの間に挟まれた行に記述された操作のみが実行されます。

先に記述した条件式の「全てが『True』ではない」場合には、「Else」から「End If」までの間に挟まれた行に記述された操作のみが実行されます。

例では条件式は2つだけですが、3つ以上にしたい場合には、「ElseIf 条件式 Then」の節を付け加えればOKです。その場合、条件式を満たした場合に実行されるは、次の「ElseIf」や「End If」等の間に挟まれた行に記述された操作のみになります。

COLUMN IFワークシート風に使えるIIf関数

「条件分岐」と聞いて、ワークシート上で使うIFワークシート関数を思い浮かべた方も多いのではないでしょうか。実はVBAにも、IFワークシート関数と同じようなテイストで利用できるIIf（アイイフ）関数が用意されています。

次のコードは、「セルA1の値が100ならば『満点』を返し、それ以外はセルA1の値の末尾に『点』を連結した値を返す」仕組みを、IIf関数を使って作成しています。IFワークシート関数のように値を返す処理を作成したい場合にはこちらも利用してみましょう。

```
MsgBox IIf(Range("A1").Value=100, "満点", Range("A1").Value & "点")
```

KEYWORD

IIf関数は、1つ目の引数に指定した式の結果に応じて、2つ目と3つ目に指定した値のどちらかを返します。

03

条件を組み合わせて分岐先を判断する

複数の条件式を「共に」あるいは「いずれか」を満たす場合に操作を実行するようにしましょう。また、ケースによって実行する操作を切り替える方法も紹介します。

「共に」あるいは「いずれか」を満たす場合に分岐

「所属が『本社』、かつ、部署が『営業』の場合」のように、「複数の条件式を両方を満たすかどうかを判定」したいケースもあるでしょう。また、「所属が『本社』、もしくは、部署が『営業』の場合」のように、「複数の条件式のうち、いずれかを満たすかどうかを判定」したいケースもあります。

「複数の条件式を共に満たす」場合には And（アンド）演算子、**「複数の条件式のいずれかを満たす」**場合には Or（オア）演算子を利用して、条件式を繋いで記述します。

条件式部分だけをピックアップすると、「And」を使った場合は、次のように記述します。

▼「And」を使った条件式

条件式 1 And 条件式 2

▼「共に」条件を満たす場合は操作を実行する

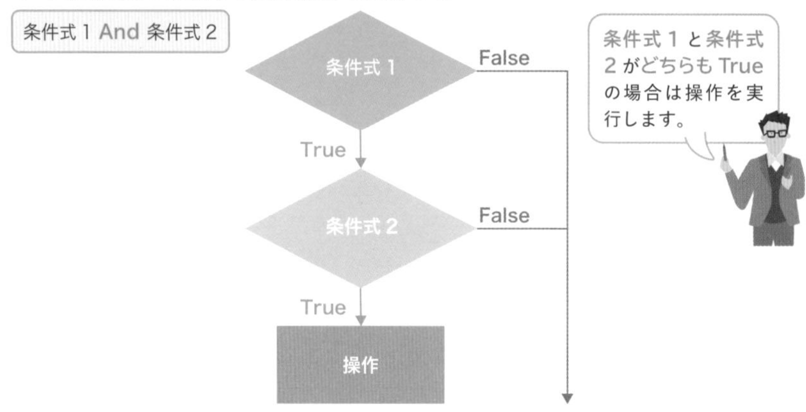

「Or」の場合は、次のように記述します。

▼「Or」を使った条件式

```
条件式 1  Or  条件式 2
```

▼「いずれか」の条件を満たす場合は操作を実行する

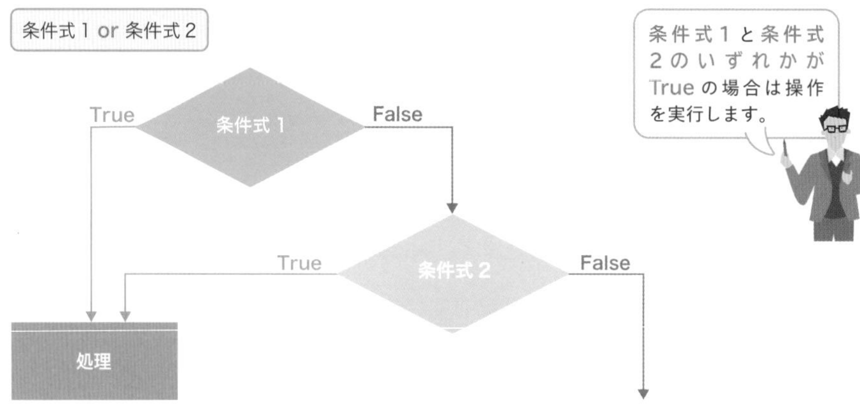

次のマクロは、「シート数が 3 枚より少ない」と「1 枚目のシート名が『集計』ではない」という 2 つの条件式を共に満たす場合のみにメッセージを表示します。

SAMPLE 2つの条件で分岐 .xlsm

マクロ 共に条件を満たす場合は操作を実行する

```
Sub 条件を共に満たすかを判定()
    If Worksheets.Count < 3 And Worksheets(1).Name <> "集計" Then
        MsgBox "シート数とシート名に不備があります"
    End If
End Sub
```

▼２つの条件式で実行する操作を判定する

「Worksheets.Count < 3」と「Worksheets(1).Name <> "集計"」の２つの条件式を And 演算子で繋いでいます。

「共に満たす」ではなく、「いずれかを満たすか」を判定したい場合には、And 演算子部分を、Or 演算子に変更します。

```
Worksheets.Count < 3 Or Worksheets(1).Name <> "集計"
```

KEYWORD

条件式に And 演算子を使うと、共に条件式を満たす場合は操作を実行します。Or 演算子を使うと、いずれかの条件式を満たす場合に操作を実行します。

| COLUMN | 慣れないうちは条件式を独立させる

And 演算子や Or 演算子を利用した条件式の記述は、1 行のコードが長くなってしまい、読みにくくなる傾向があります。そのため、慣れないうちは難しく感じることもあります。このようなケースでは、「条件式部分を独立した式として記述」すると、コードの見通しがよくなります。

次のマクロは、本文に掲載したマクロのコードを修正し、条件式として判定したい部分を独立させたものです。

マクロ 条件式を独立させる

```
Sub 条件式部分を独立()
    '条件式の結果を格納する変数を用意
    Dim checkFlag
    '変数に条件式の結果を格納
    checkFlag = _
        Worksheets.Count < 3 _
        And _
        Worksheets(1).Name <> "集計"

    '変数の値を元に条件分岐
    If checkFlag Then
        MsgBox "シート数とシート名に不備があります"
    End If
End Sub
```

2 つの条件式をあらかじめ判定し、その結果を変数「checkFlag」へ代入しておきます。その上で、「If」の条件式部分に変数を当てはめ、条件分岐を行います。条件式部分が変数名のみで違和感がある場合には、「`checkFlag = True`」のようにしてもよいでしょう。

また、複数の条件式を明確にするため、条件式ごとに「 _」(スペース アンダーバー)を利用した改行を入れるという工夫もしています。

少々冗長な感もありますが、慣れないうちや、条件式の個数が多い場合には、自分なりに工夫して、頭の中を整理しながら 1 つひとつのコードを組み立てやすい記述を優先していきましょう。

ケースによって分岐する

条件によって処理を分岐させる方法として、Select Case（セレクト ケース）という仕組みも用意されています。

「Select Case」は、**1つの値に注目し、その値によって何種類かに処理を分岐させる**ことができます。「○○のケースは、この操作を実行」というイメージで考えられます。

具体的に言うならば、マクロを実行した日の「曜日」に注目し、「月曜日か水曜日には操作Aを実行し、火曜日には操作B、木曜日には操作C、金曜日には操作Dを実行する」というような場合です。

▼ 値に応じて実行する操作を分岐する

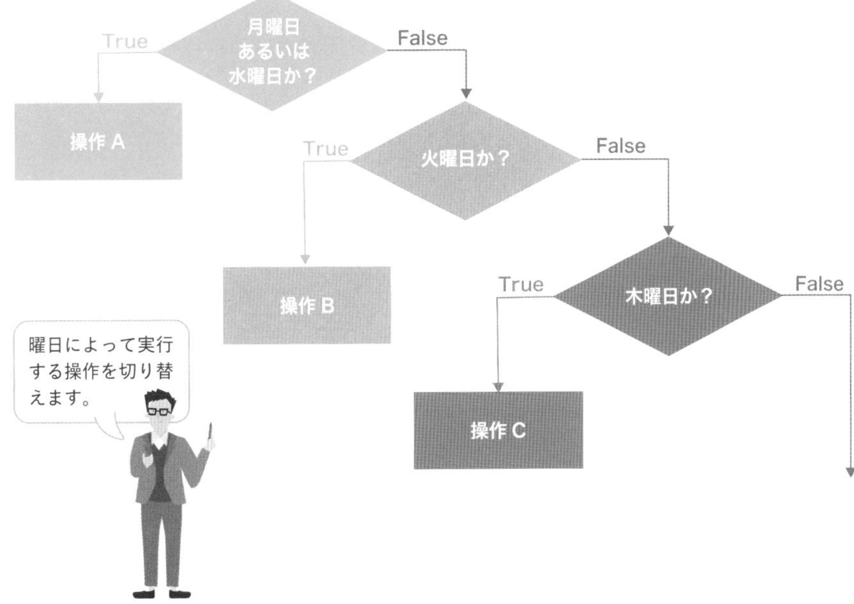

Select Caseを使った条件分岐の基本的な記述ルールは、次のようになります。

▼ Select Caseの記述ルール

```
Select Case 注目する値
    Case 値A
        ①値Aだった時に実行する操作
    Case 値B
        ②値Bだった時に実行する操作
    Case 値C, D
        ③値C、もしくは値Dだった時に実行する操作
    Case Else
        ④前述の値に当てはまらなかった時に実行する操作
End Select
```

まず、「Select Case」の後ろに、注目する値（チェックしたい値）を記述します。セルA1の値に注目して処理を分岐させたい場合には、「Select Case Range("A1").Value」のように記述します。

続く行に、「Case 分岐のキーとなる値」という形式でコードを記述し、その次の行からは、キーとなる値だった場合に実行する操作を記述します。この記述を、分岐のキーとなる値の分だけ続けていきます。

▼「注目する値」と「分岐のキーとなる値」を比較して実行する操作を決める

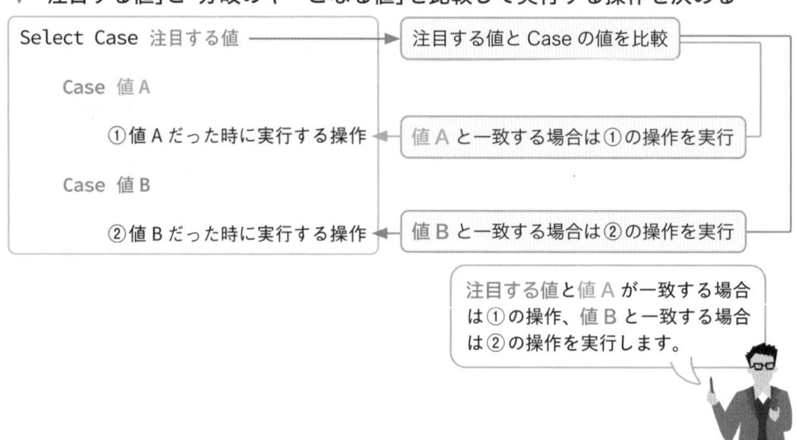
Select Case 注目する値
Case 値A
①値Aだった時に実行する操作
Case 値B
②値Bだった時に実行する操作
注目する値とCaseの値を比較
値Aと一致する場合は①の操作を実行
値Bと一致する場合は②の操作を実行
注目する値と値Aが一致する場合は①の操作、値Bと一致する場合は②の操作を実行します。

また、注目する値が、リストアップした分岐のキーとなる値以外だった場合に特定の操作を実行するには、Case Elseと記述し、その次の行から実行したい操作を記述します。最後に、End Selectを記述して完成です。

「Case Else」は省略可能です。その場合は、全ての条件に当てはまらない場合は、操作を実行せずに終了します。

▼「注目する値」と「キーとなる値」が一致しない場合

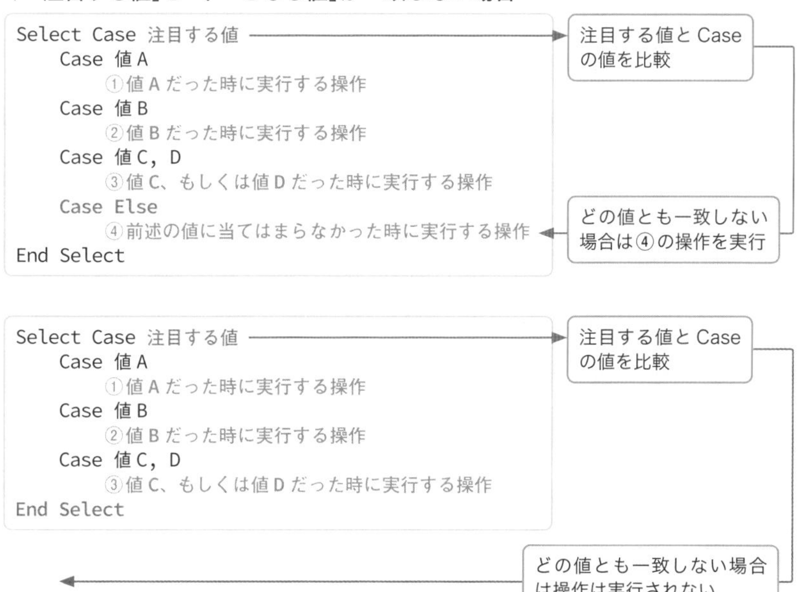

Select Case 注目する値
Case 値A
①値Aだった時に実行する操作
Case 値B
②値Bだった時に実行する操作
Case 値C, D
③値C、もしくは値Dだった時に実行する操作
Case Else
④前述の値に当てはまらなかった時に実行する操作
End Select
注目する値とCaseの値を比較
どの値とも一致しない場合は④の操作を実行
Select Case 注目する値
Case 値A
①値Aだった時に実行する操作
Case 値B
②値Bだった時に実行する操作
Case 値C, D
③値C、もしくは値Dだった時に実行する操作
End Select
注目する値とCaseの値を比較
どの値とも一致しない場合は操作は実行されない

次のマクロは、「曜日によって処理を分岐させて、対応するメッセージを表示」します。

マクロ 値によって操作を分岐する

```
Sub SelectCaseで処理を分岐()
    Select Case Weekday(Date)
        Case 2, 4
            MsgBox "月曜日、もしくは水曜日です"
        Case 3
            MsgBox "火曜日です"
        Case 5
            MsgBox "木曜日です"
        Case 6
            MsgBox "金曜日です"
        Case Else
            MsgBox "対象外の曜日です"
    End Select
End Sub
```

▼ 曜日に応じて実行する操作を切り替える

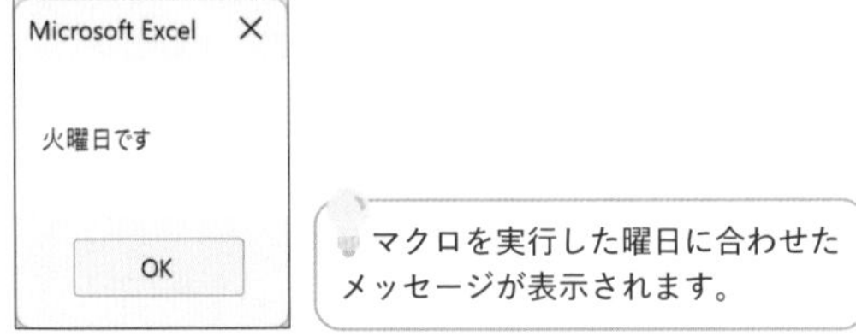

Microsoft Excel
火曜日です
OK
マクロを実行した曜日に合わせたメッセージが表示されます。

このマクロでは、「Select Case Weekday(Date)」の箇所で、注目したい値として「Weekday(Date)」を指定しています。VBA では、Date（デート）関数は、マクロを実行した時点での「当日の日付」を返します。また、Weekday（ウィークデイ）関数は、引数に指定した日付の曜日に対応する数値を「日曜日は 0、月曜日は 1…」というルールで返します。つまり、「当日の曜日を表す数値」に注目して処理を分岐します。

あとは、「Case ○○」の形で、分岐をさせたい値を「Case」の後ろに記述し、その後ろの行に実行したい操作を記述していきます。この時、「Case 2, 4」のように、複数の値をカンマ区切りで列記すると、その値のいずれかに当てはまる場合に処理を分岐することができます。

▼ いずれかの値に当てはまる場合に実行する

```
Select Case Weekday(Date)
      Case 2, 4
          MsgBox "月曜日、もしくは水曜日です"
```

カンマで繋げて記述することで、条件の値を複数指定できます。

このように、Select Case は、1 つの値に注目し、きめ細かく処理を分岐させたい場合に便利な仕組みです。ElseIf を重ねても同じように処理の分岐はできますが、分岐の根拠となる注目したい値が、全ての分岐で同一な場合には、Select Case を選んだ方がスッキリ簡単にコードを記述できるでしょう。

KEYWORD

Date 関数は、当日の日付を返します。Weekday 関数は、引数に指定した曜日に対応する数値を返します。

7章のおさらい

以下の問題文の中のカッコを埋める選択肢を選んでみましょう。

問題 1

「○○であればこの処理を行い、そうでなければ別の処理を行う」等、人が判断するようにマクロの流れを分岐させる仕組みを「(　A　)」と呼びます。代表的な(　A　)の仕組みである「If」では、流れを分岐する判断の基準は、(　B　)と呼ばれる「True か False か」のいずれかの答えを返す式で行います。

①繰り返し　②制御構造　③条件分岐
④関数式　⑤条件式　⑥ステートメント

問題 2

次のような「ElseIf」と「Else」を利用して作成された「If」のコードがあります。

```
If Worksheets.Count < 3 Then
    処理 1
ElseIf Worksheets(1).Name <> "集計" Then
    処理 2
Else
    処理 3
End If
```

「シート数が2枚あり、1枚目のシート名が『集計』」の状態でこのコードを実行すると、実行される処理は(　C　)になります。

①処理1のみ　②処理2のみ　③処理3のみ
④処理1と処理2　⑤処理2と処理3　⑥処理1～3は実行されない

問題 3

問題2のコードがある時、「シート数が3枚あり、1枚目のシート名が『集計』」の状態でこのコードを実行すると、実行される処理は(　D　)になります。

①処理1のみ　②処理2のみ　③処理3のみ
④処理1と処理2　⑤処理2と処理3　⑥処理1～3は実行されない

解答と解説

問題 1 の解答　A：③条件分岐、B：⑤条件式

プログラムの流れを分岐させる仕組みを「条件分岐」と呼びます。代表的な条件分岐の仕組みである「If」では、分岐の判断を「条件式」と呼ばれる、True（真）もしくはFalse（偽）のいずれかの結果を返す式を利用します。

ちなみに、②の「制御構造」は「プログラムの流れを変える仕組み」の総称です。VBA の場合は、「For Next」等の「繰り返し」や、「If」等の「条件分岐」は、まとめて「制御構造」の仕組みに当たります。

問題 2 の解答　C：①処理 1 のみ

「ElseIf」「Else」は、複数の条件式を利用した条件分岐を行いたい時に利用します。

条件式とその条件式の答えが「True」だった場合に実行する処理は複数記述できますが、条件式の判定は、上から順に条件式を判定し、最初に条件式を満たした場合に対応する処理を実行したら、その後の条件判定は行わずに「End If」以降の処理が実行されます。

つまり、何個条件式を書いても、実行されるのはどれか 1 つだけとなります。問題 2 の場合は、「シート数が 2 枚」の時点で、最初の条件式である「Worksheets.Count < 3」を満たしているため、対応する「処理 1」の部分のみが実行され、「End If」部分以降に処理が移ります。

問題 3 の解答　D：③処理 3 のみ

問題 3 のケースを上記のルールに従って考えると、最初の条件式である「Worksheets.Count < 3」は満たさず、2 番目の条件式である「Worksheets(1).Name <> " 集計 "」も満たしません。よって、「何も条件を満たさない場合」に対応する「Else」の処理である「処理 3」のみが実行されます。

第 8 章

一気に操作を行うマクロ

01 「表記の揺れ」を修正する

この章では、操作対象をだんだん広げる方法を学習します。「セルの値を修正する」作業を例にして学習していきましょう。

セルの値をチェックして修正する

本章では、実際に仕事に使えるマクロを作成する手順を紹介します。最初に例に取る作業は、「既存のブックに入力してあるデータの修正」です。

ここで紹介するマクロは、サンプルファイルの「第８章」フォルダーに収録されています。実際にマクロを動かしながら読み進めていきましょう。

SAMPLE セルの値の修正 .xlsm

サンプル「セルの値の修正 .xlsm」の１枚目のワークシートの「商品名」列には、同じ商品なのに微妙に表記が違う、いわゆる「表記の揺れ」が存在する値が入力されています。**マクロを使って表記揺れの修正**を行いましょう。

▼ 表記の揺れがある状態

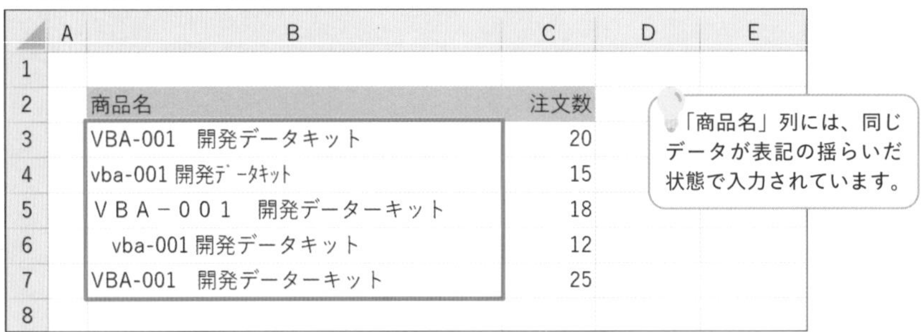

	A	B	C	D	E
1					
2		商品名	注文数		
3		VBA-001　開発データキット	20		
4		vba-001 開発ﾃﾞｰﾀｷｯﾄ	15		
5		ＶＢＡ－００１　開発データーキット	18		
6		vba-001 開発データキット	12		
7		VBA-001　開発データーキット	25		
8					

「商品名」列には、同じデータが表記の揺らいだ状態で入力されています。

表記の揺れは、ひとめでわかるものも多いのですが、データの量が多かったり、修正の数が多かったりすると、確認に時間を取られてしまいます。しかし、やらないわけにはいきません。典型的なマクロ化したい作業の代表格です。この修正作業を行うマクロを作成してみましょう。

値の修正の際に覚えておきたい関数やプロパティ

実際にマクロを作成していく際には、「マクロの記録」機能や、書籍・ヘルプ等を利用して、修正作業に必要なプロパティやメソッド、関数等を調べながら作成しますが、今回はあらかじめ必要なプロパティや関数をピックアップしました。

今回利用するのは、下記の関数やプロパティです。いずれも、表記の揺れを修正・統一する作業を行う際に覚えておくと便利なものばかりです。

StrConv 関数

StrConv(エスティーアールコンブ) 関数は、「1つ目の引数に指定した文字列の、ひらがな／カタカナ、大文字／小文字、全角／半角等を統一」します。

▼ 書式の統一

```
StrConv(値, 変換の方式)
```

```
StrConv("ｴｸｾﾙ", vbWide)
'結果は「エクセル」
```

変換の方式は、2つ目の引数に以下の値を使って指定します。

▼ StrConv 関数の第2引数に指定できるキーワード

引数の値	説明
vbWide	半角を全角に変換
vbNarrow	全角を半角に
vbKatakana	ひらがなをカタカナに変換
vbHiragana	カタカナをひらがなに変換
vbUpperCase	大文字に変換
vbLowerCase	小文字に変換
vbProperCase	最初の文字を大文字に変換
vbUnicode	Unicode に変換
vbFromUnicode	Unicode から既定のコードに変換

また、2つ目の引数で変換方式を指定する際に、「全角で大文字」等、複数の方式を同時に適用したい場合には、それぞれのキーワードを「+」で繋いで指定します。

```
StrConv("ｴｸｾﾙ vba", vbWide + vbUpperCase)
'結果は「エクセルＶＢＡ」
```

Keyword

StrConv関数は、引数に指定した文字列の書式を変換します。

Replace関数

Replace（リプレース）関数は、「1つ目の引数に指定した文字列のうち、2つ目の引数の文字列を、3つ目の文字列に置き換えた結果」を返します。

▼ 文字列の置き換え

```
Replace(文字列, 置き換える文字列, 置き換え後の文字列)
```

```
Replace("エクセルVBA", "エクセル", "Excel")
'結果は「ExcelVBA」
```

Keyword

Replace関数は、引数に指定した文字列の一部を置き換えた結果を返します。

Format関数

Format（フォーマット）関数は、セルに設定する「書式」機能によく似ています。「1つ目の引数に指定した値に、2つ目の引数に指定した書式文字列を適用した結果」を返します。日付や曜日を得たり、「1」から「A-001」等の値を得たい場合に利用します。

▼ 書式の適用

```
Format(値, 書式文字列)
```

```
Format(#12/24/2024#, "aaaa")
'結果は「火曜日」
```

```
Format(1, "A-000")
'結果は「A-001」
```

Format 関数は TEXT ワークシート関数と非常に使い勝手の似た関数です。数値や日付を元に、さまざまな書式文字列と組み合わせることが可能です。書式文字列内では、以下のプレースホルダー文字（場所取り用文字）を利用できます。

▼ 書式文字列で利用できるプレースホルダー文字の例

プレースホルダー文字	対応する値
@	文字列全体
&	特定の 1 文字
0	1 桁の数値(0 埋めあり)
#	1 桁の数値(0 埋めなし)
,	数値の桁区切り
yyyy	年
m	月
d	日
a	曜日
ggge	年号と年号形式の年

プレースホルダー文字は、観光地によくある「顔ハメパネル」のような仕組みで、書式文字列中の特定の位置に、元となる値や値の一部をハメこんで表示する仕組みです。

▼ 書式文字列と結果の例

	A	B	C	D	E	F	G	H	I
1									
2		元の値	書式文字列	Format関数の結果		元の値	書式文字列	Format関数の結果	
3		1234	#,###	1,234		2024/9/8	yyyy年m月d日	2024年9月8日	
4			¥¥ #,### -	¥ 1,234 -			yyyy年mm月dd日	2024年09月08日	
5			00000	01234			ge年m月d日	R6.9.8	
6			品番 &&-&&	品番 12-34			ggee年m月d日	令和6年9月8日	
7							伝票_yyyymmdd.xl¥sx	伝票_20240908.xlsx	
8							aaaa	日曜日	
9									

Keyword

Format 関数は、書式文字列を使って文字列の書式を変換します。

| COLUMN | 詳しいプレースホルダー文字について知るには

プレースホルダー文字について詳しく知りたい場合には、Microsoft Learn の「Format 関数」に関するページを参照してみてください。

https://learn.microsoft.com/ja-jp/office/vba/language/reference/user-interface-help/format-function-visual-basic-for-applications

Phonetic プロパティ

セル（Range オブジェクト）に対して Phonetic（フォネティック）プロパティを利用すると、「そのセルに入力されているフリガナの情報」を取得できます。加えて、「フリガナのテキスト」を取得するには、さらに Text（テキスト）プロパティを利用します。次のように「ActiveCell」に対して使用すると、現在選択中のセルのフリガナの情報へとアクセスし、その値を文字列として取得できます。

```
ActiveCell.Phonetic.Text
```

この時、英数字やフリガナの設定されていない漢字部分は、そのままの文字列が返され、カタカナの部分は、元の値が全角／半角である場合を問わず、全角カタカナに変換された値を返します。

▼ Phonetic プロパティで取得できる値

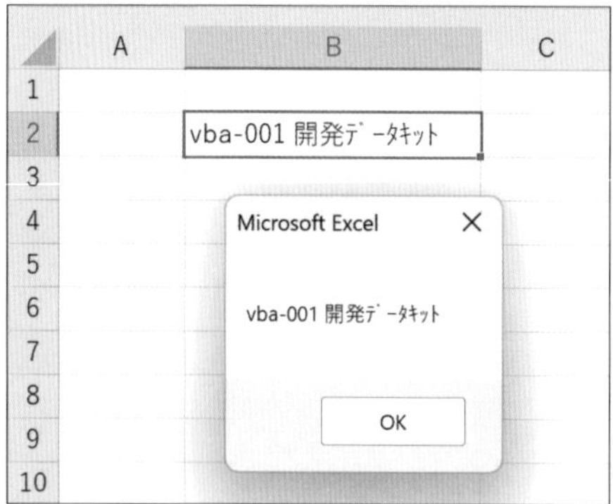

Keyword

Phonetic プロパティは、フリガナの情報を取得します。Text プロパティは、テキストを取得します。

この仕組みを利用すると、「カタカナは全角、英数字は半角」に統一したい場合、前述の「StrConv関数でいったん全て半角にし、セルのフリガナを削除した上で、Phoneticプロパティでカタカナのみ全角にした値を得る」、というテクニックが利用できます。

Trim関数

Trim（トリム）関数は、「入力値の前後にあるスペースを取り除いた結果」を返します。計器から出力されたデータをコピーしてきた場合等、直接Excel上で入力したのではないデータを扱う場合には、値の前後に余分なスペースが付加されていることがあります。そういった場合に、簡単に値を修正できます。

▼ 余分なスペースを取り除く

```
Trim(前後にスペースを含む値)
```

```
Trim("  Excel VBA  ")
'結果は「Excel VBA」
```

以上の関数やプロパティを利用して、**表記の揺れを修正するマクロを作成**していきましょう。そして、それを拡張して、ブックやワークシートをまたいで操作を行えるようにしていきます。

Keyword

Trim関数は、文字列の前後にある余分なスペースを取り除きます。

02

修正の操作を作成する

表記の揺れを修正する操作を作成していきます。まずは、1つのセルに対する操作を作成し、それをセル範囲に対して実行するように拡張していきましょう。

まずは1つのセルに対する操作を作成する

一気に複数のセルあるいはセル範囲にまたがる処理を作成する際のコツは、「まずは『1回の操作』を自動化するマクロを作成し、その後で、作成したマクロを繰り返す仕組みへと拡張する」ことです。

まずは、「1つのセルに対する操作を作成」し、それがうまく動くことを確認したところで、「ループ処理によって適用する範囲を広げていく」という2段階のステップでマクロを作成していきます。

マクロの内容をメモ書きする

さっそく、1つのセルに対する「表記の揺れの修正」を作成しましょう。標準モジュールを追加し、コメント機能を利用して、「マクロの全体の目的や、行いたい操作のメモ書き」を記述して、これから作成するマクロの内容を整理します。

▼ マクロの作成と内容の整理する

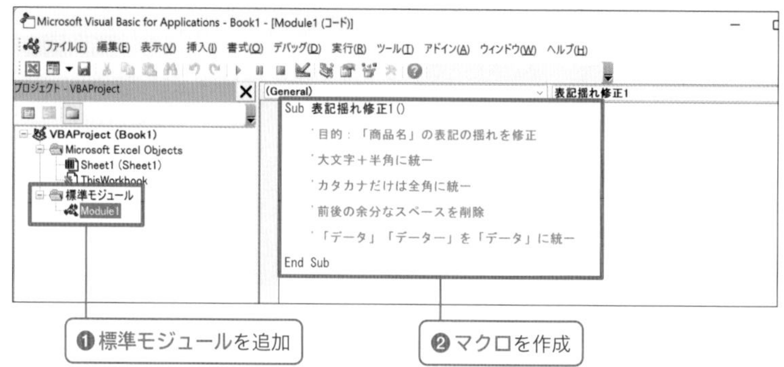

マクロ マクロにメモ書きを追加する

```
Sub 表記揺れ修正1()
    '目的：「商品名」の表記の揺れを修正

    '大文字＋半角に統一

    'カタカナだけは全角に統一

    '前後の余分なスペースを削除

    '「データ」「データー」を「データ」に統一
End Sub
```

最初に、**「操作対象となるオブジェクト」**を決めましょう。ここでは、ワークシート上の「商品名」列のセルに対して、修正の操作を実行するようにします。

マクロの作成に慣れないうちは、コメント機能を利用して、自分のやりたい操作の内容や流れを整理し、メモ書きしておくと、目的のプログラムを作成するのに非常に役に立ちます。

操作を実行するコードの作成

メモ書きができたら、操作を実行するコードを記述していきましょう。操作に利用するプロパティやメソッドは、書籍やWeb、そして、「マクロの記録」機能で調べていくとよいでしょう。今回は、先ほどピックアップしておいたプロパティや関数を利用していきます。

操作対象のオブジェクトを決めたら、**「プロパティ、メソッド、関数を使って操作を行うコードを記述」**していきます。先に記入したコメントに合わせて操作を作成していきましょう。

具体的なコードは、以下のようになります。一見すると長いマクロですが、個々のコメントに対応する必要な操作を順番に記述してあるだけという点に注目してください。

マクロ 選択したセルの表記の揺れを修正する

```
Sub 表記揺れ修正2()
    '目的：「商品名」の表記の揺れを修正

    '大文字＋半角に統一
    ActiveCell.Value = _
        StrConv(ActiveCell.Value, vbUpperCase + vbNarrow)
    'カタカナだけは全角に統一
    ActiveCell.Value = ActiveCell.Value  'フリガナを消去
    ActiveCell.Value = ActiveCell.Phonetic.Text
    '前後の余分なスペースを削除
    ActiveCell.Value = Trim(ActiveCell.Value)
    '「データ」「データー」を「データ」に統一
    ActiveCell.Value = _
        Replace(ActiveCell.Value, "データー", "データ")
End Sub
```

この時、操作対象となるセルの指定は、「とりあえず『ActiveCell』を利用しておく」のがお勧めです。これは、後でコードの修正を行う際に、一気に置き換えがしやすいためです。

▼ セルの文字列の表記の揺れが修正される

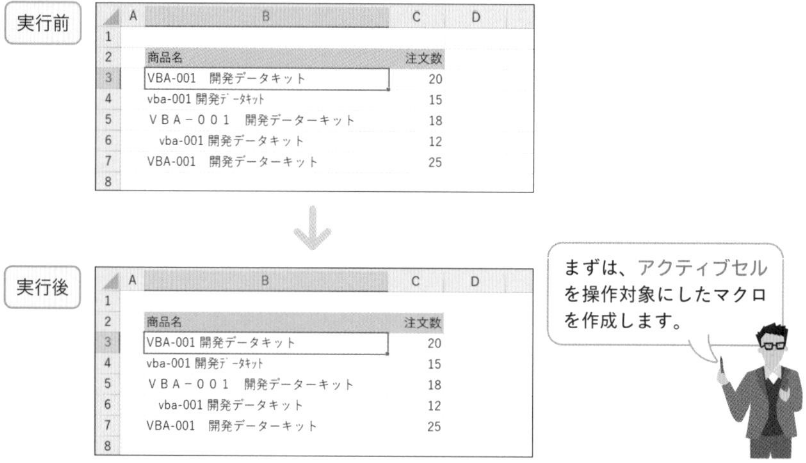

マクロができあがったら、表記の揺れを修正したいセルを選択し、実行してみましょう。思うように修正できれば成功です。できない場合は、「ステップ実行」機能等を利用し、メモ書きの内容を実行するにあたって、どの部分に不備があるのかを順番に絞り込んで、その部分のコードを修正・追加していきます。

操作対象を1箇所で指定できるように改良する

意図通りに動作するマクロが作成できたら、コードの内容を少し整理しましょう。

先ほど作成したマクロは、操作を行うセルを全て「ActiveCell」で指定していましたが、これを、**「好きな位置にあるセルを指定」**できるように変更します。

今回は、「myRange」という変数(へんすう)を用意し、「その変数にセットしたセルが操作対象となるように変更」します。

先ほど作成したマクロの先頭部分で、Dim(ディム)キーワードを使って変数「myRange」を宣言(せんげん)し、myRangeにセルA1をSet(セット)で代入(だいにゅう)するコードを追加します。

```
'対象セルを格納する変数を用意
Dim myRange
Set myRange = Range("A1")
```

続いて、前出のマクロで「ActiveCell」としてあった部分を「myRange」へと置き換えます。修正されたマクロの内容は、以下のようになります。

マクロ 任意の位置のセルを指定できるようにする

```
Sub 表記揺れ修正3()
    '目的：「商品名」の表記の揺れを修正

    '対象セルを格納する変数を用意
    Dim myRange
    Set myRange = Range("A1")
    '大文字＋半角に統一
    myRange.Value = _
        StrConv(myRange.Value, vbUpperCase + vbNarrow)
    'カタカナだけは全角に統一
    myRange.Value = myRange.Value
    myRange.Value = myRange.Phonetic.Text
    '前後の余分なスペースを削除
    myRange.Value = Trim(myRange.Value)
    '「データ」「データー」を「データ」に統一
    myRange.Value = _
        Replace(myRange.Value, "データー", "データ")
End Sub
```

これで、このマクロは、「`Set myRange = Range("A1")`」の部分を変更すれば、「操作対象のセルを一括で変更できる」ようになりました。

例えば、「`Set myRange = Range("A2")`」とすればセルA2が修正され、「`Set myRange = Range("B2")`」とすればセルB2が修正されます。

変数の仕組みを利用すれば、**「操作対象のオブジェクトを一括で管理」**できるようになります。同様に、**「セルに入力する文字列等のデータを一括で変更する」**等も可能です。

以上のような手順で、まずは1つのセルに対して目的の処理を行うマクロを作成しました。ここでのポイントは、次の2点です。

- **1つのセルに絞って適用したい操作を作成する**
- **複数の操作を1つのセルに対して行う場合には、変数の仕組みを利用してセルを指定する**

いきなり「実行したい操作全部をコードにしよう！」と意気込むと挫折してしまいがちです。最初は「1つのセルだけ」に絞って考えることが大切です。1つのセルに行う操作さえ決めてしまえば、あとはループ処理で他のセルにも拡張できます。

COLUMN 「With」でさらに整理することも

本文中のマクロでは、最初は「ActiveCell」と記述していた箇所を変数名に置き換えて整理しましたが、このマクロのように、同じセルに対する処理をまとめる方法がもう1つあります。それが、With（ウィズ）を利用した記述方法です（143ページ）。

```
With myRange
    '大文字+半角に統一
    .Value = StrConv(.Value, vbUpperCase + vbNarrow)
    'カタカナだけは全角に統一
    .Value = .Value
    .Value = .Phonetic.Text
    '前後の余分なスペースを削除
    .Value = Trim(.Value)
    '「データ」「データー」を「データ」に統一
    .Value = Replace(.Value, "データー", "データ")
End With
```

このようにまとめると、「With」と「End With」の間の行にある部分は、「変数myRangeにセットしたセルに対するコードを記述しているんだな」とわかりやすくなりますね。

セル範囲に対して操作を拡張する

1つのセルに対する操作が完成したら、「適用範囲を複数のセル（セル範囲）に拡張」していきましょう。

ループ処理を使って、**「複数のセルに対して操作を繰り返し行える」**ようにしていきましょう。**For Each**（フォーイーチ）を利用するのがお手軽です。

セル範囲に操作を広げるのに一番手軽なのは、「For Each」によるループ処理を利用することです。複数のセルに対するループ処理は以下のようになります。これをテンプレートにすれば、さまざまなマクロで利用可能です。

▼ 複数のセルに対するループ処理

```
For Each 個別セル変数 In セル範囲
    個別セルに対する操作を記述
Next
```

例えば、次図のようなセル範囲B3:B7に対して繰り返したい場合には、次のようなコードになります。

```
Dim myRange
For Each myRange In Range("B3:B7")
    'myRangeに対する操作
Next
```

▼ 適用したいセル範囲

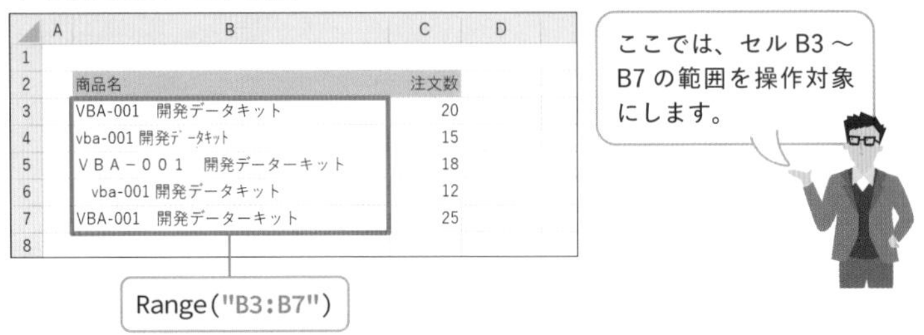

	A	B	C	D
1				
2		商品名	注文数	
3		VBA-001　開発データキット	20	
4		vba-001 開発ﾃﾞｰﾀｷｯﾄ	15	
5		ＶＢＡ－００１　開発データーキット	18	
6		vba-001 開発データキット	12	
7		VBA-001　開発データーキット	25	
8				

ここでは、セル B3 ～ B7 の範囲を操作対象にします。
Range("B3:B7")

この仕組みを、先ほど作成したマクロに割り当てましょう。「For Each」と「Next」に挟まれた行にある部分は、まったく修正せずに、そのままである点に注目してください。

マクロ 複数のセルに対して操作を行う

```
Sub 表記揺れ修正4()
    '目的：「商品名」の表記の揺れを修正

    '対象セルを格納する変数を用意
    Dim myRange
    'セル範囲B3:B7に対して繰り返す
    For Each myRange In Range("B3:B7")
        '大文字+半角に統一
        myRange.Value = _
            StrConv(myRange.Value, vbUpperCase + vbNarrow)
        'カタカナだけは全角に統一
        myRange.Value = myRange.Value
        myRange.Value = myRange.Phonetic.Text
        '前後の余分なスペースを削除
        myRange.Value = Trim(myRange.Value)
        '「データ」「データー」を「データ」に統一
        myRange.Value = _
            Replace(myRange.Value, "データー", "データ")
    Next
End Sub
```

このマクロを実行すると、次のようにセル範囲 B3:B7 の全てのセルに対して、表記の揺れを修正する操作が実行されます。

▼ セル範囲の表記の揺れが修正される

実行前

	A	B	C	D
1				
2		商品名	注文数	
3		VBA-001　開発データキット	20	
4		vba-001 開発ﾃﾞｰﾀｷｯﾄ	15	
5		ＶＢＡ－００１　開発データーキット	18	
6		vba-001 開発データキット	12	
7		VBA-001　開発データーキット	25	
8				

セル範囲 B3 ～ B7 の表記を修正します。

実行後

	A	B	C	D
1				
2		商品名	注文数	
3		VBA-001 開発データキット	20	
4		VBA-001 開発データキット	15	
5		VBA-001 開発データキット	18	
6		VBA-001 開発データキット	12	
7		VBA-001 開発データキット	25	
8				

このように、「1 つのセルに対する操作を作成」→「セル範囲へと適用するループ処理を追加」という流れでマクロを作成していくと、自分のやりたい作業の内容を整理しながら、スムーズに広い範囲を一気に修正できるマクロが作成しやすくなります。

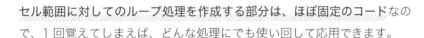

セル範囲に対してのループ処理を作成する部分は、ほぼ固定のコードなので、1 回覚えてしまえば、どんな処理にでも使い回して応用できます。

いわゆる「テンプレート」としてテキストファイル等にループ処理部分を保存しておき、利用する際にはそこからコピーして個別のセルに対する操作部分だけを作成する、という運用方法でも十分に効率的なマクロが作成できるでしょう。

03 ワークシートにまたがるループ処理に拡張する

次はワークシートをまたいだループ処理へと拡張しましょう。全てのシートを繰り返す方法と、特定グループのシートのみを繰り返す方法を併せて紹介します。

複数のワークシートに対して操作を繰り返す

「個別セル→セル範囲」と操作の適用範囲を広げることができたら、次は、「複数のワークシート上に点在するセル範囲へと適用範囲を拡張」しましょう。

複数のワークシート上に点在するセル範囲を操作対象にする場合も、「For Each」が利用できます。「ワークシートを操作対象にしたループ処理」を作成しましょう。

まずは、複数のワークシートに対するループ処理のテンプレートを紹介します。全てのワークシートに対して繰り返す処理を作成するには、Worksheets（ワークシーツ）コレクションに対して「For Each」によるループ処理を利用するのがお手軽です。

▼ 複数のワークシートを操作対象にする

```
For Each 個別シート変数 In Worksheets
    個別シートに対する操作を記述
Next
```

より具体的に記述するのであれば、次のようになります。

```
Dim mySheet
For Each mySheet In Worksheets
    '変数 mySheet を通じた各ワークシートへの操作
Next
```

また、「3、4、5枚目のワークシートのみを操作対象にしたい」という場合には、次のようにArray（アレイ）関数と組み合わせて操作対象シートを指定します。

```
Dim mySheet
For Each mySheet In Worksheets(Array(3, 4, 5))
    '変数mySheetを通じた各ワークシートへの操作
Next
```

さらに、「特定のワークシートを除外して、残り全てのワークシートを操作対象にしたい」という場合には、If（イフ）と組み合わせて操作対象のワークシートを指定します。次のコードでは、「1枚目『以外』のワークシートに対してループ処理」を行います。

```
Dim mySheet
For Each mySheet In Worksheets
    If Not mySheet Is Worksheets(1) Then
        '変数mySheetを通じた各ワークシートへの操作
    End If
Next
```

コード内の「Not シート用変数 Is 対象外にしたいシート Then」という条件式は、「シート用の変数に格納されているワークシートと、対象外のワークシートが同一『ではない』場合」という意味になります。ループ処理中に、一部のワークシートやブックを対象外にしたい場合の定番の書き方になりますので、丸暗記してしまいましょう。

ループ処理と修正の操作を組み合わせる

この枠組みの中に、先ほど作成したセル範囲に対するループ処理を組み込めば完成です。少し長くなりますが、全体としては次のようになります。

次のマクロは、「ブック内の3、4、5枚目のワークシートのセル範囲B3:B7に対してループ処理を行い、それぞれのセルの表記の揺れを修正」します。

マクロ 複数のワークシート上のセルの表記の揺れを修正

```
Sub 表記揺れ修正5()
    '対象シートとセルを格納する変数を用意
    Dim mySheet, myRange
    For Each mySheet In Worksheets(Array(3, 4, 5))
        'セル範囲B3:B7に対して繰り返す
        For Each myRange In mySheet.Range("B3:B7")
            '大文字+半角に統一
```

```
            myRange.Value = _
                StrConv(myRange.Value, vbUpperCase + vbNarrow)
            'カタカナだけは全角に統一
            myRange.Value = myRange.Value
            myRange.Value = myRange.Phonetic.Text
            '前後の余分なスペースを削除
            myRange.Value = Trim(myRange.Value)
            '「データ」「データー」を「データ」に統一
            myRange.Value = _
                Replace(myRange.Value, "データー", "データ")
        Next
    Next
End Sub
```

▼ 複数のワークシート上のセルを修正する

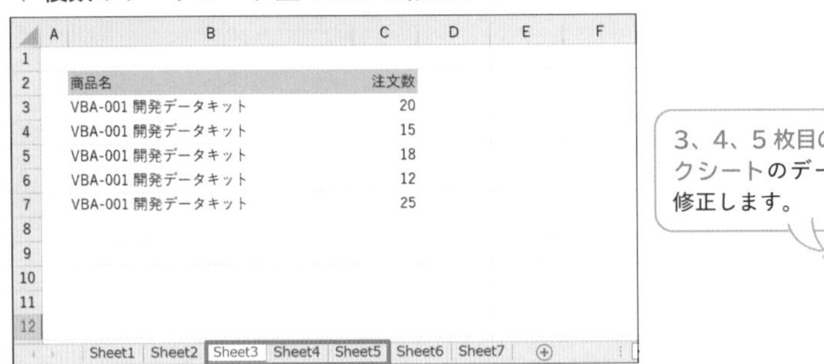

	A	B	C	D	E	F
1						
2		商品名	注文数			
3		VBA-001 開発データキット	20			
4		VBA-001 開発データキット	15			
5		VBA-001 開発データキット	18			
6		VBA-001 開発データキット	12			
7		VBA-001 開発データキット	25			
8						
9						
10						
11						
12						

Sheet1 Sheet2 Sheet3 Sheet4 Sheet5 Sheet6 Sheet7

3、4、5枚目のワークシートのデータを修正します。

1行のコードが長くなる場合は、適時「 _」を使って改行すると見やすくなります。

一気に1つのマクロの分量が長くなり、少々尻込みしてしまうかもしれませんが、落ち着いて正体を見てみましょう。

セル範囲に対して処理を行うコードに追加した部分は、3行だけです。残りは1箇所、セル範囲の指定を「Range("B3:B7")」から、「mySheet.Range("B3:B7")」に変更した部分を除けば、元のコードのままです。

このように、複数のワークシートにまたがる処理を作成したい場合には、**「単一セル」→「セル範囲」→「複数シート」**というように、だんだんと範囲を広げながらマクロを作成していくのがコツです。

わずかなコードの追加だけで、一気に自動で作業できる範囲を広げることができました。さらに、複数のブックにまたがって操作できるように改良していきましょう。

COLUMN Not演算子とIs演算子

本文中のコードに出てきた「`If Not mySheet Is Worksheets(1) Then`」というコードは、Not（ノット）演算子と、Is（イズ）演算子という2つの演算子を利用しています。少し詳しく見てみましょう。

「Is」は「オブジェクトを比較する」演算子です。数値同志を比較する場合の「=」と同じ役割を果たします。

「数値A = 数値B」は、数値Aと数値Bが等しい場合に「True」を返すのと同様に、「オブジェクトA Is オブジェクトB」は、オブジェクトAとオブジェクトBが同じオブジェクトである場合に「True」を返します。

「Not」は「直後の判定結果を反転する」演算子です「Not True」は「False」、「Not False」は「True」を返します。

この2つの仕組みを踏まえてもう一度「`Not mySheet Is Worksheets(1)`」というコードを考えてみましょう。「mySheetとWorksheets(1)が等しいかどうかの判定の反転」、つまり、「mySheetが1枚目のワークシートと等しくない場合に『True』を返す」という条件式となります。

ちなみに、オブジェクトの比較によく使うIs演算子ですが、セル（Rangeオブジェクト）の比較には使わない方が無難です。「`Range("A1") Is Range("A1")`」の結果は「True」ではなく「False」になります。これは、Rangeオブジェクトを指定する仕組みが、他のオブジェクトとはちょっと異なる特殊な仕組みのために起きる結果です。注意しましょう。

Keyword

Is演算子は、オブジェクトの比較を行います。Not演算子は、「True」「False」を反転します。

04 マクロを分割して整理する

マクロの記述が長くなってきたら、分割して整理していきましょう。「サブルーチン」の仕組みを使うと、わかりやすく整理できます。

「サブルーチン化」でマクロをスッキリさせる

1つのセルに対する操作から始め、だんだんと適用範囲を広げる形でマクロを作成する例を見てきました。しかし、適用範囲が広がるにつれ、だんだんとマクロの記述も長くなっていきます。そのため、「落ち着いて流れを追えばわかるけど、パッと見ただけだと何をやっているか掴みづらく、難しく感じてしまう」という方も多いのではないでしょうか。ここで、マクロの整理を行いましょう。

マクロを整理するのに有効なのが、「マクロのサブルーチン化」という考え方です。

「メインとなる他のマクロから呼び出す、補助（サブ）のマクロ」のことをサブルーチンと呼びます。長いマクロを分割することで、中身を把握しやすくしましょう。

サブルーチン化とは、一連の処理ごとに個別の小さなマクロ（サブのマクロ）にまとめ、その小さなマクロを任意の順番に呼び出す（実行する）メインのマクロを作成する形でまとめる手法です。

▼ メインのマクロからサブのマクロを呼び出す

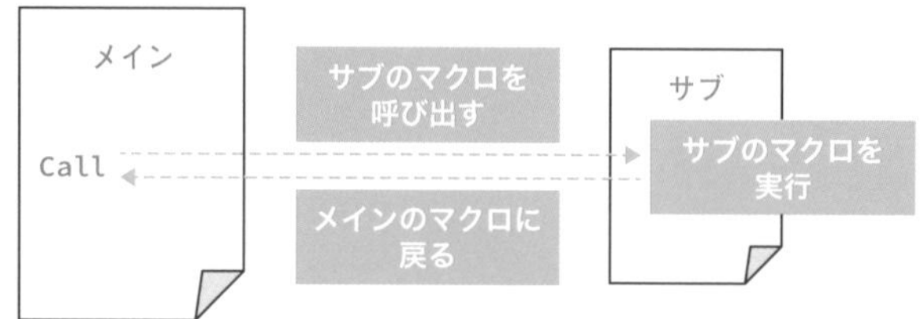

メインのマクロからサブのマクロを実行するように命令します。サブのマクロの実行後は、メインのマクロに戻って処理が続けられます。

この仕組みを利用すると、例えば「個々のセルに対する操作を行うマクロ」と、「操作対象とするワークシートを指定するマクロ」を分離し、個別に作成しておいてから、最後にまとめて実行できるようになります。全体の見通しもよくなることに加え、個別のマクロは短くなるため、内容の把握やチェックがやりやすくなるのです。

Keyword

サブルーチン化は、マクロを「メイン」と「サブ」に分割し、メインのマクロからサブのマクロ（**サブルーチン**）を呼び出して実行する仕組みです。

サブルーチンを作成する

まずは、サブルーチン（呼び出される側のマクロ）を作成してみましょう。仕組みを把握するため、次のようなシンプルなマクロを用意します。

次のマクロは「セル A1 に "VBA" と入力する」だけの操作を行います。

```
Sub myMacro()
    Range("A1").Value = "VBA"
End Sub
```

これをサブルーチンにしてみましょう。

マクロをサブルーチン化する際には、**引数**（ひきすう）の仕組みを利用します。引数を用意する方法は次のようになります。メインのマクロ側では、**「マクロ名と引数を使ってサブルーチンの呼び出し」**を行います。

次のコードはマクロ「myMacro」の「どのセルに値を入力するのか」という部分を、引数の仕組みを使って指定できるようにしたものです。

```
Sub myMacro(myRange)
    myRange.Value = "VBA"
End Sub
```

マクロ名の後ろのカッコの中に、「そのマクロ内で利用したい情報を受け取るための『名前』」を記述します。これが「引数」です。上記の場合は引数「myRange」を用意して情報を受け取れるようにしています。

▼ 引数を使ってサブルーチンを呼び出す

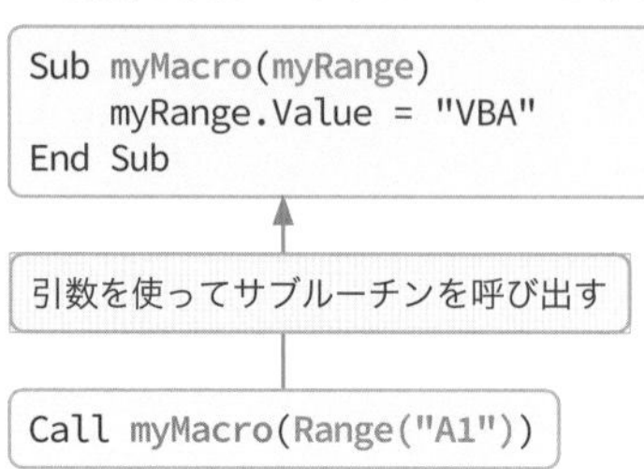

Sub myMacro(myRange)
myRange.Value = "VBA"
End Sub
引数を使ってサブルーチンを呼び出す
Call myMacro(Range("A1"))

マクロ名と引数を使って呼び出すことで、サブルーチン側では、myRangeの値をRange("A1")として操作が行われます。

このように引数を用意すると、そのマクロ内では、引数を通じて受け取った値やオブジェクトを、引数名を通じてそのまま利用できるようになります。上記の例では、引数 myRange で、「どのセルを操作対象にするか」というオブジェクトの情報を受け取り、その情報を通じて、受け取ったセルの値に入力しています。

メインのマクロを作成する

作成したサブルーチンを実行するには、メインのマクロ側で Call（コール）というキーワードを使って呼び出します。

▼ サブルーチンの呼び出し

```
Call 呼び出すマクロ名 ( 渡す情報 )
```

「Call」の後ろに呼び出すマクロ名を記述し、その後ろのカッコ内に、引数として渡す情報を記述します。情報は、オブジェクトや数値等、引数の種類に合わせます。

ちょうどワークシート関数を利用する際に、「= 関数名 (引数)」という形で記述するのに似ていますね。「=」のかわりに「Call」と記述する、というイメージで覚えると使いやすいでしょう。

「サブルーチン『myMacro』を、それぞれ、『セル A1』と『セル A2』を引数にして呼び出す」には、次のようにコードを記述します。

```
Sub callMyMacro()
    Call myMacro(Range("A1"))
    Call myMacro(Range("A2"))
End Sub
```

▼パーツ化したマクロを「Call」で呼び出す

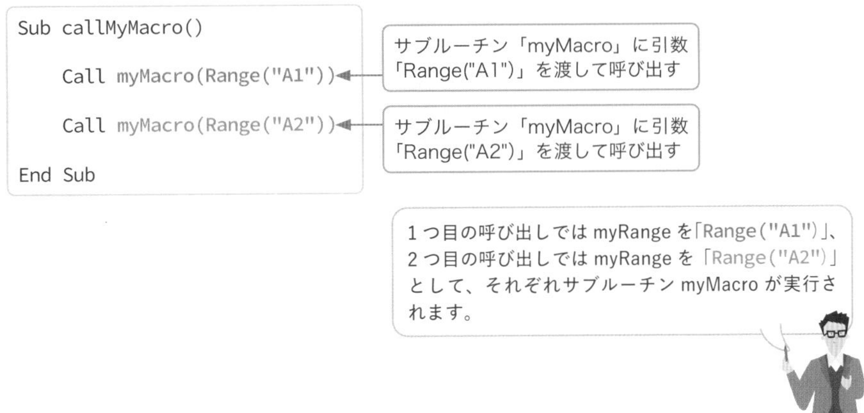

結果を見てみると、きちんと引数として指定したセルを対象に、myMacro の内容が実行されていることが確認できます。

Keyword

Call は、サブルーチンを呼び出すためのキーワードです。サブルーチンの名前と引数を指定して呼び出します。

マクロを分割して実行できるようにする

作成中のマクロをサブルーチン化して整理しましょう。

ここでは、「作業対象とするワークシートを指定するマクロ」と「個々のセルに対する操作を行うマクロ」に分割します。ワークシートを指定するマクロがメイン、セルに操作を行うマクロがサブになります。

「複数のワークシートに点在するセル範囲に対して修正を行う」マクロの場合、メイン側の「操作対象のワークシートを指定する部分のマクロ」は、次のようになります。

マクロ 操作対象のワークシートを指定するマクロ

```
Sub 特定シートの表記揺れ修正()
    Dim mySheet
    For Each mySheet In Worksheets(Array(3, 4, 5))
        Call セル範囲の表記揺れ修正 (mySheet.Range("B3:B7"))
    Next
End Sub
```

このマクロは、For Each の仕組みと Array 関数を使って、3、4、5 枚目のワークシートに対してループ処理を行います。Call で、「サブルーチン『セル範囲の表記揺れ修正』を、個々のワークシートのセル範囲 B3:B7 を引数として渡して呼び出し」を行っています。

4 行だけのコードなので、どんなことをやっているマクロなのか、ひとめで把握できますね。

続いて、上記マクロから呼び出されている側（サブルーチン側）のマクロを見てみましょう。

マクロ 指定セル範囲の表記揺れを修正するマクロ

```
Sub セル範囲の表記揺れ修正(myField)
    '対象セルを格納する変数を用意
    Dim myRange
    'セル範囲 B3:B7 に対して繰り返す
    For Each myRange In myField
        '大文字＋半角に統一
        myRange.Value = _
            StrConv(myRange.Value, vbUpperCase + vbNarrow)
        'カタカナだけは全角に統一
        myRange.Value = myRange.Value
        myRange.Value = myRange.Phonetic.Text
        '前後の余分なスペースを削除
        myRange.Value = Trim(myRange.Value)
        '「データ」「データー」を「データ」に統一
        myRange.Value = _
            Replace(myRange.Value, "データー", "データ")
    Next
End Sub
```

こちらは少々長いですが、その内容は、ほぼ195ページで作成した特定セル範囲の内容を修正するマクロのままです。唯一違う点は、「対象セル範囲を指定する箇所を、引数『myField』として受け取って利用」している点のみです。

このように、マクロを「メインの処理の流れを記述するもの」と「サブの細かな処理の内容を記述するもの」に分割して作成できるようになると、複雑な操作も整理しながら自動化できるようになります。

COLUMN サブルーチン化する際にはマクロ名や引数名も重要

サブルーチンを作成する際には、マクロ名や引数名を、自分のわかりやすい言葉にしておくのがお勧めです。

例えば、「macro1」というマクロ名よりも、「modifyRange」「セル範囲の表記揺れ修正」等、具体的な処理の内容が連想されるようなマクロ名の方が、コードをパッと見ただけで、どんなことをやっているのかがわかりやすくなります。

また、引数を設定する際も同様で、セル範囲を引数として受け取りたいのであれば「myRange」、商品IDを引数として受け取りたいのであれば「productID」等に設定しておくと、どんな引数を渡せばいいのかがわかりやすくなります。

ちなみに、自分で設定した引数名は、「Call」で呼び出す際に、マクロ名とその後ろのカッコを記述すると、コードヒントとして表示されます。

▼ マクロ名を入力すると引数のヒントが表示される

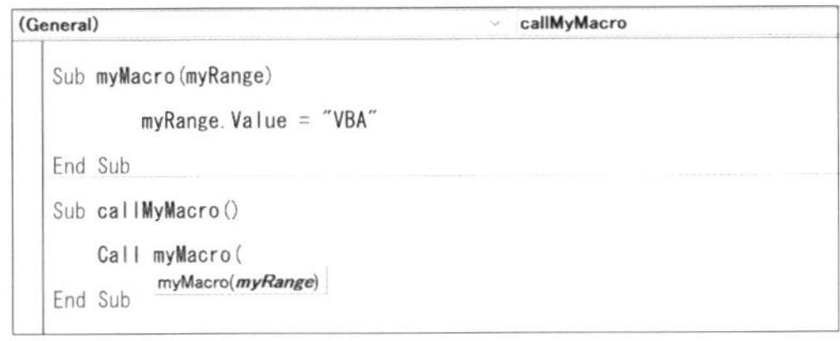

引数名がヒントとして表示されます。

05 ブックにまたがるループ処理に拡張する

最後は、複数のブックに対してループ処理を行えるように拡張していきます。ここまで作成してきた操作を、ブックをまたいで実行できるようにしていきましょう。

開いている全てのブックを繰り返す

「個別セル→セル範囲→複数シート」と対象範囲を広げてきましたが、今度はもう１段階上、複数のブックに対するループ処理に範囲を広げてみましょう。

「現在開いている全てのブックに対するループ処理」を作成するには、Workbooks（ワークブックス）コレクションに対して For Each を利用するのがお手軽です。

複数のブックに対するループ処理のテンプレートは以下のようになります。

▼ 複数のブックに対するループ処理

```
For Each 個別ブック変数 In Workbooks
    個別ブックに対する操作を記述
Next
```

より具体的に記述するのであれば、次のようになります。

```
Dim myBook
For Each myBook In Workbooks
    '変数 myBook を通じた各ブックに対する操作
Next
```

「特定のブックのみをループ処理の対象外」とする場合には、ワークシートの時と同様に、「Not ブック変数 Is 特定ブック」という条件式を利用します。次のコードは、「『集計用 .xlsx』以外のブックのみをループ処理の対象」とします（操作対象のブックを開いた状態で実行します）。

```
Dim myBook
For Each myBook In Workbooks
    If Not myBook Is Workbooks("集計用 .xlsx") Then
        MsgBox myBook.Name
    End If
Next
```

また、ブックの場合は、ワークシートの時のように、「Workbooks(Array(2, 3, 4))」という形で複数のブックをグループ指定できません。そこで、「ブックのインデックス番号、もしくは、ブック名をリスト化して指定」したい場合には、次のような形でループ処理を作成します。「2つ目のブック、3つ目のブック、『支店C売上 .xlsx』をループ処理の対象」とします。

```
Dim myBookName
For Each myBookName In Array(2, 3, "支店C売上 .xlsx")
    MsgBox Workbooks(myBookName).Name
Next
```

ブックのインデックス番号、もしくは、ブック名をメンバーに持つリストをArray関数で作成し、その値を使って、ループ処理内で、「Workbooks(インデックス番号／ブック名)」としてループ処理の対象のブックを指定している点に注目しましょう。

ブックに対するループ処理は、このような形で記述します。あとは、ループ処理内で個別のブックに対する操作を記述したり、個別のブック内の、さらに特定のワークシートやセルに対する操作を付け加えていけば、複数のブックにまたがる操作を行うマクロの完成です。

COLUMN マクロの記述してあるブックのみを対象外にする

複数のブックをループ処理の対象にしたい場合の典型的な例と言えば、「複数のブックのデータを1つのブックに集める」でしょう。

このケースでは、データを集めてくるブックにマクロを作成することが多いかと思います。その場合、「マクロの記述してあるブックを除いた、全てのブックに対して処理を実行する」というマクロを作成します。この場合の定番コードは、次のようになります。

```
Dim myBook
For Each myBook In Workbooks
    If Not myBook Is ThisWorkbook Then
```

```
        MsgBox myBook.Name
    End If
Next
```

VBA では、「マクロを記述してあるブック」は、ThisWorkbook（ディスワークブック）プロパティで指定できます。

そこで、ループ処理内で「Not ブック変数 Is ThisWorkbook」という条件式を作成すると、「マクロの記述してあるブック以外」という意味となり、ループ処理の対象から除外できます。複数のブックにまたがるデータを集計する作業が多い方に、特に覚えておいて欲しいテクニックです。

特定のフォルダー内のブック全てを繰り返す

前節で紹介したWorkbooksコレクションに対するループ処理では、「開いているブック」しか処理の対象にできません。しかし、実際の業務では、手作業で開くが大変な量のブックの集計をこなさなくてはならない場面もあるでしょう。

ここでは、手作業では大変な量のブックがあるようなケースで非常に強力な、**「特定のフォルダー内に保存してあるブック全てに対してループ処理を行う」**方法を紹介します。

ただ、率直に言って、このマクロを完全に理解するのは、初学者の方には少々敷居が高い面があります。そこで、そのような方でも業務に利用できるように、丸暗記、あるいはコピーして利用できるようなマクロの作成方法をご紹介しようと思います。

まずは、下準備として、次図のように、マクロを記述するブックと、ループ処理の対象とするブックを保存するフォルダーを、同じフォルダー内に配置してください。

SAMPLE マクロ記述ブック.xlsm

▼ マクロを記述するブックとフォルダーの関係

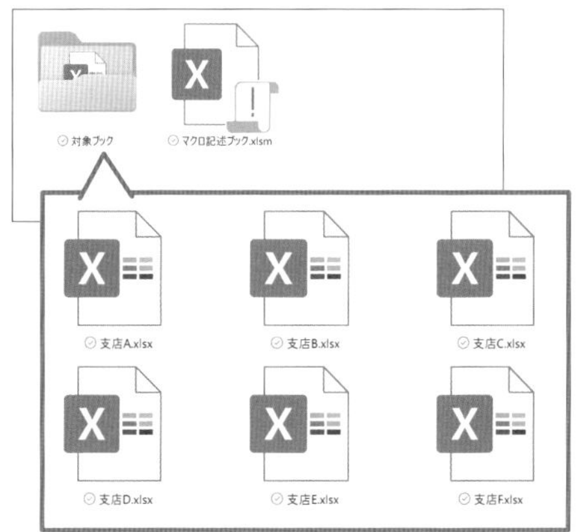

上図の例では、「マクロ記述ブック .xlsm」にマクロを記述し、「対象ブック」フォルダー内にループ処理の対象としたい Excel ブックを格納します。

フォルダー名はマクロ内で指定しています。名前を変更する場合は、マクロ内のフォルダー名を指定する部分も忘れずに変更してください。フォルダー内の各ブックの名前は何でも構いません。

配置ができたところで、マクロ用のブックに、次のようなマクロを作成します。

マクロ 特定のフォルダー内のブックを操作する

```
Sub 特定フォルダー内のブックをループ処理()
    '対象ブック、フォルダー名、拡張子名、対象ファイル用の変数を用意
    Dim myBook, myFolder, myExt, myFile
    'フォルダー名と、拡張子名を指定
    myFolder = "対象ブック"
    myExt = "xlsx"
    'FileSystemObjectを利用してExcelブックのみを対象にループ処理
    With CreateObject("Scripting.FileSystemObject")
        For Each myFile In _
            .GetFolder(ThisWorkbook.Path & "¥" & myFolder).Files
            If .GetExtensionName(myFile) = myExt Then
                '対象ブックを開いて変数myBookにセット
                Set myBook = Workbooks.Open(myFile.Path)
                'この箇所にブックに対して行いたい操作を記述
                MsgBox myBook.Name
                '対象ブックの変更を保存せずに閉じる
                myBook.Close SaveChanges:=False
```

```
            End If
        Next
    End With
End Sub
```

このマクロは、FileSystemObject(ファイルシステムオブジェクト)という、VBAでファイルを扱う際に便利な仕組みを利用していますが、その内容はとりあえず理解しないままで構いません。そのままコピーして必要な箇所のみを修正する形で利用してください。

なお、マクロを記述したブックや集計を行うブックをクラウド上のサーバ等に保存している場合は、エラーが発生する場合があります。その場合は、ローカルのドライブ上にブックを保存して実行してください。

扱いたいフォルダーを指定するポイントは、次の箇所です。

```
myFolder = "対象ブック"
myExt = "xlsx"
```

変数myFolderに、「先ほど配置したフォルダーの名前」を代入します。サンプルでは、「対象ブック」と名付けましたので、その名前を代入しています。また、次の行で変数myExtに、「まとめて操作を行いたいブックの拡張子」を指定しています。Excelのブックの拡張子は「xlsx」ですので、サンプルではその値を指定しています。もし、古いバージョンのExcelブックをループ処理の対象にしたい場合には、この箇所を「xlsx」から「xls」に変更してください。

そして、フォルダー内の個々のブックに対する操作を記述するのは、次の箇所です。サンプルでは、とりあえず、「開いたブックの名前をメッセージとして表示」する処理が記述してあります。

```
'この箇所にブックに対して行いたい操作を記述
MsgBox myBook.Name
```

この部分のポイントは、「変数myBookを通じて、個々のブックに対して行いたい操作を記述」することです。サンプルのマクロは、指定したフォルダー内のブックを1つひとつ開き、変数myBookで扱えるように代入しています。

つまり、「個々のブックの1枚目のワークシートのセルA1に「VBA」と記述」したい場合には、この部分を下記のように変更します。

```
'この箇所にブックに対して行いたい操作を記述
myBook.Worksheets(1).Range("A1").Value = "VBA"
```

ここのコードを、これまでに学んできたテクニックを元に、「1つのブックに対する業務に合うように変更」すれば、そのコードを、フォルダー内の全てのブックに対して適用することができます。

実際にいくつかの処理の例を見てみましょう。

フォルダー内のブックの選択セルを一気にA1に揃える

下記のコードを、前述のマクロの個々のブックに対する操作の部分に記述すると、「フォルダー内のブックの全てのワークシートの選択セルの位置を、セルA1に統一」できます。

```
'この箇所にブックに対して行いたい操作を記述
Dim i
For i = myBook.Worksheets.Count To 1
    Application.Goto myBook.Worksheets(i).Range("A1"), True
Next
'選択状態を反映させるために上書き保存
myBook.Save
```

取引先に作成したブックを送付する際等には、全てのワークシートの選択セルを見やすい位置に揃えたいところです。ブック数、シート数が多いとなかなか手間がかかる作業ですが、このようにマクロを使えば一気に、ミスなく行えます。

このコードのポイントは、ブック内の全てのワークシートに対してループ処理を行うのですが、「最終的に選択されているワークシートが1枚目のシートになる」ようにしていることです。

```
For i = myBook.Worksheets.Count To 1
```

上記のようにして、ブック内のワークシートの総数の値から「1」へとカウンタ変数を変化させてループ処理を行っています。

フォルダー内のブックのデータを一気に集計する

続いて、「フォルダー内に保存されている複数のブックのデータを、1つのブックにまとめる」操作を作成してみましょう。

フォルダー内の個々のブックの1枚目のワークシートには、次図のようなセルB2から入力されたデータが記録されているとします。

▼各ブックのデータはセルB2から入力されている

ID	氏名	フリガナ	生年月日	エリア	勤務先
1	伊東　類子	イトウ　ルイコ	1966/5/3	奈良県	精工東葛ライオン株式会社
2	中川　浩二	ナカガワ　コウジ	1949/8/27	佐賀県	ビジネス精機リンク株式会社
3	長田　悠人	オサダ　ハルト	1968/6/5	大阪府	株式会社製薬セブン設計
4	長束　久則	ナツカ　ヒサノリ	1960/8/22	新潟県	シイ高島ユアサ株式会社
5	古川　大智	フルカワ　タイチ	1973/10/23	兵庫県	東洋両備グループホールディングス合資会社

このデータを、1つのブックにまとめます。マクロを記述するブックの「集計」シートには、次図のように見出し部分のみを記入しておきます。

▼見出しのみを記入してあるワークシート

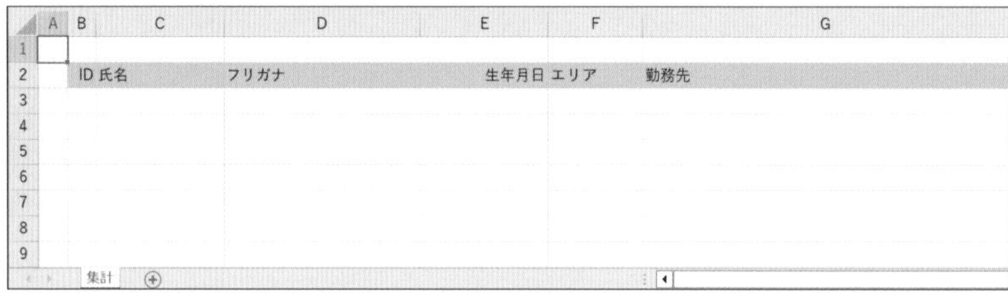

ID	氏名	フリガナ	生年月日	エリア	勤務先

既に特定フォルダー内のブックに対するループ処理を行うマクロは完成しています。そこで今回は、「特定のブックから、マクロの記述してあるブックへと転記を行う」というマクロをサブルーチンとして作成し、それをメインのマクロから「Call」で呼び出すようにします。

まず、転記を行うマクロ（サブルーチン）を、「getDataFromBoook」という名前で作成します。また、このマクロは、転記を行いたいデータの記述してあるブックを、引数「myBook」で受け取れるように作成しておきます。具体的なマクロは次のようになります。

マクロ 任意のブックのデータをコピーする処理

```
Sub getDataFromBook(myBook)
    Dim myRange
    'コピーするセル範囲を 1 枚目のワークシートのセル B2 を起点に決定
    Set myRange = _
        myBook.Worksheets(1).Range("B2").CurrentRegion
    '見出しを除く範囲をコピーするように修正
    Set myRange = myRange.Rows("2:" & myRange.Rows.Count)
    'コピー
    myRange.Copy
    'マクロを記述したブックの転記の基準位置を取得して転記
    With ThisWorkbook.Worksheets("集計").Range("B2")
        .Offset(.CurrentRegion.Rows.Count) _
            .PasteSpecial xlPasteValues
    End With
End Sub
```

このマクロを、207 ページで紹介したフォルダー内のブックに対するループ処理を行うマクロの該当部分で下記のように呼び出せば、一気に集計作業が終わります。

```
'この箇所にブックに対して行いたい操作を記述
Call getDataFromBook(myBook)
```

▼ 集計後のブック

	A	B	C	D	E	F	G
1							
2		ID	氏名	フリガナ	生年月日	エリア	勤務先
3		1	伊東　類子	イトウ　ルイコ	1966/5/3	奈良県	精工東葛ライオン株式会社
4		2	中川　浩二	ナカガワ　コウジ	1949/8/27	佐賀県	ビジネス精機リンク株式会社
5		3	長田　悠人	オサダ　ハルト	1968/6/5	大阪府	株式会社製薬セブン設計
6		4	長束　久則	ナツカ　ヒサノリ	1960/8/22	新潟県	シイ高島ユアサ株式会社
7		5	古川　大智	フルカワ　タイチ	1973/10/23	兵庫県	東洋両備グループホールディングス合資会社
8		1	松山　佑大	マツヤマ　ユウダイ	1961/3/25	大分県	リンク大和SD有限会社
9		2	若松　日出夫	ワカマツ　ヒデオ	1958/2/20	兵庫県	株式会社プラント建設海運ダヴィンチ
10		3	浅海　次郎	アサミ　ジロウ	1978/3/2	広島県	東邦大和昭和組合
11		4	稲盛　長太郎	イナモリ　チョウタロウ	1983/9/12	青森県	教育青木大日有限会社
12		5	西山　清	ニシヤマ　キヨシ	1995/5/19	千葉県	富士プラス伊賀合資会社
13		1	小和口　万理	コワグチ　マリ	1965/7/24	三重県	株式会社商会高島サービス
14		2	伊豆原　梢	イズハラ　コズエ	1956/7/20	沖縄県	技術開発トラベラーキョーエイ合資会社
15		3	磐田　博之	イワタ　ヒロユキ	1989/11/25	岡山県	バイエルホールディングスディ株式会社
16		4	秋山　渉	アキヤマ　ワタル	1965/4/6	滋賀県	フーズソリューションキリン株式会社
17		5	木村　雅子	キムラ　マサコ	1981/2/25	岡山県	ソイルリサーチ富士千代田合資会社
18		1	臼井　慎太郎	ウスイ　シンタロウ	1954/11/4	京都府	太陽マイヤーズ朝日有限会社

集計

この例のように、特定フォルダー内のブックに対する処理を作成する場合には、**「特定フォルダー内のブックに対するループ処理のマクロ」**と**「個別のブックに対する具体的な操作を記述するマクロ」**とに分けて考え、作成するのがお勧めです。

1つのブックに対するマクロさえ完成すれば、あとはフォルダー内のブックに対してループ処理を行うマクロに当てはめるだけで、すぐにでも大量のブックに対して一気に操作を行えるマクロが完成します。マクロの学習を始めたばかりの方にとっては大変でしょうが、ここまで辿り着けば、本当に一気に業務の効率化を図れます。是非、チャレンジしてみてください。

COLUMN 画面が切り替わるのを防いで実行速度を上げる

ブックを開いたり閉じたり、ワークシートを切り替えたりコピーしたり、といった操作をマクロで作成して実行すると、もの凄い速さでブックが開いたり閉じたりします。これはこれで、どんな操作を行っているのかを目視できて面白いのですが、最終的な結果だけが欲しい場合には、「画面の更新を一時的にストップする」こともできます。

その方法は、画面の更新を止めたい箇所に、以下の1文を記述するだけです。

```
Application.ScreenUpdating = False
```

このコードを記述すると、以降の操作は画面の更新を行わずに実行されます。結果として、画面の更新をしない分、マクロの実行速度が上がります。また、操作を早送り再生するような状態でなくなり、目に優しくもなります。

画面の更新を元に戻したい場合には、次のように記述します。

```
Application.ScreenUpdating = True
```

基本的に画面の更新確認が不要なマクロを作成する場合には、マクロの開始時に画面更新をオフにし、終了時に元に戻すようにしておくと、実行速度の速いマクロを作成できることでしょう。

なお、サブルーチンの仕組みで複数のマクロを連携して利用している場合には、メインのマクロの方で1回画面更新を止めておけば、以降、サブルーチンを呼び出しても画面更新の停止状態でマクロを実行できます。

8章のおさらい

以下の問題文の中のカッコを埋める選択肢を選んでみましょう。

問題 1

マクロを使って一気に大量の作業を行う処理を作成する際は、まず、1つのセルに対する処理を考え、それができたら（　A　）等の繰り返し処理を利用して、作成した処理を指定したセル範囲全体に適用するように拡張します。

さらに、「シート全て」に対する処理を作成する際には、（　B　）を利用してループ処理を作成するのが簡単です。同じく「開いているブック全て」に対する処理を作成する際には、（　C　）を利用してループ処理を作成するのが簡単です。

①If Then ElseIf　②For Each Next　③Switch Case
④Ranges　⑤Worksheets　⑥Workbooks

問題 2

標準モジュール上に次のマクロが作成されています。

```
Sub シート初期設定(sh)
    sh.Cells.Font.Name = "游ゴシック Medium"
    sh.Cells.Font.Size = 11
    sh.Columns("A").ColumnWidth = 3
End Sub
```

この時、次のマクロを実行すると、（　D　）に、フォントの種類とサイズ、A列の列幅が設定されます。

```
Sub 全シート初期化()
    Dim sh As Worksheet
    For Each sh In Worksheets
        Call シート初期設定(sh)
    Next
End Sub
```

①アクティブなシートのみを対象　②アクティブなブックの全シートを対象
③開いているブック全ての全シートを対象　④マクロを記述したブックの全シートを対象

解答と解説

問題 1 の解答　A：②For Each Next、B：⑤Worksheets、C：⑥Workbooks

何らかの対象を操作する「繰り返し処理」を作成するには、「For Each Next」等の繰り返し処理用の記述ルールが利用できます。

その際、「Worksheets」や「Workbooks」等、コレクションの仕組みを利用すると、「シート全て」「開いているブック全て」等、複数のワークシートやブックをまとめて扱うことができます。

問題 2 の解答　②アクティブなブックの全シートを対象

「全シート初期化」内では、「For Each sh In Worksheets」と、「アクティブなブックの全シートを対象」に繰り返し処理を作成しています。

また、繰り返し内のコードでは、「Call シート初期設定 (sh)」と、「Call」を使って、For Each Next によって取得した個々のシートを、順番に引数として渡しながらマクロ「シート初期設定」を実行しています。マクロ「シート初期設定」内では、引数として受け取ったシートのフォントの種類とサイズ、A 列の列幅を設定しているため、結果として、アクティブなブックの全シートの、フォントの種類とサイズ、A 列の列幅をまとめて設定するマクロとなります。

繰り返し処理と Call の「引数を指定してマクロを実行する」は相性がよい仕組みです。少々難しいですが、慣れてきたらチャレンジしてみてください。

第 9 章

すぐに使える
マクロの定番テクニック

01 操作対象を変更しながら操作する

本章では、ループ処理を組み合わせたマクロでよく使うテクニックを中心に、いくつかのマクロをご紹介します。

カウンタ変数を利用して対象セルの位置を調整する

ループ処理を行う際に、「操作の対象とするセルを指定する場合の定番の考え方」を2つご紹介します。次図のような表があり、「セル範囲 B3:B7 を操作対象として、上の行から順番に5回繰り返して操作」を行いたいとします。

なお、ここで紹介するマクロは、サンプルファイルの「第9章」フォルダーに収録されています。

SAMPLE ループの定番処理 .xlsm

▼ セル範囲 B3:B7 を操作の対象にする

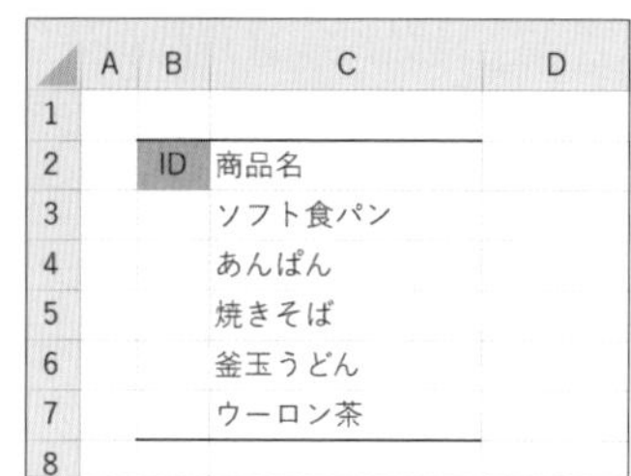

	A	B	C	D
1				
2		ID	商品名	
3			ソフト食パン	
4			あんぱん	
5			焼きそば	
6			釜玉うどん	
7			ウーロン茶	
8				

セルB2からB7まで、ループ処理を行います。

対象のセルを変更しながら操作を行う場合は、For Next（フォーネクスト）と Cells（セルズ）を使って、「カウンタ変数の値を、対象となるセルの位置の調整に利用」します。

「For Next」と「Cells」でカウンタ変数の位置を調整するには、次のようにコードを記述します。「セル B2 から開始して、繰り返しを行うごとに1つずつ下のセルに操作対象を移動」していきます。

マクロ 対象を変更しながら入力を行う

```
Sub 記入位置の調整1()
    Dim i
    For i = 1 To 5
        Cells(2 + i, 2).Value = i
    Next
End Sub
```

▼カウンタ変数の位置を調整する

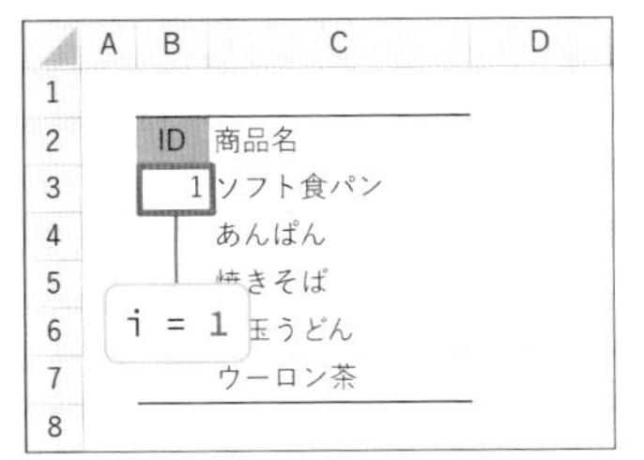

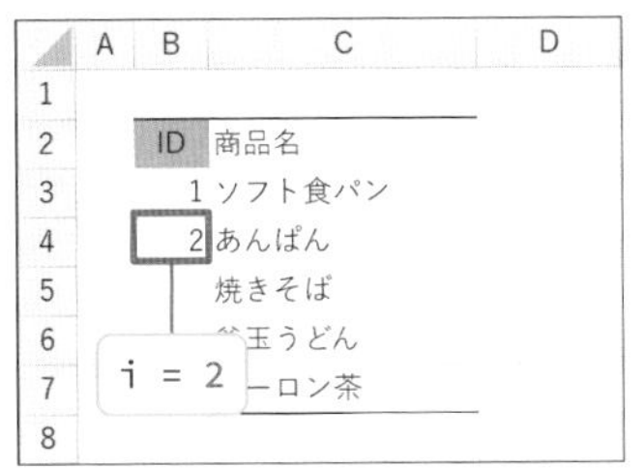

繰り返しごとにカウンタ変数を増やしながら操作を行います。

操作するセルの位置を1つずつずらしていく場合には、基本的にカウンタ変数を「1」から始め、任意の数まで増加させます。その上で、「Cells(行番号,列番号)」という指定の箇所で、「縦方向なら行番号に、横方向なら列番号にカウンタ変数を指定」します。

この時、「まずは操作の基準となるセルを定め、そのセルの座標の値にカウンタ変数の値を加算していく」という考え方をすると、整理しやすいでしょう。

上記の例で言うと、基準とするのは「セルB2」、これをCellsプロパティで指定すると「2行目、2列目」なので、「Cells(2, 2)」です。この基準セルから縦方向に動かしたいので、対象セルを指定するコードは、「Cells(2+i, 2)」となります。

また、Cellsを使ったコードがわかりにくいという方は、Offset（オフセット）プロパティ（126ページ）を利用しましょう。Offsetは、**「基準セルから引数の分だけずれた位置のセル」**を操作対象とするプロパティです。

Offsetプロパティを利用することで、「基準位置+オフセット数」という考え方で、どこを操作対象にしているのがわかりやすくなります。

次のマクロは、「セルB2を基準として、下方向に5回、操作対象セルを移動」します。

マクロ Offsetプロパティで記入位置を変更する

```
Sub 記入位置の調整2()
    Dim i
    For i = 1 To 5
        Range("B2").Offset(i, 0).Value = i
    Next
End Sub
```

▼ Offsetプロパティで記入位置をずらして入力を行う

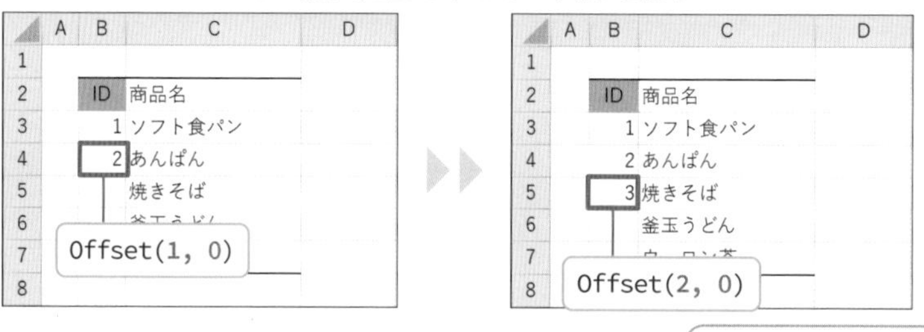

Offsetプロパティで、繰り返しごとにカウンタ変数分だけ移動したセルに操作を行います。

操作位置を管理する変数を用意する

ループ処理のカウンタ変数をそのままセルの操作位置の指定へと利用できないような場合には、別途、「操作位置を管理する変数を用意する」のが簡単です。

例えば、次図のようなセル範囲E2:G7に商品名が記入されているワークシートがあったとします。この範囲に入力されている値の中から、「『静岡』から始まるものだけを抜き出したリスト」を作成してみましょう。

▼「静岡」から始まるもののみをリスト化する

	A	B	C	D	E	F	G
1							
2		ID	商品名		静岡おでん	国産うなぎ	大阪お好み焼き
3					長崎カステラ	横浜カレー	静岡コーヒー
4					チリコーヒー	静岡うなぎ	宇治茶
5					静岡茶	岐阜鉄板焼き	静岡かすてら
6					あんかけ焼きそば	静岡焼きそば	大阪たこやき
7					山梨おでん	横浜シウマイ	山梨プリン
8							

セル範囲 E2:G7 から、「静岡」で始まるものだけをリストにします。

このケースのように、任意のセル範囲に対してループ処理を行いたい場合には、For Each（フォーイーチ）を利用するのが簡単です。しかし、For Each では、前述の「i」のようないわゆるカウンタ変数は利用しません。

そこで、カウンタ変数のかわりになる、**「操作対象のセル位置を管理するための位置調整用の変数」**を別途用意します。基本的には、次のようなパターンになります。

▼ For Eachに位置調整用変数を用意する

```
Dim オブジェクト用変数 , 位置調整用の変数
位置調整用の変数 = 初期値
For Each オブジェクト用変数 In セル範囲
    位置調整用の変数を利用した位置のセルを操作
    位置調整用の変数の値を更新
Next
```

ポイントは、「ループ処理を行う前に位置調整用の変数の初期値を設定」しておき、ループ処理内では、「位置調整用の変数を使って任意の位置のセルを操作」し、その後に「位置調整用の変数の値を加算する処理を付け加える」点です。

具体的なマクロは、次のようになります。「『静岡』から始まるものだけを抜き出したリストを作成し、セル B2 から始まる範囲に書き出し」ます。変数「myID」が位置調整用の変数です。なお、ここでは Offset プロパティの列の指定を省略しています。省略した場合は、「0」を指定したのと同様になります。

マクロ 位置調整用の変数でリストを処理する

```
Sub 記入位置の調整3()
    Dim myRange, myID
    '記入位置の初期値を設定
    myID = 1
    'セル範囲E2:G7に対してループ処理
    For Each myRange In Range("E2:G7")
        'セルの値が「静岡」から始まる場合のみ転記
        If myRange.Value Like "静岡*" Then
            'セルB2を起点に、記入位置用の変数分だけ離れた位置に記入
            With Range("B2")
                .Offset(myID).Value = myID
                .Offset(myID, 1).Value = myRange.Value
            End With
            '記入位置用の変数に「1」加算
            myID = myID + 1
        End If
    Next
End Sub
```

▼ リストから「静岡」で始まるものだけが転記される

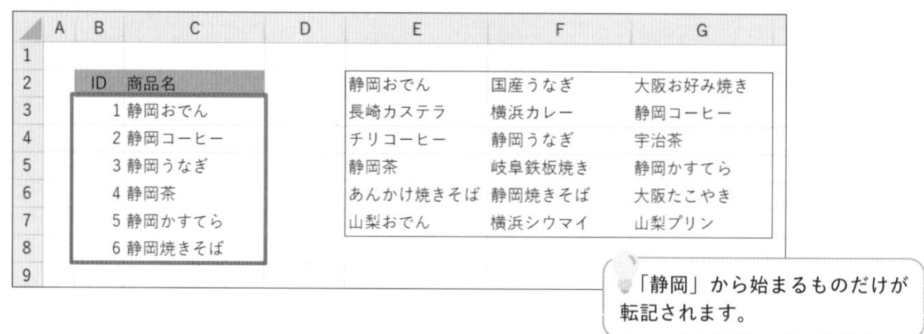

これは、For Each を使ったループ処理の例ですが、For Next を使ったループ処理時でも、**「カウンタ変数が位置の調整に使いにくいと感じる場合には、別途、位置調整用の変数を用意する」**のがよいでしょう。

For Next の処理を覚えたての際には、どうにかしてカウンタ変数を操作位置の調整に使いたいと考え、「Offset(基準値 + カウンタ変数 -1)」のような、妙に複雑なコードを書いてしまいがちです。それよりは、別途変数を用意して管理した方がスッキリします。

COLUMN　Like演算子で「あいまい比較」

本文中では、「セルの値が『静岡』から始まるかどうか」の判定に、「`myRange.Value Like "静岡*"`」というコードを記述しています。これは、**Like**（ライク）演算子と**ワイルドカード文字**（*）を組み合わせています。

Like演算子で、セルの値と「"静岡*"」を比較しています。ワイルドカード文字を使うことで、「静岡『県』」や「静岡『市』のように、「静岡」から始まる文字列を比較対象にすることができます。

COLUMN　カウンタ変数の定番変数名

For Nextではカウンタ変数を利用しますが、この変数名の定番が「i」と「j」です。これは昔からの慣例というか、よく使われてきた名前です。

基本は「i」を使い、ループ処理内でもう1段階ループ処理を作成する場合に「j」を利用します。とりあえず「i」「j」という変数名を見かけたら「ああ、ループ処理をしたいんだな」と見当がつくほどポピュラーな名前です。「犬の鳴き声を表すならとりあえずワン、猫ならばニャー」というレベルで浸透しています。カウンタ変数の名前に悩んでしまう場合には、この2つを使っておきましょう。

とはいえ、「必ずこの名前を使うようにする」というものではありません。例えば、行番号の指定に利用するカウンタ変数でしたら「rowIndex」や「rowIdx」等の方がわかりやすいでしょう。

ちなみに、「i」や「j」のように、「自分なりの定番の変数名」を決めておくと、マクロを作成する時に変数名に悩んで手が止まってしまうことを防止できます。例えば「セルなら『Rng』、シートなら『Sh』、ブックなら『Bk』を末尾に付ける（接尾辞にする）」等ののルールを決め、「用途＋接尾辞」で変数名を付けるようにします。例えば、転記先のセルなら「destinationRng」、合計を行うシートなら「totalSht」、合計を行う元データの記録されているブックなら「sourceBk」というような形です。自分なりの「定番」を作っていきましょう。

Keyword

Like演算子は、2つの文字列の比較を行います。**ワイルドカード文字**（*）は、「任意の文字列」を扱う仕組みです。

02 データを使いやすい形に整える

ここでは、VBAでデータを扱いやすい形式に整形する方法を紹介します。「帳票」形式から「テーブル」形式への整形を行ってみましょう。

帳票形式のデータをテーブル形式へと変換する

Excelでは、並び替えやフィルター、さらにピボットテーブルを用いた分析等、さまざまな便利な機能が用意されています。そして、それらの機能を有効に活用するためには、「1行目に各項目の見出しを用意し、その後の行に、見出しに応じたデータを列記していく」という、「テーブル形式」でデータを入力する必要があります。

▼ 見出しとデータという典型的なテーブル形式の表

	A	B	C	D	E	F	G	H
1								
2		ID	発行日	担当	商品	単価	数量	金額
3		1	2024/8/3	佐野	コーヒー	350	40	14,000
4		1	2024/8/3	佐野	オレンジ	400	30	12,000
5		1	2024/8/3	佐野	ホットミルク	400	60	24,000
6								

しかし、日々入力・運用している帳票やExcelのワークシートでは、今までの慣例や入力のしやすさの観点から、テーブル形式ではない紙時代から続く帳票の形式で作成されている場合も多いでしょう。

▼ 帳票形式のワークシート（簡易な例）

J	K	L	M
注文伝票			
担当		伝票ID	1
佐野		発行日	2024/8/3
商品	単価	数量	金額
コーヒー	350	40	14,000
オレンジ	400	30	12,000
ホットミルク	400	60	24,000

データの入力されている位置が1行に集中しているというわけではない「帳票」の形式から、**「1行に1つのデータ」であるテーブル形式へとデータを変換**して、フィルター機能やピボットテーブル機能を有効に利用できるようにしましょう。

とはいえ、手作業で帳票形式からテーブル形式に変換するのは、時間もかかり、ミスも起きやすい作業です。そこで、「帳票形式」から「テーブル形式」へと変換する作業をマクロ化します。

ループ処理を行う場所を探し出す

まず、ループ処理を行う場所を探します。今回のような帳票形式の場合は、たいてい一番細かな明細の部分の数に合わせるのがセオリーです。この例では、「セル範囲 J8：M10 に入力されている部分の行数、「3行」分のループ処理」を行います。

▼ ループ処理を行う場所を決める

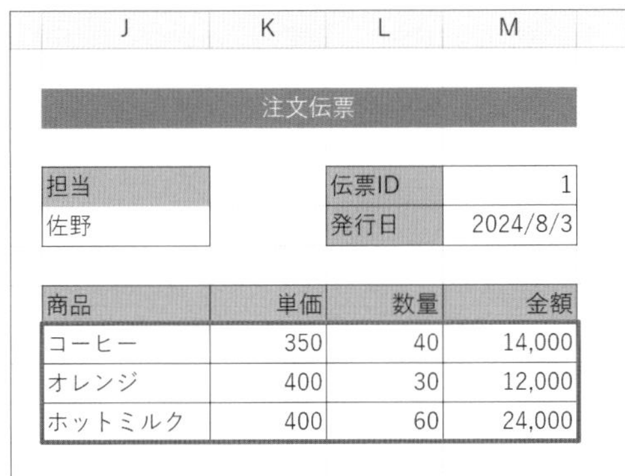

J	K	L	M
注文伝票			
担当		伝票ID	1
佐野		発行日	2024/8/3
商品	単価	数量	金額
コーヒー	350	40	14,000
オレンジ	400	30	12,000
ホットミルク	400	60	24,000

セル範囲 J8：M10 に入力された明細部分を繰り返しで転記します。

ループ処理を行う位置が決まったら、For Next（フォー ネクスト）を使って転記処理を作成します。具体的なマクロは、次のようになります。ここでは、明細部分に加えて、「伝票 ID」「発行日」「担当」の固定データも転記しています。

SAMPLE データの整形.xlsm

マクロ 帳票形式からテーブル形式に整形する

```
Sub テーブル形式に整形()
    Dim i
    '3 行分のテーブル形式のデータを入力
     For i = 1 To 3
        '固定データ部分
        Range("B2").Offset(i).Value = Range("M4").Value
        Range("C2").Offset(i).Value = Range("M5").Value
        Range("D2").Offset(i).Value = Range("J5").Value
        '明細データ部分
        Range("E2:H2").Offset(i).Value = _
            Range("J7:M7").Offset(i).Value
    Next
End Sub
```

▼ 帳票形式(図右)のデータをテーブル形式(図左)に整形する

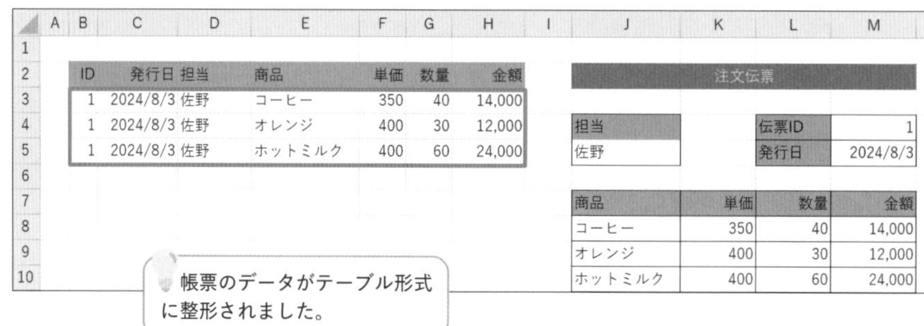

ID	発行日	担当	商品	単価	数量	金額
1	2024/8/3	佐野	コーヒー	350	40	14,000
1	2024/8/3	佐野	オレンジ	400	30	12,000
1	2024/8/3	佐野	ホットミルク	400	60	24,000

注文伝票

担当	伝票ID	1
佐野	発行日	2024/8/3

商品	単価	数量	金額
コーヒー	350	40	14,000
オレンジ	400	30	12,000
ホットミルク	400	60	24,000

帳票のデータがテーブル形式に整形されました。

ここで行う操作の基本的な考え方は、**「テーブル形式の見出しセルから、カウンタ変数の分だけ下のセルに、帳票形式のデータを記入していく」**というものです。

この時のポイントは、「伝票 ID」や、「発行日」等、1 枚分の伝票において固定されている部分の値は、ループ処理中も特に変化しないように指定し、それに対し、明細部分のデータのように各行が異なる値は、値を取得する位置も「明細部分の見出しセルからカウンタ変数の分だけ下のセル」というような計算を行って転記している点です。

なお、転記する際には、明細部分は個々のセルを１つひとつ指定するのではなく、「転記先セル範囲 .Value = 転記元セル範囲 .Value」という形式で、同じサイズのセル範囲に値を一括転記する仕組みを利用しています。

COLUMN なぜコピーではなく「Value」で転記するのか

VBA には、データのコピーを行う Copy（コピー）メソッドが用意されています。しかし、本文中のマクロでは、帳票部分のセルからテーブル部分のセルへと値を転記するのに、Copy メソッドを使用せずに、値をそのまま扱う Value プロパティを利用しています。

これは何故かと言うと、例えば、帳票中に「単価」と「数量」があれば、その「小計」のセルは、具体的な数値ではなく「= 単価 * 数量」という形式の数式が入力されることが多いでしょう。「消費税」であれば、「= 小計 * 税率」という形式も考えられます。

この場合、Copy メソッドを使用すると、計算結果の値ではなく、式がコピーされます。そのため、計算の「式」ではなく、「値」を転記・記録した方が実際の金額を反映するだろう、という意図で、元の帳票の計算結果である「値」を転記できる Value プロパティを利用しています。

なお、式を転記したい場合には、Value プロパティのかわりに、Formula（フォーミュラ）プロパティを利用します。扱うデータの性質や用途に応じて、「値」を転記するのか、「式」を転記するのかを使い分けましょう。

Keyword

Copy メソッドは、操作対象のオブジェクトをコピーします。Formula プロパティは、セルに入力された式を管理します。

表を作る時にデータのない行を隠す

見積書等を作成する際には、提案したい案件の総額と、その詳細な内訳を列記し、総額を積算した形で出力したい場合があります。

この時、最終的な金額を算出するまでに、「要素Aは、A～Cの3種類の項目から1つ選ぶ」「要素Bも、A～Cの3種類から1つ選ぶ」「要素Cは、3種類のオプションから複数選択可能」というように、「1つひとつの構成要素とその数量を指定し、最終的にその組み合わせの金額を算出する」、いわゆる積算方式で算出することが多いでしょう。こういった場合、最終的な見積の出力内容は、見積を作成するたびに変化します。

▼ 積算形式の見積書の例

	A	B	C	D	E	F
1						
2		お見積金額	¥197,100			
3						
4		お見積り内訳				
5		部品／工法	数量	単位	単価	金額
6		積算項目A				
7		基本ボックスA	1	式	18,000	18,000
8		積算項目B				
9		メインパーツB	1	個	158,000	158,000
10		積算項目C				
11		オプションA	2	m	800	1,600
12		オプションB	3	枚	6,500	19,500
13						

このような積算形式の見積書をExcel上で作成する場合には、まず、選択できる全ての積算項目の単価を含むリストを作成しておき、「今回の見積」で使用する項目のみ、「数量」に「1」等の必要な数を記入し、小計金額を算出し、最終的に総合計を計算する構成にすることが多いでしょう。

しかし、選択できる項目の数が多岐にわたると、「『今回の見積』では使用しない項目の方がたくさん記載されている見積書」になってしまいがちです。

▼ 使用しない項目が多く記載されているケース

	A	B	C	D	E	F
1						
2		お見積金額	¥197,100			
3						
4		お見積り内訳				
5		部品／工法	数量	単位	単価	金額
6		積算項目A				
7		基本ボックスA	1	式	18,000	18,000
8		基本ボックスB		式	22,000	0
9		基本ボックスC		式	30,000	0
10		積算項目B				
11		メインパーツA		個	124,000	0
12		メインパーツB	1	個	158,000	158,000
13		メインパーツC		個	220,000	0
14		積算項目C				
15		オプションA	2	m	800	1,600
16		オプションB	3	枚	6,500	19,500
17		オプションC		個	550	0
18						

今回は使用しない項目を自動的に非表示にできるようにします。

このようなケースでは、何らかのルールを設けて、今回は使用しない項目の行は非表示にしてしまうと見やすい帳票となります。この「使用していない項目の行を非表示にする」という作業をマクロ化しましょう。

次のマクロでは、「金額」列（セル範囲 F6:F17）」に「①数式が入力されている」かつ、「②計算結果が『0』の場合」に、「その行の項目を『使用していない』と判断し、行全体を非表示」にします。

マクロ 今回は使用しない行を非表示にする

```
Sub 使用しない行を非表示()
    Dim myRange
    '非表示行を全て表示
    Cells.EntireRow.Hidden = False
    '「金額」列のセルに対してループ処理
     For Each myRange In Range("F6:F17 ")
        '数式が入力されており、金額が「0」の場合は非表示に
        If myRange.HasFormula And myRange.Value = 0 Then
            myRange.EntireRow.Hidden = True
        End If
    Next
End Sub
```

実行結果は、次図のようになります。「金額」の数字を「0」にする行を変更しても、正しくマクロが動作することを確認してみてください。

このように、積算書を作成する際には、「あらかじめ使用する可能性のある項目を全部記入しておき、最終的にループ処理で使用していない部分を一括非表示にする」というスタイルで作業を進めると、簡単に素早く、見やすい帳票が作成できます。

▼ 積算形式の見積書の例

	A	B	C	D	E	F
1						
2		お見積金額	¥197,100			
3						
4		お見積り内訳				
5		部品／工法	数量	単位	単価	金額
6		積算項目A				
7		基本ボックスA	1	式	18,000	18,000
8		積算項目B				
9		メインパーツB	1	個	158,000	158,000
10		積算項目C				
11		オプションA	2	m	800	1,600
12		オプションB	3	枚	6,500	19,500
13						

「金額」が「0」の行が非表示にされます。

COLUMN 印刷範囲の設定にも注意

帳票形式のシートは、最終的に印刷したりPDFとして出力することも多いでしょう。その際には不要な箇所を非表示する仕組みに加え、「印刷範囲をきちんと指定しておく」点にも注意しましょう。うっかり印刷したくないデータまで印刷したり、延々と意図していない範囲まで印刷されてしまうのは困りますものね。

特に、印刷までを一括で行うマクロを作成している場合には、プレビュー画面を見ることなく印刷を行うため、印刷してはじめて印刷範囲の設定し忘れに気づく、なんてことにもなりかねません。注意しましょう。

なお、マクロで印刷範囲を設定するには、シートごとの印刷を管理するPageSetup（ページセットアップ）オブジェクトのPrintArea（プリントエリア）プロパティに、セル範囲を表す文字列を指定します。例えば、次のコードは、「1枚目のシートの印刷範囲をセル範囲B2:E50に設定」します。

```
Worksheets(1).PageSetup.PrintArea = "$B$2:$E$50"
```

Keyword

PageSetupオブジェクトは、印刷の設定を管理します。PrintAreaプロパティは、印刷範囲を管理します。

03 新規データの入力位置を算出する

「表の末尾にデータを追加」といったように、データの「末尾」を調べ、そこにデータを追加したい、といったケースで使えるテクニックを紹介します。

アクティブセル領域の末尾の位置を算出する

例えば、次図のような表があるとします。この表の各行に入力されているデータをループ処理で扱いたい場合には、ループ回数は見出しを除いた「3」行分ですし、新規にデータを入力する場合には、「セル B6」を算出したいところです。

▼ 表の末尾を取得する

	A	B	C	D	E	F
1						
2		ID	商品	単価	数量	金額
3		1	コーヒー	350	40	14,000
4		2	オレンジ	400	30	12,000
5		3	ホットミルク	400	60	24,000
6						
7						
8						
9						
10						

新規にデータを入力する位置を算出しましょう。

このような表の場合、多くは「既に見出し部分が入力されている」という性質を利用して、**「見出し部分のセルを含む『アクティブセル領域』を取得し、そのセル範囲から必要な情報を計算する」**というテクニックが役に立ちます。

アクティブセル領域とは、「一連のデータが入力されているセル範囲」のことです。具体的には、例えば、上記の表の場合は、セル B3 を選択して、アクティブセル領域を選択するショートカットキーである、Ctrl + Shift + * を押すと、セル範囲 B2:F5 が選択されます。

▼ セル B2 を起点としたアクティブセル領域

	A	B	C	D	E	F
1						
2		ID	商品	単価	数量	金額
3		1	コーヒー	350	40	14,000
4		2	オレンジ	400	30	12,000
5		3	ホットミルク	400	60	24,000
6						
7						
8						
9						
10						

セル B2 を選択して、Ctrl + Shift + * を押します。

アクティブセル領域を VBA から取得するには、「起点となるセルを指定」し、さらに、CurrentRegion（カレントリージョン）プロパティを利用します。

次のコードは、「セル B2 を起点としたアクティブセル領域を取得」します。

```
Range("B2").CurrentRegion
```

表形式のセル範囲であれば、そのデータの数は、全体の行数を求め、その値から見出しの「1」行分を引くと算出できます。セル範囲の行数は、Rows.Count（ロウズ カウント）で求められるので、「セル B2 を起点としたアクティブセル領域のデータの件数」は、次のようなコードで求められます。

```
Range("B2").CurrentRegion.Rows.Count - 1
'結果は「3」
```

つまり、この表のデータを扱いたい場合には「1 行目から『3』行目」までをループ処理を行えばよいとわかりますね。

また、「新規にデータの入力を開始する位置である、「セル B6」の位置を取得」したい場合には、同じくアクティブセル領域の行数を求め、「見出しの位置にあるセルから、行数分だけ下方向にあるセル」を求めれば OK です。

SAMPLE 入力位置を取得 .xlsm

マクロ 新規データの入力位置を取得する

```
Sub アクティブセル領域で算出()
    Dim offsetValue
    'セル B2 を起点としたアクティブセル領域の行数を計算
    offsetValue = Range("B2").CurrentRegion.Rows.Count
    '基準位置から行数分だけ下にある新規データ入力位置を指定
    Range("B2").Offset(offsetValue).Value = "★"
End Sub
```

▼ 表の最終行にデータが入力される

	A	B	C	D	E	F
1						
2		ID	商品	単価	数量	金額
3		1	コーヒー	350	40	14,000
4		2	オレンジ	400	30	12,000
5		3	ホットミルク	400	60	24,000
6		★				
7						
8						
9						
10						

表の最終行を算出して、データが入力されます。

　このように、表形式で入力されているデータに対するループ処理を作成するには、アクティブセル領域の仕組みをうまく利用するのが有効です。

Keyword

CurrentRegion プロパティは、アクティブセル領域を取得します。Rows.Count は、指定したセル範囲の行数を取得します。

COLUMN COUNTA ワークシート関数でデータ行数を取得する

ワークシート関数を使い慣れている方であれば、データ数の取得に、「引数に指定した範囲中の、値が入力されているセルの個数」を算出する、COUNTA（カウントエー）ワークシート関数で得られる値を利用するのがわかりやすいでしょう。

▼ COUNTA ワークシート関数

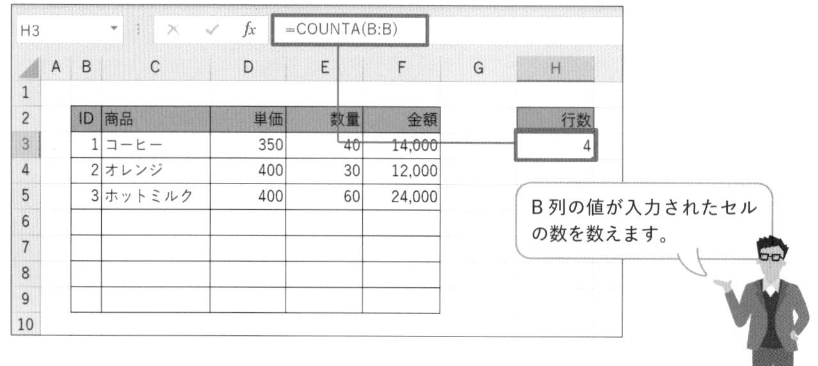

ID	商品	単価	数量	金額		行数
1	コーヒー	350	40	14,000		4
2	オレンジ	400	30	12,000		
3	ホットミルク	400	60	24,000		

例えば、「B 列」の「値の入力されているセルの個数」を調べるには、ワークシート上に「=COUNTA("B:B")」と入力します（「B:B」とすることで、B 列全体が指定されます）。すると、上図のような表が作成されている場合には、見出しを含む表の行数である「4」が得られます。あとは、このセルの値をマクロ内で利用すれば OK ですね。

また、ワークシート上に COUNTA ワークシート関数を入力したくない場合には、次のように、「Application.WorksheetFunction.CountA(対象のセル範囲／列全体)」とすれば、直接 VBA 中で COUNTA ワークシート関数を利用できます。

```
Application.WorksheetFunction.CountA(Range("B:B"))
```

WorksheetFunction（ワークシートファンクション）に続けてワークシート関数名を記述する形で、多くのワークシート関数が VBA からも利用できるようになります。

Keyword

WorksheetFunction は、VBA のコード内でワークシート関数を利用する仕組みです。

終端セルを取得して入力位置を決める

表形式で入力されているデータの行数というよりは、「表形式で入力されているデータの末尾」の行番号を知りたい場合には、終端セルの仕組みを利用します。

End プロパティを利用することで、「**基準となるセルから連続してデータが入力された範囲の最終セル（終端セル）**」を取得することができます。どの方向の終端を取得するかは、引数を使って指定します。

▼ End プロパティで終端セルを取得する

	A	B	C	D	E	F
1						
2		ID	商品	単価	数量	金額
3		1	コーヒー	350	40	14,000
4		2	オレンジ	400	30	12,000
5		3	ホットミルク	400	60	24,000
6						
7						

End(xlToRight)

End(xlDown)

基準のセルを起点として、データが入力された最終のセルを取得できます。

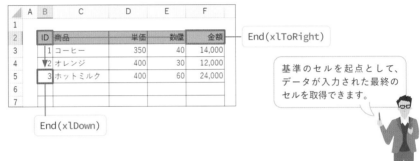

基準となるセルの End プロパティを利用し、引数で方向を指定します。

▼ End プロパティの引数

方向	引数の値
下	xlDown
左	xlToLeft
右	xlToRight
上	xlUp

今回は「最終行の行番号」を知りたいので、「先頭の見出し部分のセルを基準に、『xlDown』方向の終端セル」を利用します。さらに、終端セルの行番号を知りたいので、Row プロパティを続けて記述します。

「セル B2 を起点とした最終行の番号」を取得するには、次のようにコードを記述します。

Keyword

End プロパティは、基準となるセルから引数で指定した方向の終端セルを取得します。Row プロパティは、セルの行番号を取得します。

```
Range("B2").End(xlDown).Row
'結果は「5」
```

次のマクロは、「セル B2 を起点とした最終行の番号」を取得して、メッセージとして表示します。

マクロ 終端セルのセル番号を表示する

```
Sub Endプロパティで算出1()
    MsgBox "行番号:" & Range("B2").End(xlDown).Row
End Sub
```

▼セル B2 を起点とした最終行の行番号を表示する

新規データを入力する行番号を取得したい場合には、この結果に「1」だけ加算した値にすれば OK ですね。

End プロパティを利用する際には、同じ列のデータ中に空白がある場合には、その時点で「終端セル」と判断されてしまいます。このような場合には、発想を逆転して、**「その列の最終行から、上方向の終端セル」**を計算で求めます。

▼ 最終行から終端セルを算出する

	A	B	C	D
1				
2		ID	商品	単価
3		1	コーヒー	350
4			オレンジ	400
5		3	ホットミルク	400
6				

空白のセルがある場合は、その上が最終セルと判断されてしまいます。

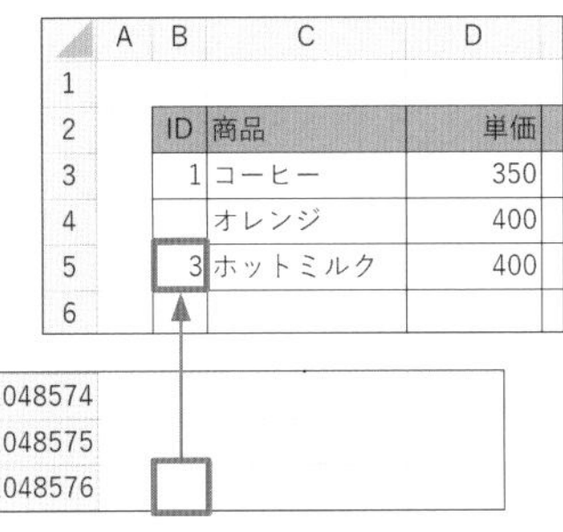

	A	B	C	D
1				
2		ID	商品	単価
3		1	コーヒー	350
4			オレンジ	400
5		3	ホットミルク	400
6				
1048574				
1048575				
1048576				

そこで、最終行から上に向かって、データが入力されているセルを算出します。

Excel 2021では最終行は「1048576行」なので、次のようなコードで目的のセルを選択できます。次のマクロは、「B列の最終行から上方向の終端セルを選択」しています。

マクロ 最終行から終端セルを取得する

```
Sub Endプロパティで算出2()
    Range("B1048576").End(xlUp).Select
End Sub
```

▼ B列の終端セルが選択される

	A	B	C	D	E	F
1						
2		ID	商品	単価	数量	金額
3		1	コーヒー	350	40	14,000
4			オレンジ	400	30	12,000
5		3	ホットミルク	400	60	24,000
6						
7						
8						
9						
10						

B列の終端セルとしてセルB5が算出されます。

新規データ位置を取得したい場合には、Endプロパティを利用して得られたセルから、さらに1行だけ下のセルを指定すればOKですね。

このように、Endプロパティを利用しても、最終データの入力されている行番号や、新規データ入力位置を算出できます。

COLUMN 「最終行」はExcelのバージョンによって異なる

本文中では、Excel 2021 の最終行は「1048576 行」と紹介しましたが、この「最終行」の行数は Excel のバージョンによって異なります。つまり、「Range("B1048576")」というコードは、バージョンによってはセルが存在せずにエラーとなってしまうケースが出てきます。

そこで、この部分を、「実行時のワークシートの最終行を『Rows.Count』で自動的に取得して指定」できるように書き換えてみましょう。

```
Range("B" & Rows.Count).End(xlUp).Select
```

この記述であれば、Excel のバージョンを問わずに、B 列の「終端セル」を取得できます。

COLUMN テーブル機能を利用している場合の追加方法

テーブル機能を利用している場合には、別のアプローチで「新規データの入力位置」を計算できます。ちょっと難しい話になるのですが、個々のテーブルは ListObject（リストオブジェクト）オブジェクト、テーブルの個々の行は ListRow（リストロウ）オブジェクトとして管理されています。さらに、個々の行のセル範囲は ListRow オブジェクトの Range プロパティからアクセスできます。この仕組みを利用します。

次のコードは、「『商品』という名前のテーブルに新規のデータを扱う行を追加し、そのセル範囲に値を入力」します。

```
'新規の行(ListRow オブジェクト)を扱う変数を宣言
Dim newRow
'テーブル(ListObject)に新規行を Add メソッドで追加し、変数にセット
Set newRow = ActiveSheet.ListObjects("商品").ListRows.Add
'新規の行の Range プロパティから該当セル範囲にアクセスできる
newRow.Range.Value = Array(3, "レモン", "200")
```

テーブル機能を基本としてデータを扱っている場合には、こちらの方が簡単にデータを追加・管理できます。興味のある方は、ListObject オブジェクトを Web や書籍で調べてみてください。

Keyword

ListObject オブジェクトは、テーブルを管理します。ListRow オブジェクトは、テーブルの個々の行を管理します（ListRows コレクションのメンバーです）。

04 外部のファイルを読み込んで利用する

「他のアプリケーションや計器から出力されたテキストを、Excel に転記して利用したい」という場合の操作手順と、その操作手順を自動化する方法を紹介します。

テキストファイルの読み込み方

多くの場合、テキストデータを出力する機能を持つアプリケーションには、次図のような **CSV 方式**（カンマ区切りのテキストデータ）で保存する仕組みが用意されています。「CSV 形式のテキストの読み込み」をマクロ化しましょう。

SAMPLE 外部データの読み込み .xlsm

▼ CSV形式のテキストで書き出されたデータの例

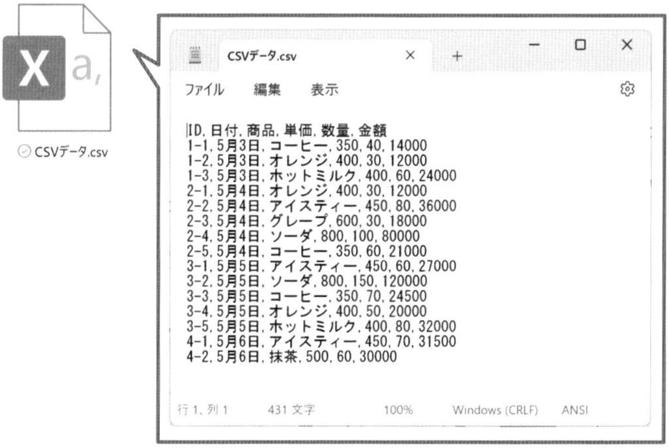

X a,
CSVデータ.csv
CSVデータ.csv
ファイル 編集 表示
ID, 日付, 商品, 単価, 数量, 金額
1-1, 5月3日, コーヒー, 350, 40, 14000
1-2, 5月3日, オレンジ, 400, 30, 12000
1-3, 5月3日, ホットミルク, 400, 60, 24000
2-1, 5月4日, オレンジ, 400, 30, 12000
2-2, 5月4日, アイスティー, 450, 80, 36000
2-3, 5月4日, グレープ, 600, 30, 18000
2-4, 5月4日, ソーダ, 800, 100, 80000
2-5, 5月4日, コーヒー, 350, 60, 21000
3-1, 5月5日, アイスティー, 450, 60, 27000
3-2, 5月5日, ソーダ, 800, 150, 120000
3-3, 5月5日, コーヒー, 350, 70, 24500
3-4, 5月5日, オレンジ, 400, 50, 20000
3-5, 5月5日, ホットミルク, 400, 80, 32000
4-1, 5月6日, アイスティー, 450, 70, 31500
4-2, 5月6日, 抹茶, 500, 60, 30000
行 1、列 1 431 文字 100% Windows (CRLF) ANSI

この CSV 形式のファイルのデータを Excel 内に読み込むのに最も簡単は方法は、「メモ帳」等でコピーしたデータをワークシートに貼り付けて展開することです。

CSV 形式というのは、テキスト形式でもあるので、「メモ帳」等のテキストを扱うアプリケーションでそのまま開けます。

▼ ワークシート上に転記されたデータ

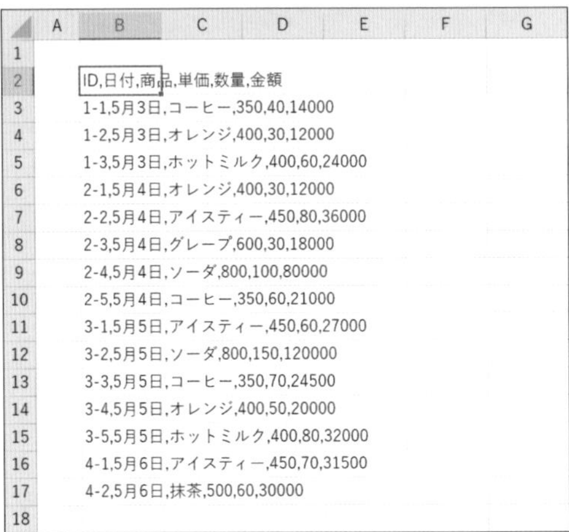

上図は、セル B2 を選択して貼り付けた結果です。しかし、この状態では、全てのデータが、B 列のみに入力されている状態ですね。ここから、このデータを**分割**（パース）します。Excel の機能であれば、分割したいセル範囲を選択して、リボンの［データ］→［区切り位置］を選択し、表示されるウィザードを利用します。

▼ 区切り位置ウィザード

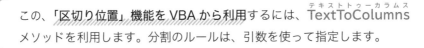

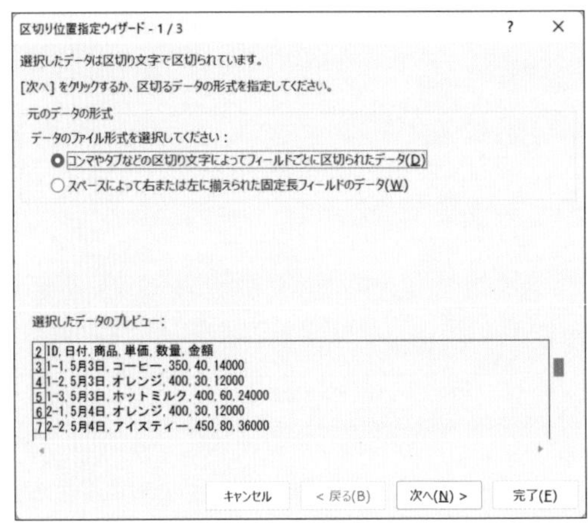

この、「区切り位置」機能を VBA から利用するには、TextToColumns（テキストトゥーカラムス）メソッドを利用します。分割のルールは、引数を使って指定します。

CSV形式のようにカンマ区切りのデータの場合は、「TextToColumns」の引数「DataType」に「xlDelimited」を指定し、さらに、引数「Comma」に「True」を指定します。

次のマクロは、「セルB2に入力されたCSV形式のテキストを、カンマ区切りに分割」します。

マクロ データをカンマ区切りに分割する

```
Sub データの分割1()
Range("B2").CurrentRegion.TextToColumns _
    DataType:=xlDelimited, _
    Comma:=True
End Sub
```

▼データがカンマ区切りで分割される

	A	B	C	D	E	F	G
1							
2		ID	日付	商品	単価	数量	金額
3		1月1日	5月3日	コーヒー	350	40	14000
4		1月2日	5月3日	オレンジ	400	30	12000
5		1月3日	5月3日	ホットミルク	400	60	24000
6		2月1日	5月4日	オレンジ	400	30	12000
7		2月2日	5月4日	アイスティー	450	80	36000
8		2月3日	5月4日	グレープ	600	30	18000
9		2月4日	5月4日	ソーダ	800	100	80000
10		2月5日	5月4日	コーヒー	350	60	21000
11		3月1日	5月5日	アイスティー	450	60	27000
12		3月2日	5月5日	ソーダ	800	150	120000
13		3月3日	5月5日	コーヒー	350	70	24500
14		3月4日	5月5日	オレンジ	400	50	20000
15		3月5日	5月5日	ホットミルク	400	80	32000
16		4月1日	5月6日	アイスティー	450	70	31500
17		4月2日	5月6日	抹茶	500	60	30000
18							

カンマで分割され、表形式にデータが整形されました。

Keyword

TextToColumnsメソッドは、セルに入力されたテキストを複数の列に区切ります。

分割の形式を設定する

しかし、ここでパース後のB列に注目してみてください。「ID」の値が「1月1日」等、妙な形式になっていますね。これは、Excelでお馴染みのお節介である、「1-1」を「日付」と解釈し、「1月1日」と自動的にデータ形式を変換する機能が働いているためです。

意図しない自動変換を起こさせないように、**「きっちりと列ごとの形式を設定」**したい場合には、「TextToColumns」に、さらに引数FieldInfoを指定します。

マクロ 自動変換を停止して分割する

```
Sub データの分割2()
    Range("B2").CurrentRegion.TextToColumns _
        DataType:=xlDelimited, _
        Comma:=True, _
        FieldInfo:=Array(Array(1, 2), Array(2, 5))
End Sub
```

この時、引数FieldInfoには、「Array(Array(列番号 , 形式))」という形で、「形式を指定したい列の列番号」と「形式に対応した数値」をワンセットにした形で指定します。

▼ 各形式に対応する数値

形式	数値
標準(自動判別)	1
文字列	2
日付	5
削除する	9

つまり、前述のコードは、「1列目は文字列で、2列目は日付で、指定のない残りの列は自動判別で」という形式で分割を行います。

```
FieldInfo:=Array(Array(1, 2), Array(2, 5))
```

結果を見てみると、次図のようになります。今度は、きちんと「1-1」という値のままパースされたことが確認できますね。

▼ 形式を指定してパースされる

	A	B	C	D	E	F	G
1							
2		ID	日付	商品	単価	数量	金額
3		1-1	5月3日	コーヒー	350	40	14000
4		1-2	5月3日	オレンジ	400	30	12000
5		1-3	5月3日	ホットミルク	400	60	24000
6		2-1	5月4日	オレンジ	400	30	12000

B列のデータも正しい形式で分割されました。

ワークシートへの読み込み作業も自動化する

「CSV 形式のデータを Excel のワークシート内へ読み込む」の操作も自動化してみましょう。とは言ったものの、実はこの作業に対応する「データの取得」機能の動作や内容は、Excel のバージョンによって、大分違いがあります。同じバージョンだとしても、アップデートによって動作が少しずつ変わることもある、いわゆるホットな機能でもあります。

そこで、本書では、「どのような環境でも使える読み込み方法」を紹介します。これなら同じ部署に古いバージョンを使っている同僚がいても安心です。

今回読み込みたいデータの基本情報は、次のものとします。このデータを Excel 上に自動的に読み込むためのマクロを紹介します。

- マクロを記述したブックと同じフォルダー内にある「CSV データ .csv」
- 読み込み開始位置は「セル B2」
- ファイルの文字コードは「Shift-Jis」
- 1 列目を「文字列」として読み込む

マクロ 外部のデータを自動で読み込む

```
Sub 外部データの読み込み_SJISの場合()
    With ActiveSheet.QueryTables.Add( _
        Connection:="TEXT;" & ThisWorkbook.Path & _
            "¥CSVデータ.csv", _ ―――❶
        Destination:=Range("B2") _ ―――❷
    )
```

```
        .TextFilePlatform = 932 ――――――――――――――― ❸
        .AdjustColumnWidth = False
        .TextFileParseType = xlDelimited
        .TextFileCommaDelimiter = True
        .TextFileColumnDataTypes = Array(2, 3, 2, 1, 1, 1)―― ❹
        .Refresh BackgroundQuery:=False
        .Delete
    End With
End Sub
```

▼ 外部のデータを読み込んでパースする

	A	B	C	D	E	F	G
1							
2		ID	日付	商品	単価	数量	金額
3		1-1	5月3日	コーヒー	350	40	14000
4		1-2	5月3日	オレンジ	400	30	12000
5		1-3	5月3日	ホットミルク	400	60	24000
6		2-1	5月4日	オレンジ	400	30	12000
7		2-2	5月4日	アイスティー	450	80	36000
8		2-3	5月4日	グレープ	600	30	18000
9		2-4	5月4日	ソーダ	800	100	80000
10		2-5	5月4日	コーヒー	350	60	21000
11		3-1	5月5日	アイスティー	450	60	27000
12		3-2	5月5日	ソーダ	800	150	120000
13		3-3	5月5日	コーヒー	350	70	24500
14		3-4	5月5日	オレンジ	400	50	20000
15		3-5	5月5日	ホットミルク	400	80	32000
16		4-1	5月6日	アイスティー	450	70	31500
17		4-2	5月6日	抹茶	500	60	30000
18							

このマクロは、「データの取得」機能をVBAから操作する際に、昔から利用されてきた「QueryTable(クエリテーブル)オブジェクト」という仕組みを利用したものです。

詳細な解説は省きますが、次のように読み込むデータや形式を指定しています。

- **ファイルパス(❶)**
- **転記の開始位置(❷)**
- **文字コード(❸)**
- **各列の形式(❹)**

❸の箇所で文字コードを指定しています。その際に、Windowsで標準的に利用されている「Shift-Jis」形式を利用する場合は、「932」を指定します。また、近年利用が広がっている「UTF-8」形式は「65001」を指定します。

④の箇所で各列の形式を指定するには、「Array(1列目の形式, 2列目の形式, …)」という形で全ての列について形式を指定します。形式を指定する際に使用する値は以下の通りです。

▼ 各列の形式を指定する値

形式	数値
標準(自動判別)	1
文字列	2
日付	5
削除する	9

少々難しい内容ですが、業務で、日々、テキストファイルからデータを読み込む作業があるような方は、是非、チャレンジしてみてください。

やっかいな文字コード「EUC」

テキスト形式の外部データを読み込む際、特に日本語環境下では、文字コードが重要になってきます。適切な文字コードを指定しないで読み込むと、いわゆる「文字化け」を起こし、書いてある内容がまったく読み込めなくなります。

VBAで読み込む際にも、この文字コードの指定はなかなかにやっかいなポイントの1つになります。前節では、「Shift-Jis」という文字コードのテキストを読み込む方法を紹介しましたが、その他にもさまざまな文字コードが存在しています。

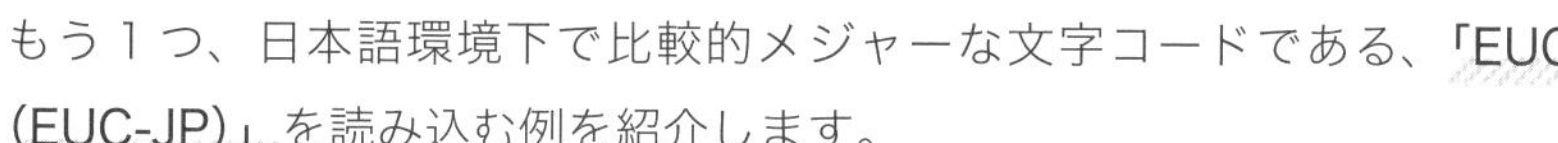

もう1つ、日本語環境下で比較的メジャーな文字コードである、「EUC(EUC-JP)」を読み込む例を紹介します。

実はこのEUC形式のファイルは、前節の「Shift-Jis」向けのマクロではうまく読み込めません。

そこで、少々トリッキーな方法ですが、以下のようなマクロを用意してみました。以下のマクロは、多くのバージョンでそのまま利用できる、「EUC形式のテキストファイルを、ワークシート上に読み込む（だけ）」のものです。

マクロ 「EUC(EUC-JP)」のテキストファイルの読み込み

```
Sub 外部データの読み込み_EUC の場合()
    Dim myFile, myBuf, myRange, myID
    '読込みたい文字コードが EUC のファイルのパスを指定
    myFile = ThisWorkbook.Path & "¥CSV データ(EUC).csv"
    '転記位置を指定
    Set myRange = Range("B2")
    'Stream オブジェクトという仕組みを使って読み込み
    With CreateObject("ADODB.Stream")
        .Open
        .Type = 2
        .Charset = "EUC-JP"
        .LoadFromFile myFile
        myBuf = .ReadText
        .Close
    End With
    '読み込んだデータを転記位置から転記
    Debug.Print myBuf
    myBuf = Split(myBuf, vbLf)     '改行コードは vbCrLf 等の場合も
    Debug.Print UBound(myBuf)
    For myID = 0 To UBound(myBuf)
        myRange.Offset(myID).Value = myBuf(myID)
    Next
End Sub
```

このマクロで読み込んだデータを、239 ページで紹介した方法等で分割すれば、EUC 形式のテキストデータの読み込みも自動化できます。

EUC 形式のテキストファイルの扱いに悩んでいる方は、お試しください。

05 Web上のデータをExcelに取り込む

ここでは、Webブラウザー上に表示されているデータをExcelへ取り込んで利用する際に、知っておくと便利なテクニックをいくつか紹介します。

基本は「値のみコピー」

近年では、ExcelでWeb上にあるデータを利用したり、分析・検討のためにテーブル形式へと変換したいという場面が増えてきました。

Web上のデータをExcelに取り込んで利用しましょう。とはいえ、この作業は必ずしもVBAを利用するというわけではないので、「補講」として簡単にご紹介させていただきます。

Webブラウザー上のデータのうち、Excelで利用したい情報というのは、多くの場合、既に表形式で作成されていることが多いでしょう。例えば、次図はWebサイト「Yahoo! 天気」で表示されている1週間の気象データです。

▼ Webブラウザー上で表形式で表示されている状態

週間天気　2024年3月18日 15時00分発表

日付	3月20日(水)	3月21日(木)	3月22日(金)	3月23日(土)	3月24日(日)	3月25日(月)
天気	晴時々曇	晴時々曇	晴れ	晴時々曇	曇一時雨	曇一時雨
気温(℃)	16 6	11 2	13 2	14 4	18 8	18 11
降水確率(%)	40	20	10	30	40	70

このようなデータをExcelに取り込みたい場合には、基本的に、「表全体が含まれるようにドラッグして選択」してコピーします。

続いて、Excelの任意のワークシート上のセルを選択し、貼り付けます。Webコンテンツの貼り付けは、Excelのバージョンが上がるごとにだんだんと洗練されてきているため、Excel 2021では、ほぼWebブラウザー表示そのままに貼り付けができます。

▼ ワークシート上にコンテンツを貼り付ける

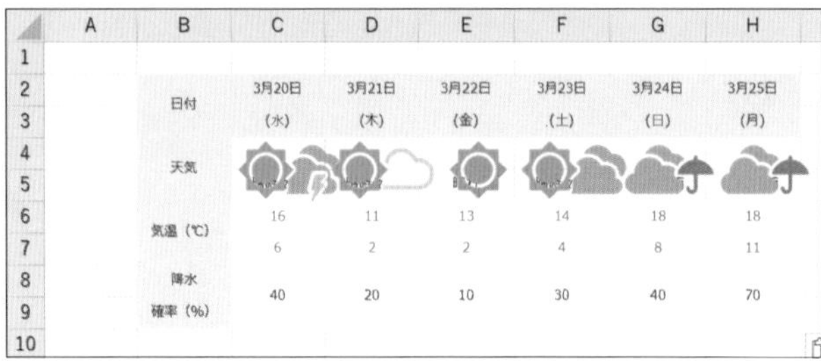

	A	B	C	D	E	F	G	H
1								
2		日付	3月20日	3月21日	3月22日	3月23日	3月24日	3月25日
3			(水)	(木)	(金)	(土)	(日)	(月)
4		天気						
5								
6		気温（℃）	16	11	13	14	18	18
7			6	2	2	4	8	11
8		降水	40	20	10	30	40	70
9		確率（%）						
10								

Web ブラウザー上でコピーした表を、任意のセルを選択して貼り付けます。

しかし、貼り付けたコンテンツをデータとして扱うには、書式の情報や、天気のアイコン画像等は不要ですね。そこで、「貼り付け先の書式に合わせる」を指定して貼り付けを行います。これで、「書式や画像等を除いたデータ」が読み込めます。

▼ 不要なデータを除いて読み込む

	A	B	C	D	E	F	G	H
1								
2		日付	3月20日	3月21日	3月22日	3月23日	3月24日	3月25日
3			(水)	(木)	(金)	(土)	(日)	(月)
4		天気	晴時々曇	晴時々曇	晴れ	晴時々曇	曇一時雨	曇一時雨
5			晴時々曇	晴時々曇	晴れ	晴時々曇	曇一時雨	曇一時雨
6		気温（℃）	16	11	13	14	18	18
7			6	2	2	4	8	11
8		降水	40	20	10	30	40	70
9		確率（%）						
10								

「貼り付け先の書式に合わせる」を指定して貼り付けます。

基本的にはこれで完成です。あとは必要な要素のみをピックアップしたり、不要な部分を削除したりといった作業を行い、好みの形式の表となるように整形しましょう。

整形作業をマクロで自動化する

Web ブラウザーからコピーしてきたデータに一定のパターンがある場合には、整形作業を VBA で自動化するチャンスが生まれます。

ここでは、**「貼り付けたデータの中から不要な部分を削除して整形」**する方法を紹介します。大量のデータがある場合でも、マクロ化することで、ミスなく確実に削除できるようになります。

例えば、SB クリエイティブ社の以下の新刊情報のページ（https://www.sbcr.jp/pc/）を例に取ってみましょう。

▼ データに規則性のある Web ページ

　この Web ページの新刊情報部分の表の一部を、Excel 上に「貼り付け先の書式に合わせる」で値のみ貼り付けてみると、以下のように 1 列にデータが列記される結果となります。

▼ 貼り付け結果

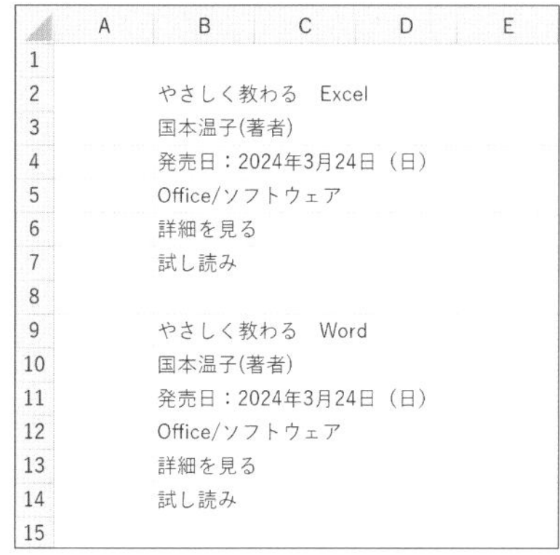

	A	B	C	D	E
1					
2		やさしく教わる　Excel			
3		国本温子(著者)			
4		発売日：2024年3月24日（日）			
5		Office/ソフトウェア			
6		詳細を見る			
7		試し読み			
8					
9		やさしく教わる　Word			
10		国本温子(著者)			
11		発売日：2024年3月24日（日）			
12		Office/ソフトウェア			
13		詳細を見る			
14		試し読み			
15					

Web ブラウザー上でコピーして、「貼り付け先の書式に合わせる」を指定して貼り付けます。

　この貼り付けられたデータを見てみると、「書籍名」「著者名」「発売日」等のデータが入力されていることに気がつきます。それに加えて、「Office/ ソフトウェア」「Web デザイン / グラフィック /HTML」等のカテゴリーを示すテキストや、「詳細を見る」「試し読み」への誘導リンクのテキストも入力されています。

　そこで、まずは、「書籍名」「著者名」「発売日」以外のデータを取り除きます。下記のマクロは、「選択したセル範囲内の個々のセルの値をチェックし、先頭 3 文字が「詳細を」「試し読」「Off」「Web」等の場合にはセルの値をクリア」します。また、全ての選択範囲のチェック後に、「空白セル」を削除してデータを詰めます。

SAMPLE Web 上のデータ .xlsm

マクロ 余計な値を取り除いて整形

```
Sub 余計な値を取り除く()
    Dim myRange
    '選択セル範囲をループ処理
    For Each myRange In Selection
        '先頭3文字が任意の値の場合は値を消去する
        Select Case Left(myRange.Value, 3)
            Case "詳細を", "試し読", "Off", “Web”
                myRange.Clear
        End Select
    Next
    '選択セル範囲中の「空白セル」を選択して削除する
    Selection.SpecialCells(xlCellTypeBlanks).Delete
End Sub
```

▼ 余計な値を取り除いて詰める

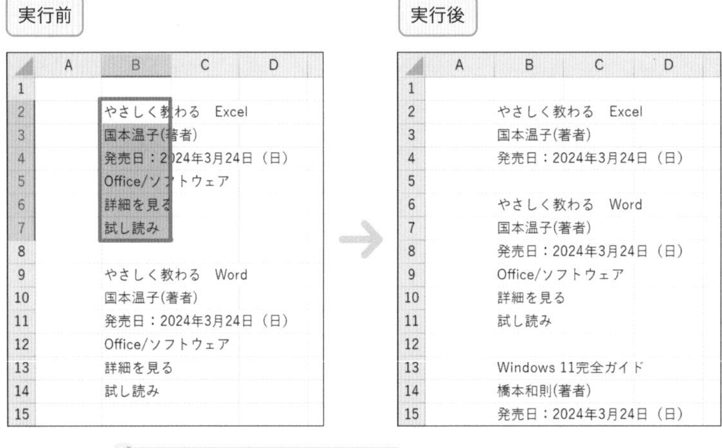

データが入力されたセルを選択して、マクロを実行します。

セルの値を、Left(レフト)関数を利用して「先頭3文字分」だけ比較しています。これは、Web 上からコピーしてきた値には、「表示はされないが存在する文字」が含まれる場合もあるためです。このため、確実に確認できる先頭からの数文字で比較を行っています。

さて、このマクロによって、残されたのは「書籍名」「著者名」「発売日」の3つの情報が順番に列記されたデータになりましたね。続いて、このデータの余計な部分を取り除きます。次のマクロは、「『著者名』と『発売日』のテキストから余分なデータを消す」ものです。

マクロ 「著者名」と「発売日」の値だけにする

```
Sub 著者名と発売日の値だけを取り出す()
    Dim myRange
    '選択セル範囲をループ処理
    For Each myRange In Selection
        '特定文字が含まれている場合は必要な値だけを取り出す
        If InStr(1, myRange.Value, "著者") > 0 Then
            'カッコより前のみを取り出す
            myRange.Value = Split(myRange.Value, "(")(0)
        ElseIf InStr(1, myRange.Value, "日") Then
            '日付の箇所のみ取り出す
            myRange.Value = _
                Split(Split(myRange.Value, "：")(1), " (")(0)
        End If
    Next
End Sub
```

▼ 必要な値だけを取り出す

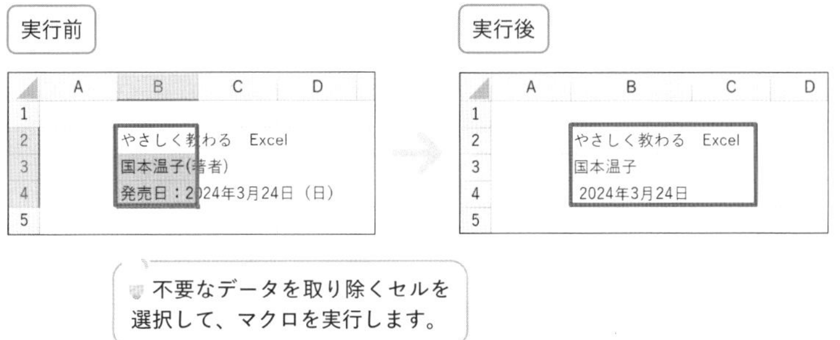

Keyword

Left関数は、任意の文字列の左から○文字を抜き出すことができます。対象の文字列と抜き出す文字数は、引数で指定します。

今回のデータは、「著者」のセルには「名前（著者）」という形式、「発売日」のセルには、「発売日：日付（日）」という形式でデータが入力されています。そこで、それぞれ著者は「(」という文字で分割、発売日は「:」と「(」という文字で分割し、著者名と発売日の日付のみを取り出して入力し直すという作業を行いました。

あとは、このデータを表形式に並べれば完成です。

マクロ データを表形式に並べる

```
Sub 表形式に整形()
    Dim myRange, i
    '転記の基準セルを設定
    Set myRange = Range("D2")
    '対象セル範囲をループ処理
    For i = 0 To Selection.Cells.Count - 1
        myRange.Offset(i ¥ 3, i Mod 3).Value = _
            Selection.Cells(i + 1).Value
    Next
End Sub
```

▼ データが表形式に整形される

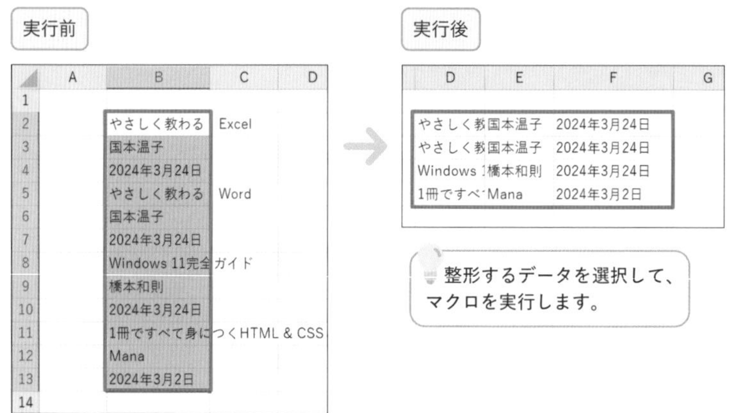

「3行ごとの値を表形式に整形する」方法は、いろいろとありますが、今回は、選択セルを先頭からループ処理し、カウント用変数「i」を1行分のデータ数である「3」で割った際の「幹（割り算した際の整数部分）」の値と、「剰余（割り算のあまり）」の値をそれぞれ¥演算子とMod（モッド）演算子（135ページ）で求め、その値を使って転記位置を調整してみました。

方法はともあれ、このように**コピーしてきたデータに何らかの規則性を見出せば、マクロによる整形作業を自動化**できます。定期的に特定の Web ページのデータを Excel シートに取り込むような業務がある方は、参考にしてみてください。

HTML 的な構成を解釈する

読者の皆さまの中には、Web ページの仕組みに精通している方もいらっしゃるかと思います。そういった方にとっては、Web ブラウザーから表示されている値をコピーしてくるのではなく、「大元の HTML ドキュメントの値を取得してデータを解析したい」という要望が出てくるでしょう。

このようなケースでは、以下のようなマクロで**「任意の URI の Web ページの内容」**を取得できます。ここでは、SB クリエイティブ社の新刊情報のページの内容を取得しています。

次のマクロは、「SB クリエイティブ社の新刊情報のページの HTML を取得し、メッセージとして表示」します。

マクロ 任意の URI の HTML を表示する

```
Sub 構成を直接解釈()
    With CreateObject("MSXML2.XMLHTTP")
        .Open "GET", "https://www.sbcr.jp/pc/", False
        .Send
        MsgBox .responseText
    End With
End Sub
```

▼ HTMLの内容が表示される

Microsoft Excel
<!DOCTYPE html>
<html lang="ja">
<head>
<meta charset="UTF-8">
<meta name="viewport" content="width=device-width, initial-scale=1.0, viewport-fit=cover"/>
<meta name="format-detection" content="telephone=no">
<meta http-equiv="X-UA-Compatible" content="ie=edge">
<meta name="keywords" content="SBクリエイティブ, ソフトバンク クリエイティブ, ソフトバンク, SBCr, 雑誌, 書籍, ムック, IT書籍, コンピューター書籍, 文庫, 新書, ゲーム, コミック, マンガ, iPhone, iPad, スマートフォン, 携帯">
<meta name="description" content="SBクリエイティブから出版している、ビジネス書籍や実用書、新書、PC書、ライトノベルなどの各書籍の紹介・情報を提供しております。"/>
<link rel="shortcut icon" type="image/vnd.microsoft.icon" href="https://www.sbcr.jp/wp-content/themes/sbcr2019/favicon.ico">
<link rel="apple-touch-icon-precomposed" href="https://www.sbcr.jp/wp-content/themes/sbcr2019/apple-touch-icon.png">
<meta property="og:title" content="PC/IT書籍 | SBクリエイティブ" />
<meta property="og:type" content="article" />
<meta property="og:u
OK

このマクロは、「XMLHTTP オブジェクト」という仕組みを利用して、Web ブラウザーを介さずに、直接任意の URI の Web ページの HTML の内容を取得しています。あとは、この内容を文字列操作処理によって解析したり、「DOMDocument（ドムドキュメント）オブジェクト」という仕組みを使って、XML 構文的に解釈を行えば、必要な情報にアクセスできるでしょう。

本書では詳細な解説は行いませんが、興味のある方は、オブジェクト名をキーワードに書籍や Web を検索して関連情報を集めてみてください。

ただし、プログラムを使って表示内容を変更するような Web ページでは、この方法ではうまく目的のデータを取り出せない場合もある点にご注意ください。

第10章

マクロの作成や管理に便利な機能

01

「コメント」機能でマクロの中身を確認する

本章では、マクロを作成する際に、知っておくと便利な仕組みを紹介します。これらの機能を活用して、マクロの中身の確認やスムーズな入力を行っていきましょう。

コメントを活用して処理の流れを整理する

VBE には、直接マクロの動作には影響はありませんが、マクロを入力・作成しやすくしたり、ブラッシュアップ・修正する際に便利な機能が用意されています。

まずは、「コメント」機能です。96 ページでも触れましたが、VBA では、プログラムの途中で「'」を入力すると、その行のそれ以降に書かれた内容は、「コメント」として扱われます。

▼ コメントとして入力されたテキスト

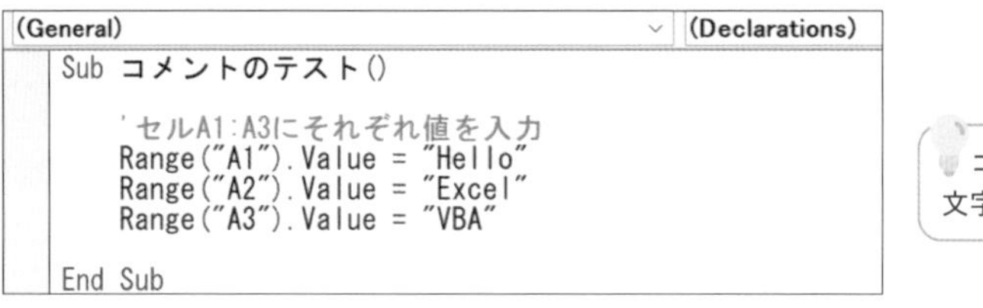

```
(General)                                   (Declarations)
Sub コメントのテスト()

    'セルA1:A3にそれぞれ値を入力
    Range("A1").Value = "Hello"
    Range("A2").Value = "Excel"
    Range("A3").Value = "VBA"

End Sub
```

コメントは緑色の文字で表示されます。

コメント部分は、VBE 上では緑色の文字で表示されます。また、コメントはマクロの結果に影響しません。純粋に「プログラム中のメモ書き」として利用できます。

また、コメントは、行全体をコメントとする以外にも、任意の行の途中で「'」を入力することにより、それ以降の部分のみをコメントとすることも可能です。

▼ 行の途中からコメントにする

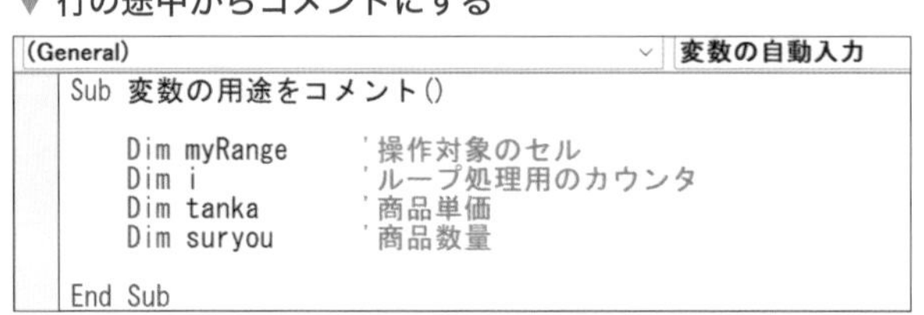

```
(General)                                   変数の自動入力
Sub 変数の用途をコメント()

    Dim myRange     '操作対象のセル
    Dim i           'ループ処理用のカウンタ
    Dim tanka       '商品単価
    Dim suryou      '商品数量

End Sub
```

行の途中に「'」を入力すると、それ以降がコメントとして扱われますコメント機能は、186ページでも触れたように、「このマクロではどのようなことをやりたいのか」を整理するためのメモや、上図のように、変数を利用する際、「その変数をどんな用途で使うつもりなのか」をメモしておくのに便利です。

特にマクロの作成に慣れないうちは、まずしっかりとコメントを使って、「どんな内容のコードを書きたいのか」を整理してから個々の操作を自動化するコードに変換していくのがお勧めです。

▼ まずコメントで実行したい内容を整理する

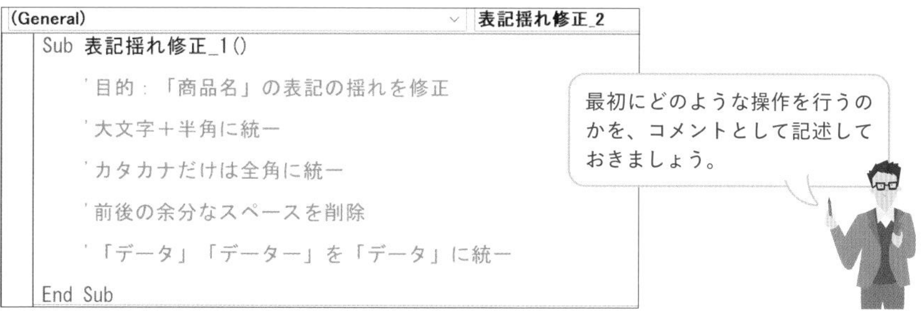

一気にコメント化する「コメントブロック」機能

VBEの画面上部に表示されている［編集］ツールバーの［コメントブロック］ボタンを利用すると、「選択範囲のコードを一気にコメント化（コメントブロック化）」できます。もちろん、1行のみでもコメント化します。

［編集］ツールバーは、［表示］→［ツールバー］メニューから「編集」を選択すると表示されます。

▼ 複数行を一気にコメント化する

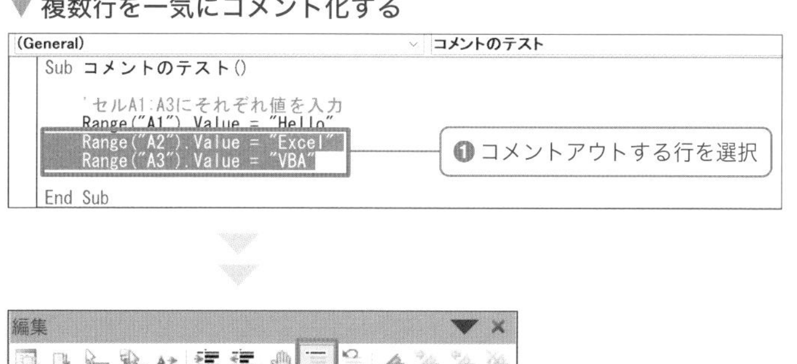

また、コメント化した部分を元に戻したい場合には、同じく範囲選択し、[コメントブロック] ボタンの右隣の、[非コメントブロック] ボタンをクリックします。

コメントブロック機能の便利な点は、複数行に渡るコメントを作成できるだけではなく、既存のコードの一部を手軽にコメントブロック化して、**「一時的にコメントブロック化した部分のコードを無効化する」**ことができる点です。

この仕組みにより、マクロ内の一部の内容のみの動作確認が手軽にできるようになります。

「マクロの記録」機能で記録したマクロのうち、自分の目的に合う部分はどこなのかを絞り込むために、一時的に一部のコードをコメントブロック化し、残りの部分の動作を確認するような場面で活用できますね。

02 「入力補助」機能で間違わずに入力する

VBE には単語を入力中に、入力候補を類推して表示する機能が用意されています。うまく使ってキーワードや変数をミスなく簡単に入力していきましょう。

VBEの「入力補助」機能を活用する

少し極端な例ですが、VBE でコードを入力する際、日本語入力をオフにして、「r」と 1 文字を入力し、Ctrl + Space キーを押してみましょう。すると、「R」から始まる入力候補のリストが表示されます。

矢印キーの上下でリストを選択し、Tab キーを押すと（もしくは、マウスでクリック）、その単語を入力できます。

▼「入力補助」機能

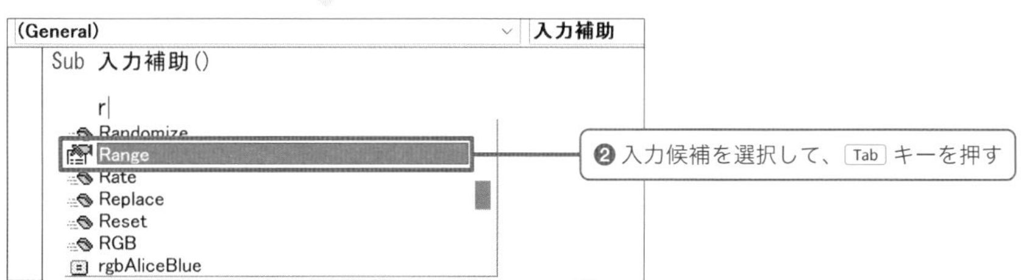

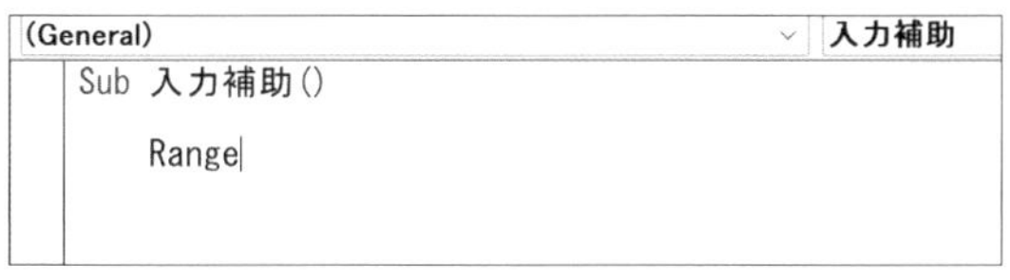

「入力補助」機能を利用すれば、簡単にミスなくコードの入力が行えます。

まだマクロに慣れないうちは、プロパティやメソッドのスペルは曖昧に覚えている場合も多いことでしょう。このようなケースでも、意図していたものを簡単に入力できますね。

また、コードを入力している際に、「Range("A1")」や「Worksheets(1)」のように、任意のオブジェクトを指定するコードを入力後に、「.」(ドット)を入力すると、「そのオブジェクトに用意されているプロパティやメソッドの候補」もリスト表示されます。

表示されているリストを選択して Tab キーを押すと、選択したプロパティやリストが表示されます。

▼ プロパティやメソッドの候補も表示される

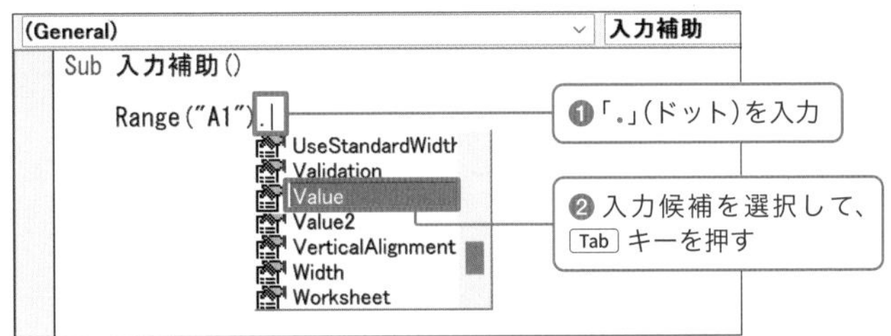

変数名を間違わずに入力する

さらに、変数を利用する場合にも、「入力補助」機能が活用できます。例えば、「Dim」を使って、「myRange」という名前の変数を宣言したとします。この時、そのマクロ内では、「my」まで入力し、Ctrl + Space キーを押すと、一気に「myRange」と自動入力されます。

▼ 変数の自動入力

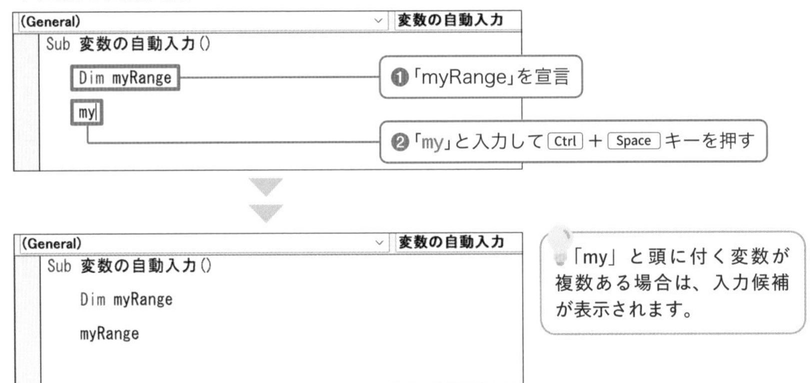

これは、Excelにあらかじめ用意されているキーワードの中に「my」で始まるものがなく、「my」で始まる単語の入力候補が、宣言しておいた「myRange」しかないためです。非常にお手軽ですね。

変数名の間違いは、マクロを作成する際に起こりやすいミスの1つです。**「入力補助」機能を利用して変数名を入力**すれば、コード入力のミスを減らすことができます。

特に、マクロの学習を始めたばかりの方や、キーボードによる入力が不得手な方は、変数名をあまり長くしたがらない傾向があります。VBAの記述ルールとしては、変数名は短くても構わないのですが、できれば、「見ただけで用途が判別できるくらいの意味を持つ名前」にしておきたいものです。

このようなケースでは、「変数は先頭に必ず『my』を付ける」というルールで長めの変数名を一度宣言しておけば、それ以降は、「my」の2文字だけ入力して、Ctrl＋Spaceキーを押し、変数名を自動入力してしまうというテクニックが有効です。

COLUMN　入力候補が複数ある場合には

変数を宣言する際に、「myRange」と「myValue」というように、「my」が付く変数名を2つ宣言した場合には、「my」を入力した時点で入力候補を表示すると、その2つがリスト表示されます。意図に合った方を矢印キーで選択し、Tabキーを押して入力しましょう。

03 マクロの状態を確認する機能

VBEには、マクロの状態を確認するための便利な機能が用意されています。「ステップ実行」「ブレークポイント」「イミディエイトウィンドウ」等の使い方を紹介します。

1行ずつマクロを実行する

95ページでも触れましたが、VBEには、1行ずつマクロを実行するステップ実行機能が用意されています。

「コード」ウィンドウ内から、ステップ実行したいマクロ内の任意の位置をクリックし、［デバッグ］→［ステップイン］を選択、もしくは、F8 キーを押すと、マクロ名の箇所が黄色くハイライトされ、実行待機状態になります。

▼「ステップ実行」機能

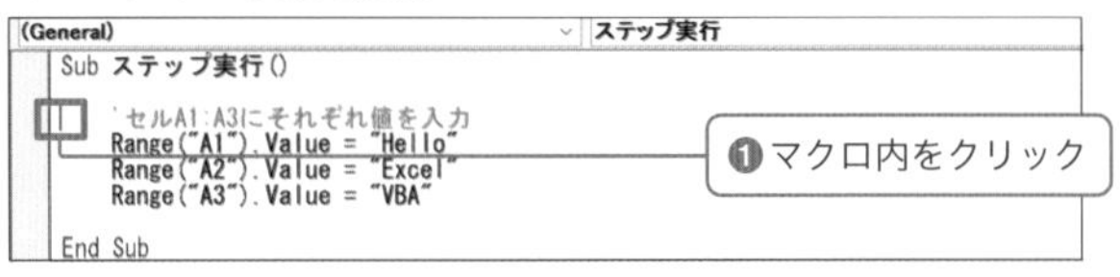

この状態で、再び、［デバッグ］→［ステップイン］を選択、もしくは F8 キーを押すと、その度にマクロのコードが1行ずつ実行されます。

Excel画面とVBE画面を横に並べて、1行ずつマクロをステップ実行していくと、1行1行のプログラムの実行結果を確認しながらマクロの流れを把握できます。

▼ ステップ実行で 1 行ずつ確認する

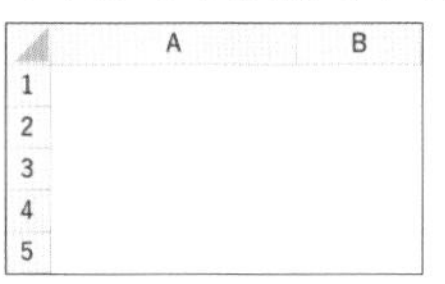

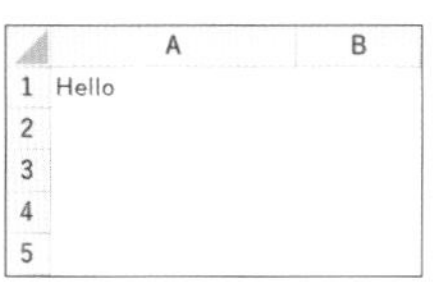

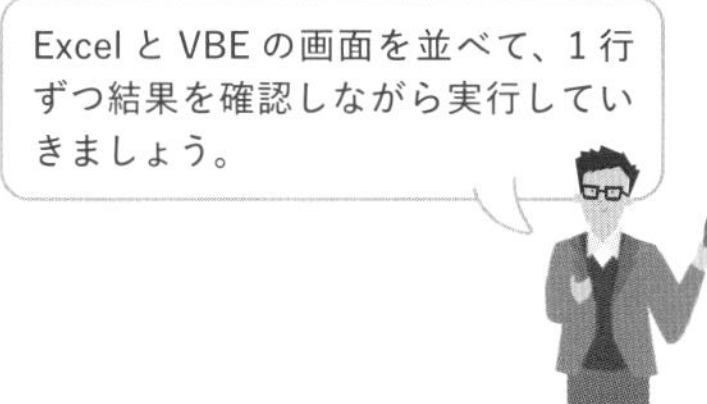

Excel と VBE の画面を並べて、1 行ずつ結果を確認しながら実行していきましょう。

なお、ステップ実行を途中で止めたい場合には、ツールバーの［リセット］ボタンをクリックします。

また、「ステップ実行」機能は、［表示］→［ツールバー］→［デバッグ］で表示される、「デバッグ」ツールバー上のボタンからも実行可能です。

ブレークポイントを設定して途中からステップ実行

長めのマクロの修正を行う際には、「ステップ実行で一部のマクロの内容を確認したいのだけれども、マクロの先頭からステップ実行すると、その位置までたどり着くのに時間がかかってしまう」という場合もあります。

このような場合には、**ブレークポイント**の仕組みを併用するのがお勧めです。ブレークポイントとは、VBE の「コード」ウィンドウの左端部分をクリックすると設定される、茶色い「●」マークのことです。

▼ ブレークポイントを設定する

ブレークポイントが設定されていると、その直前で実行待機状態になります。この状態から、F8 キーを押す等の操作をすると、その時点からステップ実行を行うことができます。

気になる箇所まで一気に進められるので、長いマクロの確認に便利です。

ブレークポイントは、行単位で設定可能であり、設定を解除するには、もう一度同じ箇所をクリックすれば OK です。

▼ブレークポイントで実行を待機する

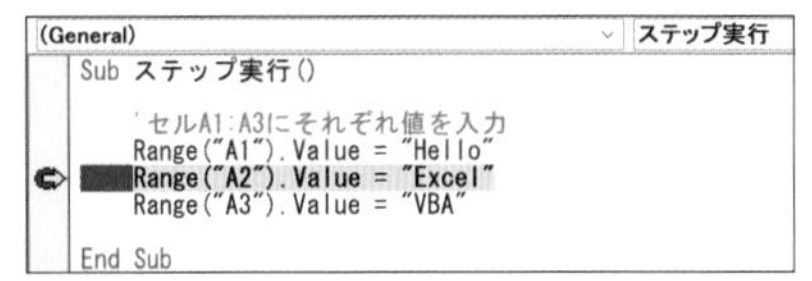

ブレークポイントが設定された行で実行が停止し、待機状態になります。

「イミディエイト」ウィンドウに途中経過を出力する

VBE の画面の一番下の部分には、「イミディエイト」ウィンドウが用意されています。

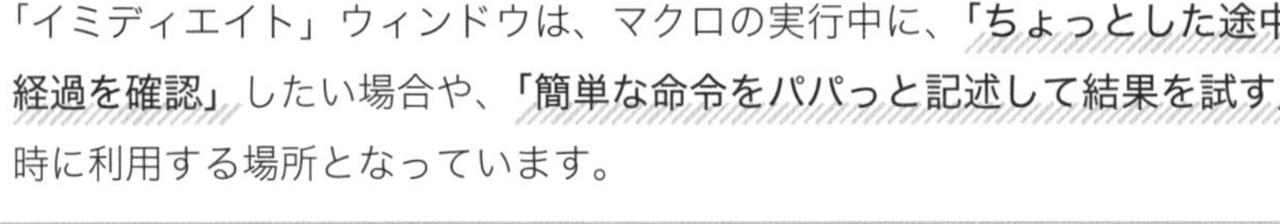

「イミディエイト」ウィンドウは、マクロの実行中に、**「ちょっとした途中経過を確認」**したい場合や、**「簡単な命令をパパっと記述して結果を試す」**時に利用する場所となっています。

表示されていない場合には、[表示] → [イミディエイトウィンドウ] で表示しましょう。

「イミディエイト」ウィンドウは、上部の「コード」ウィンドウとの境目をドラッグすることで表示する幅を変更可能です。

「イミディエイト」ウィンドウに出力を行うには、「マクロの中に、『Debug.Print』と記述し、その後ろに半角スペースを入れ、確認したいものを記述」します。値だけでなく、式の結果も表示できます。

▼「イミディエイト」ウィンドウに値を表示

```
Debug.Print 値／式
```

例えば、「セルA1の値を確認」したい場合には、次のようにコードを記述します。

```
Debug.Print Range("A1").Value
```

Debug.Print（デバッグ プリント）は、引数に指定した値を「イミディエイト」ウィンドウに表示します。引数をカンマ（,）で区切って2つ以上指定することもできます。

▼「イミディエイト」ウィンドウに値を表示する

```
イミディエイト
Hello

Debug.Print Range("A1").Value
```

以下のコードは、「『チェック：』という文字列と、セルA1の値を表示」します。

```
Debug.Print "チェック：", Range("A1").Value
```

Debug.Printは、「記述されている位置の時点での、指定したものの値」を「イミディエイト」ウィンドウに出力します。この仕組みを利用すると、マクロの実行途中でのセルの値や、変数の値を手軽にチェックできます。

特に、マクロが思い通りに動かないケースでは、いろいろな箇所にこのDebug.Printを利用した値のチェック箇所を設けると、**「マクロのどの時点で、動作が意図通りでなくなったのかを突き止める」**のに役立ちます。

次のマクロでは、「変数『myValue』を宣言し、『10を代入』『10を加算』『10を乗算』という3つの操作を順番に実行」しています。

マクロ 変数の値を「イミディエイト」ウィンドウに表示

```
Sub イミディエイトウィンドウの利用()
    Dim myValue

    myValue = 10
    Debug.Print "チェック01：", myValue

    myValue = myValue + 10
    Debug.Print "チェック02：", myValue
```

```
    myValue = myVarue * 10
    Debug.Print "チェック03：", myValue
End Sub
```

▼ 途中経過を確かめることができる

```
イミディエイト
チェック01：   10
チェック02：   20
チェック03：   0
```

このように、計算の途中経過を表示して確認することもできます。

個々の操作を実行後に、Debug.Print で変数 myValue の値を、「イミディエイト」ウィンドウに表示していますが、最後の出力が「0」になっていますね。

実は、3つ目の「10を乗算」の処理を行う際に、「myValue = myVarue *10」のところで「myValue」を「myVarue」とスペルミスをしているために、意図したような計算結果になっていないのです。

各処理の後ろで Debug.Print で値を確認しているので、「チェック02」の時点までは、意図したような正しいコードが記述されているとわかります。しかし、「チェック03」では意図した値と異なります。すると、あやしいのは「チェック02」より後ろで、「チェック03」より前の部分に絞り込めますね。このように、マクロの修正等に積極的に利用していきましょう。

Keyword

Debug.Print は、引数に指定した値を「イミディエイト」ウィンドウに表示します。

ちょっとしたコードを直接記述してテスト

「イミディエイト」ウィンドウには、値を出力するだけでなく、「直接コードを記述して実行」することもできます。例えば、次のようなコードを「イミディエイト」ウィンドウに直接入力します。

```
? Range("A1").Value
```

入力したら、Enter キーを押してみましょう。その時点でのセル A1 の値が次の行に表示されます。

▼ 直接コードを入力して結果を確認する

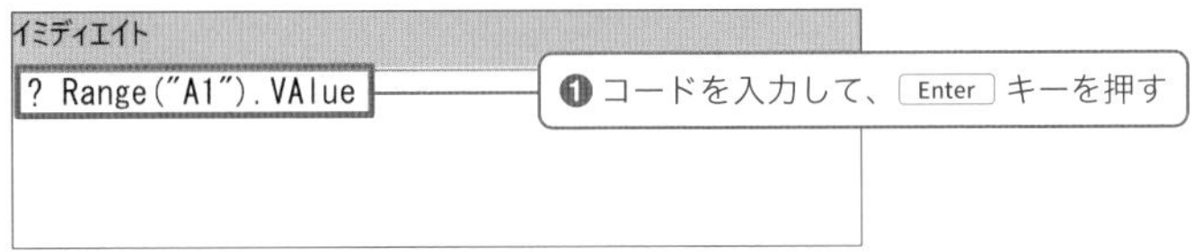
イミディエイト
? Range("A1").VAlue
❶コードを入力して、Enter キーを押す

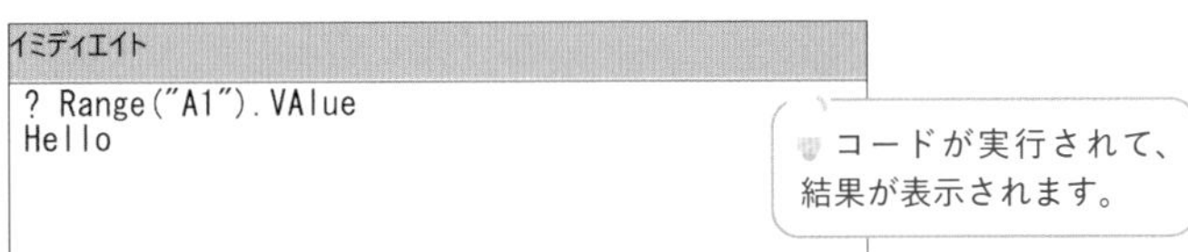
イミディエイト
? Range("A1").VAlue
Hello
コードが実行されて、結果が表示されます。

「イミディエイト」ウィンドウ内では、「?」は、「Debug.Print」の簡略版として機能します。「?」と入力して半角スペースを入れ、その後ろに確認したいものを記述します。

直接コードの中に「Debug.Print」を記述するのが面倒な場合には、ブレークポイントの設定やステップ実行中に、直接このようにコードを記述すれば、「簡単にマクロ実行途中での任意のセルの値や変数の値を確認」できます。

また、値の確認だけでなく、コードやマクロの実行も可能です。例えば、「イミディエイト」ウィンドウに、「`Range("A1").Value = 10`」と入力して Enter キーを押せば、セル A1 に「10」と入力されます。

特に、サブルーチンの仕組み（198 ページ）を利用したマクロを作成している場合には、「イミディエイト」ウィンドウを利用して、「Call サブルーチン名 (引数)」の形式で直接入力することで、その場でサブルーチンに任意の引数を渡して実行し、動作を確認できます。

▼「イミディエイト」ウィンドウでサブルーチンの動作を確認する

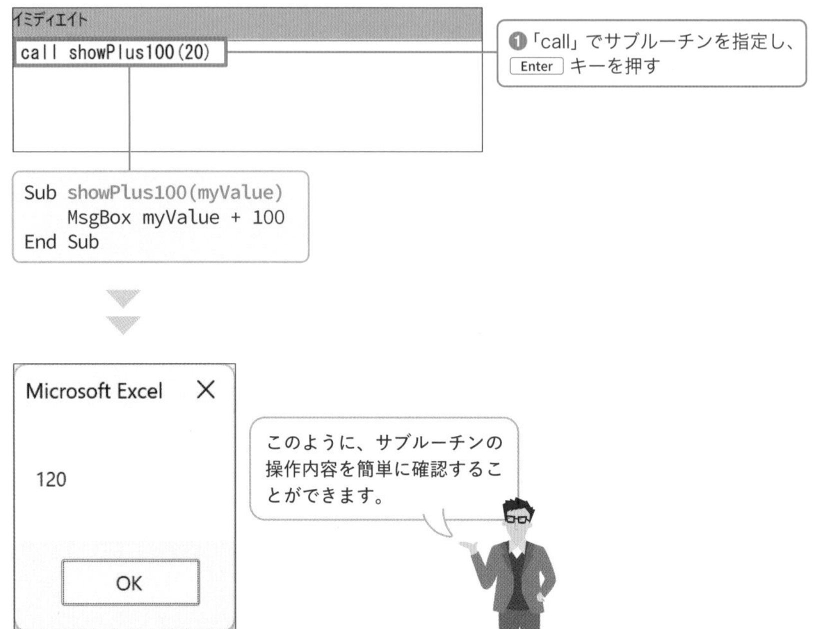
イミディエイト
call showPlus100(20)
❶「call」でサブルーチンを指定し、Enter キーを押す
Sub showPlus100(myValue)
MsgBox myValue + 100
End Sub
Microsoft Excel
120
OK
このように、サブルーチンの操作内容を簡単に確認することができます。

いろいろな引数を渡して動作をテストしたい場合に覚えておくと便利なテクニックです。

変数の状態を「ローカル」ウィンドウで確認する

変数を利用している際に、「今、この変数の値はどのようになっているのだろうか」と確認したい場合があります。その都度「Debug.Print」を使って「イミディエイト」ウィンドウに表示してもよいのですが、「ローカル」ウィンドウを利用すると一括で簡単に確認できます。

「ローカル」ウィンドウは、VBE のメニューより、[表示] → [ローカルウィンドウ] で表示できます。

「ローカル」ウィンドウには、**「その時点でのマクロ内の変数と格納されている値」**が一覧表示されます。ステップ実行等と組み合わせることで、実行中の変数の値の変化を確認できます。

▼ ステップ実行中に変数の値を確認

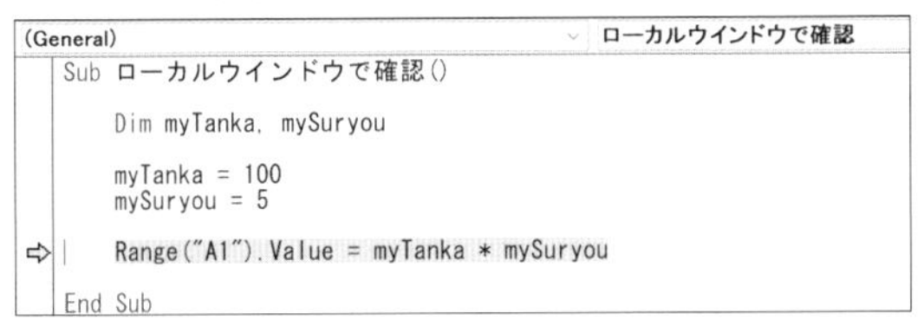

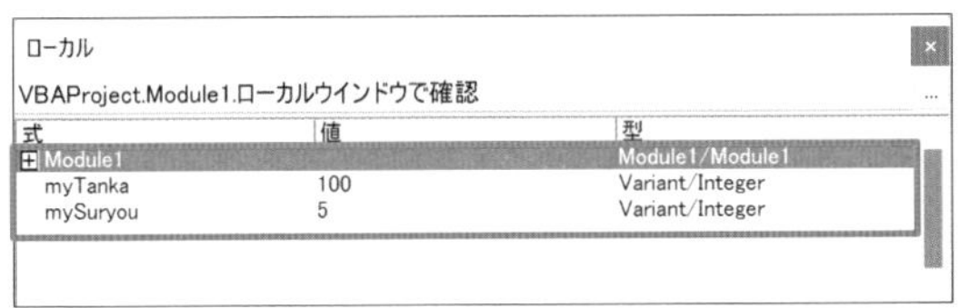

実行されている行の時点の変数の値が表示されます。

ステップ実行中に「ローカル」ウィンドウを表示すれば、その時点での変数の値が一括確認できます。大変便利な機能ですね。

エラー発生箇所を絞り込むための方法

自分の思うようなマクロが完成するまでは、さまざまな意図していない事態に遭遇します。思っていた動作と違ったり、欲しい計算結果と食い違っていたり、そもそもマクロがエラーで停止してしまったりと、その原因はさまざまでしょう。

そのような場合には、これまで紹介してきた機能を利用し、以下のようなスタイルで、**「エラーが発生しているコードを絞り込み」**、原因を突き止めましょう。

「ステップ実行」機能で1行1行のコードの実行結果を確認する

「ステップ実行」と「ブレークポイント」を併用すると、重点的に確認したい箇所まで素早くたどり着きます。

Debug.Print等を利用して途中経過を確認する

「Debug.Print "001:", 確認したい値」のように、「マクロ中のどの位置なのかを知る手掛かりとなる通し番号+チェックしたい値」というスタイルで記述しておくと、より原因の箇所が絞り込みやすくなります。

コメントブロックで切り分けて絞り込む

「コメントブロック」機能を利用して、「ざっくりと一部のコードをまとめてコメント化した上でマクロを実行」すれば、エラーが発生する部分としない部分を切り分けて絞り込むことができます。

マクロが完成するまでは、エラーに遭遇するのが当たり前です。ですので、その時点で嫌になってマクロの完成を諦める必要はありません。VBEには、上記の機能のような、エラーの場所を突き止めやすくする機能が用意されています。

長いマクロでも、少しずつ動作を検証すれば、問題となっている箇所をだんだんと絞り込んでいけるでしょう。

皆さまの業務が劇的に改善するよう、本書で学習した内容を活かして、さまざまなマクロの作成にチャレンジしてください。

Index

▶さ行

▶た行

▶な行

▶は行

▶ま行

▶や行

▶ら行

▶わ行

■本書サポートページ

URL https://isbn2.sbcr.jp/26037/

・本書をお読みいただいたご感想を上記URLからお寄せください。
・上記URLに正誤情報、サンプルダウンロードなど、本書の関連情報を掲載しておりますので、併せてご利用ください。
・本書の内容の実行については、全て自己責任のもとで行ってください。内容の実行により発生した、直接・間接的被害について、著者およびSBクリエイティブ株式会社、製品メーカー、購入された書店、ショップはその責を負いません。

■著者プロフィール

古川 順平（ふるかわ じゅんぺい）

富士山麓でExcelを扱う案件中心に活動するテクニカルライター兼インストラクター。
著書に『ExcelVBA［完全］入門』『Excel マクロ＆VBA やさしい教科書』『楽して仕事を効率化する Excelマクロ入門教室』（SBクリエイティブ）、『Excel仕事のはじめ方 入社1年目からの必須スキルが1冊でわかる』『社会人10年目のビジネス学び直し 仕事効率化＆自動化のための Excel関数虎の巻』等、共著・協力に『Excel VBAコードレシピ集』『スラスラ読める ExcelVBAふりがなプログラミング』等がある。
趣味は散歩とサウナ巡り後の地ビール。

いちばん初めに読む教科書 よくわかる Excelマクロ＆VBA

2024年5月2日 初版第1刷発行

著　者……………………古川 順平

発行者……………………出井 貴完
発行所……………………SBクリエイティブ株式会社
〒105-0001 東京都港区虎ノ門2-2-1
https://www.sbcr.jp/

印　刷……………………株式会社シナノ
装　丁……………………渡辺 縁
本文デザイン……………清水かな（クニメディア）
組　版……………………クニメディア株式会社

落丁本、乱丁本は小社営業部にてお取り替えいたします。
定価はカバーに記載されています。

Printed in Japan　ISBN978-4-8156-2603-7